COLLECTION BESCHERELLE

Les verbes espagnols

Formes et emplois

Francis Mateo
Antonio José Rojo Sastre

HATIER

Conception maquette : Yvette Heller
Adaptation maquette et mise en page : Isabelle Vacher

© HATIER – Paris – Juin 1997

ISSN 0990 3771 – ISBN 2-218-**71749**-2

Le bon usage d'une langue suppose, entre autres, une connaissance accomplie des particularités de la conjugaison. Dans la construction d'une phrase, la place et la fonction du verbe sont, en effet, primordiales. Or, en espagnol, la conjugaison présente des difficultés particulières, dues, notamment, à la persistance de certains temps du subjonctif, qui connaissent plusieurs formes, et à l'emploi d'un groupe important de verbes irréguliers.

Cette nouvelle version du **Bescherelle espagnol** doit donc permettre au plus grand nombre de maîtriser la conjugaison des verbes en espagnol et faciliter la tâche des professeurs, des élèves et des étudiants.

Ce livre se compose de quatre parties distinctes et cependant complémentaires.

1 **Un résumé de la grammaire du verbe en espagnol.** Il s'agit d'une étude descriptive, simple mais rigoureuse, des principales caractéristiques de la conjugaison : la voix, le mode, le temps, la personne, le nombre et l'aspect.

Chaque explication est suivie d'exemples en espagnol et en français qui permettront aux élèves de comprendre aisément les difficultés ou les particularités correspondantes.

2 **89 tableaux de conjugaison.** Ils comportent la conjugaison complète des verbes modèles et des verbes auxiliaires (1-4), la liste alphabétique des verbes irréguliers et des verbes défectifs (5-86), une conjugaison type de la forme passive (87), de la forme pronominale (88), et des verbes impersonnels (89).

3 **Le régime usuel des verbes prépositionnels.** Le bon usage des prépositions espagnoles (qui présente, souvent, des particularités fort complexes) est ici illustré par des exemples clairs et pratiques.

4 **La liste générale des verbes** présente quelque 10 000 verbes espagnols dont nous signalons, en abrégé, les caractéristiques ou les particularités : transitif, intransitif, irrégulier, défectif, impersonnel, à participe passé irrégulier, à double participe, américanisme.

Le Bescherelle espagnol a été conçu comme **un outil de travail** destiné à toutes les personnes qui souhaitent acquérir une bonne maîtrise de la langue espagnole. On peut le consulter d'une façon simple, rapide, précise. Il permet de résoudre les difficultés les plus fréquentes : morphologiques, orthographiques ou liées aux prépositions. Il offre, ainsi, une réponse aux diverses questions que le lecteur peut se poser sur le système verbal espagnol.

Les Auteurs

N.B. L'ordre alphabétique adopté est conforme aux normes universelles. En accord avec les décisions prises en avril 1994 par le Xe Congrès de l'Association des Académies de la langue espagnole, le **ch** et **ll** sont englobés, respectivement, dans les lettres **c** et **l**, tandis que le **ñ** garde sa place habituelle, après le **n**.

SOMMAIRE

La grammaire du verbe

La grammaire du verbe

1. LE VERBE

Dans la langue espagnole **le verbe** est le mot de la phrase qui exprime **l'existence** des personnes, des animaux ou des choses, leur **état**, **l'action** qu'ils effectuent ou subissent, ainsi que **les faits impersonnels**.

● **L'existence :**   Juan **vive**.
Jean vit.

● **L'état :**   Los niños **enfermaron**.
Les enfants sont tombés malades.

● **L'action active :**   El perro **ladra**.
Le chien aboie.

● **L'action passive :**   Las rosas fueron **regadas**.
Les roses ont été arrosées.

● **Les faits impersonnels :**   **Llueve** mucho.
Il pleut beaucoup.

Le verbe est aussi le mot qui introduit la phrase dans le temps. En espagnol comme en français, un verbe se conjugue.

2. LES TROIS CONJUGAISONS RÉGULIÈRES EN ESPAGNOL

● **Première conjugaison** ; verbes dont l'infinitif se termine en **- ar** :

     cant**ar**   tom**ar**   cort**ar**
     chanter   *prendre*   *couper*

● **Deuxième conjugaison** ; verbes dont l'infinitif se termine en **- er** :

     com**er**   beb**er**   deb**er**
     manger   *boire*   *devoir*

● **Troisième conjugaison** ; verbes dont l'infinitif se termine en **- ir** :

     viv**ir**   sub**ir**   escrib**ir**
     vivre   *monter*   *écrire*

LES CARACTÉRISTIQUES DU VERBE
●●●

Conjuguer veut dire énoncer de façon ordonnée toutes les formes d'un verbe suivant **la voix, le mode, le temps, la personne, le nombre et l'aspect.**

1. LA VOIX

La voix marque les rapports entre l'action exprimée par le verbe et le sujet, suivant que l'action est considérée comme réalisée par lui **(voix active)** ou subie par lui **(voix passive).**

Voix active (voz activa)

L'action verbale est réalisée par le sujet :
    Cervantes **escribió** *Don Quijote.*   *Cervantès écrivit Don Quichotte.*

Voix passive (voz pasiva)

L'action verbale est subie par le sujet :
    Don Quijote **fue escrito** por Cervantes.   *Don Quichotte fut écrit par Cervantès.*

2. LE MODE

Le mode (modo) est le cadre où s'ordonnent les formes verbales. Il exprime l'attitude de celui qui parle (le locuteur) vis-à-vis de l'action exprimée par le verbe, suivant qu'il considère cette action comme réalisable ou non. Les modes espagnols ont des formes personnelles ou impersonnelles.

Les formes **personnelles** sont celles des modes **indicatif (indicativo), subjonctif (subjuntivo), et impératif (imperativo).**

Les formes **impersonnelles** sont : l'**infinitif (infinitivo),** le **gérondif (gerundio),** et le **participe passé (participio).**

Aujourd'hui, **le conditionnel (condicional),** est considéré comme un temps de l'**indicatif (indicativo),** bien que chargé de valeur modale, et l'**infinitif (infinitivo)** traité avec les formes dites impersonnelles du verbe ; nous considérons ici trois modes :

    indicativo *(indicatif)*   subjuntivo *(subjonctif)*   imperativo *(impératif)*

Indicativo (indicatif)

L'indicatif (indicativo), est par excellence le mode du fait. Il constate ce qui est (présent), ce qui a été (passé), ce qui sera (futur) ; c'est le mode **objectif** :

- **Ce qui est :**   Juan **toma** el autobús.   *Jean prend l'autobus.*
- **Ce qui a été :**   María **leyó** la novela.   *Marie a lu le roman.*
- **Ce qui sera :**   Los niños **irán** al cine.   *Les enfants iront au cinéma.*

Subjuntivo (subjonctif)

Le subjonctif (subjuntivo), très utilisé en espagnol, indique une **action subordonnée** à l'idée exprimée par un autre verbe énoncé dans la phrase ou sous-entendu (idée de doute, de souhait, de crainte, de supposition, etc.) :

- **L'idée de doute :**   **Dudo** que **venga.**   *Je doute qu'il vienne.*
- **L'idée de souhait :**   **Desean** que nos **vayamos.**   *Ils souhaitent que nous partions.*
- **L'idée de crainte :**   Antonio **teme** que **nieve.**   *Antoine craint qu'il ne neige.*
- **L'idée de supposition :**   ¡Quizás **venga**!   *Peut-être viendra-t-il ?*

Imperativo (impératif)

a/ L'impératif (imperativo) exprime le commandement, le souhait, la prière, le conseil...

- **Pour donner un ordre :**   ¡Soldados, **obedezcan**!   *Soldats, obéissez !*
- **Pour formuler une prière :** Ana, **estudia** por favor.   *Anne, étudie s'il te plaît.*
- **Pour conseiller :**   **Gasta** tu dinero poco a poco. *Dépense ton argent peu à peu.*

b/ Pour un ordre négatif (la défense, l'interdiction), l'espagnol emploie la négation **no** suivie du **subjonctif** :

- **Pour un ordre négatif :**   No **piensen** en salir.   *Ne pensez pas sortir.*

3. LE TEMPS

a/ Le verbe, comme nous l'avons signalé un peu plus haut, introduit la phrase dans le temps. Ce sont les temps qui nous indiquent **quand** a lieu l'action verbale.

presente *(présent)* José **come** pan.   *Joseph mange du pain.*   (maintenant)

pretérito *(passé)* Julio **comió** fruta.   *Jules mangea des fruits.*   (hier)

futuro *(futur)* El niño **tomará** la sopa. *L'enfant prendra de la soupe.* (demain,

                                                         plus tard, après)

b/ Les temps verbaux peuvent être **simples,** formés par un seul mot, ou **composés,** formés par deux ou trois mots.

- Un mot :   canta   *il / elle chante*
- Deux mots :   había bebido   *il / elle avait bu*
- Trois mots :   han sido visto(a)s *ils / elles ont été vu(e)s*

4. TABLEAU RÉCAPITULATIF DES TEMPS

temps simples		*temps composés*

Indicativo *(Indicatif)*

– Presente *Présent*	canto	– Pretérito perfecto compuesto *Passé composé*	he cantado
– Pretérito imperfecto *Imparfait*	cantaba	– Pretérito pluscuamperfecto *Plus-que-parfait*	había cantado
– Pretérito perfecto simple *Passé simple*	canté	– Pretérito anterior *Passé antérieur*	hube cantado
– Futuro *Futur*	cantaré	– Futuro perfecto *Futur antérieur*	habré cantado
– Condicional *Conditionnel*	cantaría	– Condicional perfecto *Conditionnel passé*	habría cantado

Subjuntivo *(Subjonctif)*

– Presente *Présent*	cante	– Pretérito perfecto *Passé*	haya cantado
– Pretérito imperfecto *Imparfait*	cantara / cantase	– Pretérito pluscuamperfecto *Plus-que-parfait*	hubiera / hubiese cantado
– Futuro *Futur*	cantare	– Futuro perfecto *Futur antérieur*	hubiere cantado

Imperativo *(Impératif)*

– Presente *Présent*	canta, cante, cantemos, cantad, canten

5. LES FORMES IMPERSONNELLES

Il s'agit de l'infinitif (infinitivo), du gerondif (gerundio) et du participe passé (participio).

Infinitivo (infinitif)

L'infinitif indique le sens du verbe sans l'expression du temps, du nombre et de la personne. C'est une forme invariable.

tomar, cantar : *prendre, chanter*
vivir, decir : *vivre, dire*
beber, deber : *boire, devoir*

L'infinitif, tout seul, exprime l'action. Dans la phrase, il a fréquemment la valeur d'un nom. Il peut donc en remplir toutes les fonctions :

a/ sujet :
    Querer es poder.   *Vouloir c'est pouvoir.*

b/ attribut :
    Querer es **poder**.   *Vouloir c'est pouvoir.*

c/ complément d'objet direct :
    Fernando desea **estudiar**.   *Ferdinand souhaite étudier.*

d/ complément d'objet indirect :
    Se acordó de **escribir**.   *Il / elle s'est souvenu(e) d'écrire.*

e/ complément circonstanciel :
    Vine para **verte**.   *Je suis venu(e) pour te voir.*

Gerundio (gérondif)

Le gérondif, forme verbale invariable, permet d'indiquer :

a/ la simultanéité de deux actions :
    Se paseaba **hablando**.   *Il / elle se promenait tout en parlant.*

b/ la durée d'une action :
    Estoy **leyendo** el periódico.   *Je suis en train de lire le journal.*

c/ la cause :
    Sabiendo que era Enrique, abrí la puerta. *Sachant que c'était Henri, j'ai ouvert la porte.*

d/ la condition :
    Estando de acuerdo, iremos a la boda. *Si nous sommes d'accord, nous irons au mariage.*

e/ la valeur **copulative** (lien entre deux propositions) :

México es la capital, **siendo** la primera en habitantes.
Mexico est la capitale, étant (= et elle est) la première par le nombre d'habitants.

f/ Il a la fonction d'**adjectif après** un verbe de **perception** comme **ver, oír**, etc. :

Vimos al niño **llorando**.   *Nous avons vu l'enfant en train de pleurer.*

Participio (participe passé)

Le participe passé, peut être considéré comme la forme adjectivale du verbe. Il **peut varier en genre et nombre**.

a/ Dans la formation des **temps composés** avec l'auxiliaire **haber** il est invariable :

Hemos venido a verte.   *Nous sommes venu(e)s te voir.*

b/ Dans la formation de la **voix passive** avec les auxiliaires **ser** ou **estar** il s'accorde avec le sujet :

El ladrón **fue detenido** por la policía.   *Le voleur fut arrêté par la police.*

Marisa estaba preocupada por los exámenes. *Maryse s'inquiétait pour les examens.*

c/ Comme **adjectif** il s'accorde :

Estos **son solteros** y esos **son casados**. *Ceux-ci sont célibataires et ceux-là sont mariés.*

6. LE NOMBRE ET LA PERSONNE

a/ À l'**infinitif** (**infinitivo**) tous les verbes sont terminés par **-r**, précédé de **-a-, -e-**, ou de **-i-**, (voyelle thématique) : tom**ar** (prendre), cant**ar** (chanter), habl**ar** (parler), beb**er** (boire), com**er** (manger), escrib**ir** (écrire), etc.

b/ À l'**indicatif** (**indicativo**), au **subjonctif** (**subjuntivo**), aux temps simples ou composés, il y a toujours six formes : trois correspondent aux personnes du singulier **(yo, tú, él / ella** ou **usted)** et trois à celles du pluriel **(nosotros / -as, vosostros / -as, ellos / ellas** ou **ustedes)**. La troisième personne du pluriel est toujours marquée par un **-n** en fin de verbe : cantan, bebían, escribirán.

c/ L'**impératif** (**imperativo**) possède seulement cinq formes, puisqu'il n'a pas la première du singulier :

—	
ven	(tú)
venga	(él, ella, usted)
vengamos	(nosotros, nosotras)
venid	(vosotros, vosotras)
vengan	(ellos, ellas, ustedes)

7. L'ASPECT

L'aspect (aspecto) concerne la manière dont l'action exprimée par le verbe est envisagée dans son déroulement (perfectif ou imperfectif).

a/ Perfectif
action finie :   Pedro **estudió** la lección.   *Pierre étudia la leçon.*

b/ Imperfectif
action non finie :   Paco **leía** el periódico.   *Paco lisait le journal.*

LA CONJUGAISON DES VERBES RÉGULIERS
●●●

Les conjugaisons formées à partir du radical

Il y a deux parties dans chaque forme verbale : le radical et la terminaison. Dans les trois conjugaisons régulières le radical reste invariable et la terminaison change. Le radical des verbes irréguliers subit parfois des modifications :

forz**ar** *(forcer)* : **forcé**   cab**er** *(contenir)* : **quepo, cupe**   sent**ir** *(sentir)* : **siento, sintió**

1 Presente de indicativo (Présent de l'indicatif)

	• première conjugaison :	-o, -as, -a, -amos, -áis, -an.
radical +	• deuxième conjugaison :	-o, -es, -e, -emos, -éis, -en.
	• troisième conjugaison :	-o, -es, -e, -imos, -ís, -en.

2 Pretérito imperfecto de indicativo (Imparfait de l'indicatif)

	• première conjugaison :	-aba, -abas, -aba, -ábamos, -abais, -aban.
radical +	• deuxième conjugaison et	
	troisième conjugaison :	-ía, -ías, -ía, -íamos, -íais, -ían.

3 Pretérito perfecto simple (Passé simple)

	• première conjugaison :	-é, -aste, -ó, -amos, -asteis, -*aron*.
radical +	• deuxième conjugaison et	
	troisième conjugaison :	-í, -iste, -ió, -imos, -isteis, -ie*ron*.

4 Presente de subjuntivo (Présent du subjonctif)

	• première conjugaison :	-e, -es, -e, -emos, -éis, -en.
radical +	• deuxième conjugaison et	
	troisième conjugaison :	-a, -as, -a, -amos, -áis, -an.

14

5 **Imperativo** (Impératif)

radical +
- première conjugaison : -a, -e, -emos, -ad, -en.
- deuxième conjugaison : -e, -a, -amos, -ed, -an.
- troisième conjugaison : -e, -a, -amos, -id, -an.

6 **Gerundio** (Gérondif)

radical +
- première conjugaison : -ando.
- deuxième conjugaison et troisième conjugaison : -iendo.

7 **Participio** (Participe passé)

radical +
- première conjugaison : -ado.
- deuxième conjugaison et troisième conjugaison : -ido.

Les temps dérivés de l'infinitif

1 **Futuro de indicativo** (Futur de l'indicatif)

infinitif   +   aux trois conjugaisons : -é, -ás, -á, -emos, -éis, -án.

2 **Condicional** (Conditionnel)

infinitif   +   aux trois conjugaisons : -ía, -ías, -ía, -íamos, -íais, -ían.

Les temps dérivés du passé simple

1 **Pretérito imperfecto de subjuntivo** (Imparfait du subjonctif)
Se forme en supprimant la terminaison **-ron** de la 3ᵉ personne du pluriel du passé simple et en ajoutant :

- à la première forme, aux trois conjugaisons :   -ra, -ras, -ra, -ramos, -rais, -ran.
- à la deuxième forme, aux trois conjugaisons :   -se, -ses, -se, -semos, -seis, -sen.

2 **Futuro de subjuntivo** (Futur du subjonctif)
Se forme en supprimant la terminaison **-ron** de la 3ᵉ personne du pluriel du passé simple et en ajoutant, (de moins en moins utilisée) :
aux trois conjugaisons : **-re, -res, -re, -remos, -reis, -ren.**

TABLEAU DES TERMINAISONS DES TEMPS SIMPLES
●●●

Les **verbes réguliers** ont les terminaisons communes à tous les verbes de leur conjugaison **sans modification du radical.** Ils suivent donc tous les modèles que nous avons choisis :

1re conjugaison   cortar   2e conjugaison   deber   3e conjugaison   vivir

FORMES PERSONNELLES

MODO INDICATIVO			MODO SUBJUNTIVO		
1re	2^e	3^e	1re	2^e	3^e
Presente			**Presente**		
-o	-o	-o	-e	-a	-a
-as	-es	-es	-es	-as	-as
-a	-e	-e	-e	-a	-a
-amos	-emos	-imos	-emos	-amos	-amos
-áis	-éis	-ís	-éis	-áis	-áis
-an	-en	-en	-en	-an	-an
Pretérito imperfecto			**Pretérito imperfecto**		
-aba	-ía	-ía	-ara	-iera	-iera
-abas	-ías	-ías	-aras	-ieras	-ieras
-aba	-ía	-ía	-ara	-iera	-iera
-ábamos	-íamos	-íamos	-áramos	-iéramos	-iéramos
-abais	-íais	-íais	-arais	-ierais	-ierais
-aban	-ían	-ían	-aran	-ieran	-ieran
Pretérito perfecto simple			-ase	-iese	-iese
-é	-í	-í	-ases	-ieses	-ieses
-aste	-iste	-iste	-ase	-iese	-iese
-ó	-ió	-ió	-ásemos	-iésemos	-iésemos
-amos	-imos	-imos	-aseis	-ieseis	-ieseis
-asteis	-isteis	-isteis	-asen	-iesen	-iesen
-aron	-ieron	-ieron	**Futuro**		
Futuro			-are	-iere	-iere
-é	-é	-é	-ares	-ieres	-ieres
-ás	-ás	-ás	-are	-iere	-iere
-á	-á	-á	-áremos	-iéremos	-iéremos
-emos	-emos	-emos	-areis	-iereis	-iereis
-éis	-éis	-éis	-aren	-ieren	-ieren
-án	-án	-án	**MODO IMPERATIVO**		
			—	—	—
			-a	-e	-e
Condicional			-e	-a	-a
-ía	-ía	-ía	-emos	-amos	-amos
-ías	-ías	-ías	-ad	-ed	-id
-ía	-ía	-ía	-en	-an	-an
-íamos	-íamos	-íamos	**FORMES IMPERSONNELLES**		
-íais	-íais	-íais	Infinitivo	Gerundio	Participio
-ían	-ían	-ían	-ar -er -ir	-ando -iendo -iendo	-ado -ido -ido

LA CONJUGAISON DES VERBES AUXILIAIRES ET IRRÉGULIERS
●●●

Selon leur conjugaison les verbes peuvent être :
- auxiliaires
- réguliers, irréguliers
- défectifs ou impersonnels

1. LES VERBES AUXILIAIRES

Les verbes auxiliaires sont ceux qui aident à former les temps des autres verbes. En espagnol les verbes auxiliaires les plus importants sont : **haber** (avoir), **ser** (être)[1] et **estar**.

Haber (avoir)

● **Haber** sert à la formation des **temps composés** de tous les verbes.

Ha tom**ado** el metro en Puerta del Sol.	*Il / elle a pris le métro à la Puerta del Sol.*
Había beb**ido** agua.	*Il / elle avait bu de l'eau.*
Habíamos viv**ido** en Francia.	*Nous avions habité en France.*

Ser et estar (être)

● On emploie le verbe ser et le verbe estar pour les formes à la voix passive :

El herido **fue** conduc**ido** al hospital.	*Le blessé fut conduit à l'hôpital.*
La casa **estuvo** habit**ada** por ingleses.	*La maison fut habitée par des anglais.*

2. LES VERBES IRRÉGULIERS

Les verbes irréguliers sont ceux dont **le radical peut subir une modification** à certains temps, ou dont **les terminaisons type peuvent changer**, se séparant ainsi, de la conjugaison des verbes modèles.

---

1. Le verbe français **être** équivaut aux verbes espagnols **ser** et **estar**, dont nous avons les usages principaux à la page 24.

a/ Variation du radical

jugar : **juego**	poder : **puedo**	medir : **mido**
jouer	*pouvoir*	*mesurer*

b/ Prennent des terminaisons particulières

andar : **anduve**	conducir : **conduje**
marcher	*conduire*

c/ Changement du radical et de la terminaison

hacer : **hice**	venir : **vine**	tener : **tuve**	decir : **dije**
faire	*venir*	*avoir*	*dire*

Cependant, en espagnol les verbes irréguliers ne le sont pas à tous les temps. Les **irrégularités** apparaissent groupées **par temps et par thèmes** en trois séries. Le **thème** est constitué du radical plus la voyelle thématique caractéristique d'une conjugaison : **-ar** > **-a-**, **-er** > **-e-**, **-ir** > **-e-**.

infinitif	radical	+	voyelle thématique	=	thème
cortar	cort	+	a	=	corta
deber	deb	+	e	=	debe
vivir	viv	+	e	=	vive

Irrégularités du présent

1 L'accent tonique diphtongue la voyelle du radical aux trois personnes du singulier et à la 3e personne du pluriel des présents de l'indicatif et du subjonctif, et aux formes de l'impératif qui en dérivent.

a/ La voyelle du radical e > ie

empezar	yo empiezo	yo empiece	empieza tú
defender	yo defiendo	yo defienda	defiende tú
discernir	yo discierno	yo discierna	discierne tú

b/ La voyelle du radical i > ie

adquirir	yo adquiero	yo adquiera	adquiere tú

c/ La voyelle du radical o > ue

encontrar	yo encuentro	yo encuentre	encuentra tú
volver	yo vuelvo	yo vuelva	vuelve tú

d/ La voyelle du radical u > ue

jugar	yo juego	yo juegue	juega tú

18

2 **L'accent tonique diphtongue la voyelle du radical** aux trois personnes du singulier et à la 3ᵉ personne du pluriel des présents de l'indicatif et du subjonctif, et aux formes de l'impératif qui en dérivent. **Affaiblissement de la voyelle du radical** à la 1ʳᵉ et à la 2ᵉ personne du pluriel du présent du subjonctif. Ces verbes présentent une autre irrégularité : voir irrégularité du passé simple.

a/ La voyelle du radical **e > ie**
sentir: yo siento; yo sienta; siente tú

La voyelle du radical **e > i**
nosotros sintamos; vosotros sintáis

b/ La voyelle du radical **o > ue**
dormir: yo duermo; yo duerma; duerme tú

La voyelle du radical **o > u**
nosotros durmamos; vosotros durmáis

3 **Affaiblissement de la voyelle du radical** aux trois personnes du singulier et à la 3ᵉ personne du pluriel du présent de l'indicatif à toutes les personnes du présent du subjonctif et aux formes de l'impératif qui en dérivent.

La voyelle du radical **e > i**
| pedir | yo pido | yo pida | pide tú |

4 **Augmentation du nombre des consonnes** dans les verbes se terminant par -acer, -ecer, -ocer et -ucir, devant les voyelles o et a, à la 1ʳᵉ personne du singulier du présent de l'indicatif, à toutes les personnes du présent du subjonctif et aux formes de l'impératif qui en dérivent.

a/ La consonne **c > zc**
| conocer | yo conozco | yo conozca | conozca él |
| lucir | yo luzco | yo luzca | luzca él |

b/ Introduction de **g** après **n** ou **l** ou **s** du radical pour les verbes suivants :
poner	yo pongo	yo ponga	ponga él
tener	yo tengo	yo tenga	tenga él
venir	yo vengo	yo venga	venga él
valer	yo valgo	yo valga	valga él
salir	yo salgo	yo salga	salga él
asir	yo asgo	yo asga	asga él

c/ Dans les verbes se terminant par -uir, **introduction de y entre le radical et la terminaison**, quand celle-ci commence par les voyelles a, e et o, à toutes les personnes du singulier et à la 3ᵉ personne du présent de l'indicatif, à toutes les personnes du présent du subjonctif et aux formes de l'impératif qui en dérivent.

Introduction de y
| influir | yo influyo | yo influya | influye tú |

5 Introduction de **ig** après le radical **ca-, tra-** ou **o-**

caer	yo caigo	yo caiga	caigan ellos
traer	yo traigo	yo traiga	traigan ellos
oír	yo oigo	yo oiga	oigan ellos

6 Autres irrégularités

a/ Dans le verbe **haber b > y** au présent du subjonctif.

haber	yo haya

b/ Modification de la dernière consonne du radical, **c > g** devant **o** ou **a**, à la 1re personne du singulier du présent de l'indicatif, à toutes les personnes du présent du subjonctif et aux formes de l'impératif qui en dérivent.

hacer	yo hago	yo haga	hagamos nosotros
satisfacer	yo satisfago	yo satisfaga	satisfagamos nosotros

c/ Modification de la dernière consonne du radical, **b > p** devant **o** ou **a**, à la 1re personne du singulier du présent de l'indicatif, à toutes les personnes du présent du subjonctif et aux formes de l'impératif qui en dérivent, et **affaiblissement de la voyelle du radical a > e**.

caber	yo quepo	yo quepa	quepamos nosotros
saber		yo sepa	sepamos nosotros

d/ Modification de la dernière consonne du radical, **c > g** devant **o** ou **a**, à la 1re personne du singulier du présent de l'indicatif, à toutes les personnes du présent du subjonctif, aux formes de l'impératif qui en dérivent (voir b) et affaiblissement de la voyelle du radical **e > i**.

decir	yo digo	yo diga	digamos nosotros

Irrégularités du passé simple et de ses temps dérivés

1 Affaiblissement de la voyelle du radical, aux 3es personnes du singulier et du pluriel du passé simple, et à ses temps dérivés : le subjonctif imparfait et futur et le gérondif.

a/ La voyelle du radical **e > i**

pedir	él pidió	él pidiera/pidiese	él pidiere	pidiendo

b/ La voyelle du radical **o > u**

dormir	él durmió	él durmiera/durmiese	él durmiere	durmiendo

La voyelle du radical du verbe **podrir o > u**, à tous les temps et toutes les personnes sauf au participe passé qui est podrido.

podrir	él pudrió	él pudriera/pudriese	él pudriere	pudriendo

c/ Absorption de la voyelle atone de la terminaison **i**, par une consonne palatale **ll** ou **ñ**, aux 3es personnes du singulier et du pluriel du passé simple et à ses temps dérivés : le subjonctif imparfait et futur et le gérondif.

bruñir	él bruñó	él bruñera/bruñese	él bruñere	bruñendo
bullir	él bulló	él bullera/bullese	él bullere	bullendo

On a également cette irrégularité avec **la consonne** anciennement palatale, aujourd'hui vélaire, **j**, dans tous les verbes se terminant par **-ducir.** Cependant le **gérondif** est **régulier.**

producir	él produjo	él produjera/produjese	él produjere	produciendo

d/ La voyelle atone de la diphtongue, des verbes se terminant par **-aer, -eer, -oer** et du verbe **oír, i > y** aux 3es personnes du singulier et du pluriel du passé simple et à ses temps dérivés : le subjonctif imparfait et futur et au gérondif.

raer	él rayó	él rayera/rayese	él rayere	rayendo
creer	él creyó	él creyera/creyese	él creyere	creyendo
roer	él royó	él royera/royese	él royere	royendo
oír	él oyó	él oyera/oyese	él oyere	oyendo

2 **Les prétérits forts.** Ce sont les verbes accentués sur la dernière voyelle du radical **à la 1re et 3e personnes du passé simple.**

andar	yo anduve	él anduvo
caber	yo cupe	él cupo
conducir	yo conduje	él condujo[1]
decir	yo dije	él dijo
estar	yo estuve	él estuvo
haber	yo hube	él hubo
hacer	yo hice	él hizo
poder	yo pude	él pudo
poner	yo puse	él puso
querer	yo quise	él quiso
responder[2]	yo repuse	él repuso
saber	yo supe	él supo
tener	yo tuve	él tuvo
venir	yo vine	él vino
traer	yo traje	él trajo[3]

---

1. Aussi les composés de **-ducir, inducir, reducir, seducir, traducir** etc.
2. Le verbe **responder**, en plus de son passé simple **respondí**, garde son prétérit fort **repuse, repusiste,** etc. égal au passé simple du verbe **reponer.**
3. Les dérivés de tous ces verbes répondent à la même règle.

La particularité du passé simple des verbes suivants est à noter :

dar	yo di	él dio
ver	yo vi	él vio
ser	yo fui	él fue

Irrégularités du futur et du conditionnel

1 Perte de la voyelle thématique

haber	yo habré	él habría
caber	yo cabré	él cabría
saber	yo sabré	él sabría
querer	yo querré	él querría
poder	yo podré	él podría

2 Perte de la consonne finale et de la voyelle thématique

hacer	yo haré	él haría

3 Perte de la voyelle thématique et **apparition** d'une consonne **d** dite épenthétique

poner	yo pondré	él pondría
tener	yo tendré	él tendría
valer	yo valdré	él valdría
salir	yo saldré	él saldría
venir	yo vendré	él vendría

3. LES VERBES À MODIFICATIONS ORTHOGRAPHIQUES

1 Verbes avec **variations orthographiques** pour **conserver la prononciation**

a/ Verbes de la première conjugaison.

- Les verbes qui se terminent en **-car** changent **c > qu** devant **e**.

buscar	busqué	busquemos

- Les verbes qui se terminent en **-gar** changent **g > gu** devant **e**.

jugar	jugué	juguemos

- Les verbes qui se terminent en **-guar** changent **gu > gü** devant **e**.

averiguar	averigüé	averigüemos

b/ Verbes de la deuxième et troisième conjugaison.

- Les verbes qui se terminent en **-cer** et **-cir** changent **c > z** devant **a** et **o**.

vencer	venzo	venza
esparcir	esparzo	esparza

- Les verbes qui se terminent en **-ger** et **-gir** changent **g > j** devant **a** et **o**.

escoger	escojo	escoja
dirigir	dirijo	dirija

- Les verbes qui se terminent en **-guir** suppriment **u** devant **a** et **o**.

conseguir	consigo	consiga

- Les verbes qui se terminent en **-quir** changent **qu > c** devant **a** et **o**.

delinquir	delinco	delinca

- Les verbes qui se terminent en **-zar** changent **z > c** devant **e**.

cruzar	crucé	crucemos

2 Verbes avec des **altérations d'après les règles orthographiques**.

- La voyelle atone de la diphtongue de la terminaison **i > y** devant la voyelle qui suit.

oír	oyendo	oyó	oyera/oyese	oyere
huir	huyendo	huyó	huyera/huyese	huyere
construir	construyendo	construyó	construyera/construyese	construyere

3 Altérations de l'accent graphique.

- Dans les verbes qui se terminent en **-iar** et **-uar**, en général, **i** et **u** de la racine prennent un accent graphique, quand il sont toniques.

confiar	confío	confías	confía	confían
	confíe	confíes	confíe	confíen
continuar	continúo	continúas	continúa	continúan
	continúe	continúes	continúe	continúen

- Certains verbes qui se terminent en **-iar** et tous ceux qui finissent en **-cuar** et **-guar**, gardent la diphtongue à toutes les personnes et ne prennent pas, dans ce cas, d'accent graphique.

acariciar	acaricio	acaricias	acaricia	acarician
evacuar	evacuo	evacuas	evacua	evacuan
apaciguar	apaciguo	apaciguas	apacigua	apaciguan

S E R E T E S T A R
●●●

Ser et estar avec un attribut du sujet.

Pour exprimer les sens du verbe **être** français, l'espagnol dispose de deux verbes : **ser** et **estar**. Le verbe **ser** est le verbe qui traduit l'existence **(pienso, luego soy)**. En tant que verbe attributif, il indique que **la qualité, l'état** ou **la façon d'être** sont essentiels, c'est-à-dire, caractéristiques et inséparables de la personne ou de la chose. **Ser** donne une vision **d'inhérence**.

Le verbe **estar** indique au contraire qu'il s'agit d'**un état** ou d'**une façon d'être** non essentiels, c'est-à-dire circonstanciels et dus à des facteurs externes. **Estar** donne une vision de **non-inhérence**.

Les emplois de ser

1 Ser exprime **l'essence** et **l'existence**.

El alma **es** inmortal.	*L'âme est immortelle.*
Andrés **es** un hombre.	*André est un homme.*

2 Il sert à **présenter** les personnes, les animaux et les objets.

¿Quién **es**? **Es** Francisco.	*Qui est-ce ? C'est François.*
Es Tom, el gato.	*C'est Tom, le chat.*
Son los muebles nuevos.	*Ce sont les nouveaux meubles.*

3 Ser, introduit diverses **caractérisques** telles que :

a/ Pour les êtres : le sexe, le métier, l'origine, la nationalité.

● **Le sexe**

Isabel **es** una chica.	*Isabelle est une jeune fille.*

● **Le métier**

Isabel **es** peluquera.	*Isabelle est coiffeuse.*

● **La nationalité**

Son franceses.	*Ils sont Français.*

b/ Pour les êtres et les objets : la forme, la matière, la couleur, la quantité...

● **La forme**

La mesa **era** cuadrada.	*La table était carrée.*

● **La matière**

La cama **era** de nogal.	*Le lit était en noyer.*

- **La couleur**
  La casa **era** blanca.   *La maison était blanche.*
- **La quantité**
  Son diez personas.   *Il y a dix personnes.*
- **L'origine**
  Son de París.   *Ils / Elles sont originaires de Paris.*

c/ Pour **l'identification temporelle** (donner l'heure).
  Son las cinco.   *Il est cinq heures.*

Les emplois de estar

1 Avec un adverbe de manière pour préciser **l'état physique**.
  Carmen **está** bien de salud.   *Carmen est en bonne santé.*

2 Avec un adjectif pour préciser **un état circonstanciel**.
  Hoy el cielo **está** azul.   *Aujourd'hui, le ciel est bleu.*

3 Avec un **participe passé** indiquant **un état résultant d'un procès antérieur**.
  El perro **está** cans**ado**.   *Le chien est fatigué.*

4 Avec la préposition **de**, suivie d'un **complément circonstanciel**.
  Mis padres **están de** viaje.   *Mes parents sont en voyage.*

5 Avec le **gérondif** pour indiquer que **l'action est en train de se faire**.
  Mis hermanos **están** durm**iendo**.   *Mes frères sont en train de dormir.*

Opposition de ser et estar

Selon que l'on construit la phrase avec **ser** ou **estar** le sens de l'adjectif peut changer radicalement. Voici quelques exemples :

ser	estar
Fernando **es** vivo.	Fernando **está** vivo.
Ferdinand est très éveillé.	*Ferdinand est vivant.*
María **es** buena.	María **está** buena.
Marie a bon cœur	*Marie est en bonne santé*
Felipe **es** listo.	Felipe **está** listo.
Philippe est intelligent.	*Philippe est prêt à partir.*

ser	estar
Ana **es** mala.	Ana **está** mala.
Anne est méchante.	*Anne est malade.*
Jorge **es** negro.	Jorge **está** negro.
Georges est noir.	*Georges est en colère.*
Los Pérez **son** limpios.	Los Pérez **están** limpios.
Les Pérez sont propres.	*Les Pérez sont sans le sou.*
Los niños **son** sucios.	Los niños **están** sucios.
Les enfants sont sales.	*Les enfants se sont salis.*
Estos niños **son** mudos.	Estos niños **están** mudos.
Ces enfants sont muets.	*Ces enfants restent muets.*
	Ces enfants se taisent.

Les emplois de ser et estar

Ser et estar peuvent être suivis d'un complément circonstanciel de lieu ou de temps.

ser	estar
Pour localiser un événement.	*Pour localiser un être animé ou un objet.*
El accidente **fue** ayer en la calle de Alcalá.	Mi casa **está** en las afueras.
L'accident s'est produit hier dans la rue d'Alcalá.	*Ma maison est en banlieue.*
La batalla **fue** a orillas del Guadalete.	**Estamos** en invierno.
La bataille eut lieu au bord du Guadalete.	*Nous sommes en hiver.*
La escena (de la comedia) **es** en Sevilla.	Mi padre **está** en el huerto.
La scène se déroule à Séville.	*Mon père est dans le verger.*
La cena **es** mañana a las 8 de la tarde.	La cena **está** en la cocina.
Le dîner aura lieu demain soir à 8 heures.	*Le dîner se trouve à la cuisine.*

AUTRES PARTICULARITÉS DES VERBES
●●●

1. LES VERBES IMPERSONNELS

Les verbes impersonnels sont presque toujours en relation avec les **phénomènes atmosphériques**.

Ils ne s'emploient qu'à la 3ᵉ personne du singulier la plupart du temps avec un sujet indéterminé aux formes personnelles des temps simples et composés de l'indicatif et du subjonctif ; et aux formes impersonnelles des temps simples et composés de l'infinitif et du gérondif.

Ils se conjuguent avec les mêmes irrégularités que ceux du groupe auquel ils appartiennent. Ce sont les verbes suivants :

54	acaecer	arriver, se passer	5	mayear	faire un temps du mois
54	acontecer	arriver, avoir lieu			de mai
54	amanecer	commencer à faire jour	5	mollinear	bruiner
54	anochecer	commencer à faire nuit	5	molliznar	bruiner
5	apedrear	grêler	5	molliznear	bruiner
54	atardecer	tomber (la nuit)	5	neblinear	bruiner
5	cellisquear	tomber par bourrasques	56	nevar	neiger
5	chaparrear	pleuvoir à verse	72	neviscar	neiger légèrement
5	chispear	commencer à pleuvoir	54	obscurecer	commencer à faire sombre
5	clarear	poindre (le jour), s'éclaircir	5	obstar	s'opposer (une chose à
5	diluviar	pleuvoir à verse			une autre)
5	encelajarse	se couvrir de légers nuages	5	orvallar	bruiner
5	fucilar	faire des éclairs de chaleur	54	oscurecer	commencer à faire sombre
9	garuar	bruiner	54	parecer	sembler
5	gotear	commencer à pleuvoir	5	pasar	survenir, arriver, se passer
5	goterear	tomber de grosses gouttes	5	pintear	bruiner
21	granizar	grêler	58	poder	pouvoir
3	haber	y avoir [présent : hay]	53	pringar	bruiner
44	hacer	faire (en parlant du temps)	5	refocilar	faire des éclairs de chaleur
5	harinear	bruiner	5	relampaguear	faire des éclairs
56	helar	geler	5	resultar	résulter
50	llover	pleuvoir	43	rociar	tomber (de la rosée), bruiner
5	lloviznar	bruiner	32	rugir	s'ébruiter (un secret)
54	lobreguecer	commencer à faire nuit	5	rumorar	courir (un bruit, une
5	marcear	faire un temps du mois			rumeur)
		de mars	5	rumorear	courir (un bruit, une rumeur)

6	suceder	*arriver, se passer, avoir lieu*	5	ventear	*venter*
54	tardecer	*tomber (le soir)*	72	ventiscar	*neiger avec grand vent*
5	trapear	*neiger*	5	ventisquear	*neiger avec grand vent*
38	tronar	*tonner*	5	zaracear	*neiger légèrement et*
56	ventar	*venter*			*bruiner avec du vent*

2. LES VERBES DÉFECTIFS

Les verbes défectifs ne se conjuguent pas à tous les modes, à tous les temps ou à toutes les personnes. Ce sont les verbes suivants :

57 abarse *faire place, s'écarter* — s'utilise seulement à l'infinitif (infinitivo) ;
– à l'impératif (imperativo) : aux 2es personnes.
– aux formes impersonnelles.

8 abolir *abolir* — s'utilise seulement aux formes dont la terminaison commence par i et au futur de l'indicatif :
– à l'indicatif (indicativo) : à la 1re et la 2e personnes du pluriel du présent (presente), à tous les autres temps simples et composés.
– au subjonctif (subjuntivo) : à tous les temps, sauf au présent (presente).
– à l'impératif (imperativo) : seulement à la 2e personne du pluriel.
– aux formes impersonnelles.

54 acaecer *arriver, se passer* — s'utilise seulement aux 3es personnes du singulier et du pluriel à tous les temps ;
– aux formes impersonnelles.

54 acontecer *arriver, avoir lieu* — s'utilise seulement aux 3es personnes du singulier et du pluriel à tous les temps ;
– aux formes impersonnelles.

7 adir *accepter une succession* — s'utilise seulement à l'infinitif (infinitivo) ;
– aux formes impersonnelles, se référant à **herencia**.

8 agredir *agresser, assaillir* — se conjugue comme **abolir**.

8 aguerrir *aguerrir, endurcir* — se conjugue comme **abolir**.

57 aplacer *plaire, faire plaisir* — s'utilise seulement à l'indicatif (indicativo) : aux 3es personnes du singulier et du pluriel du présent (presente), et de l'imparfait (pretérito imperfecto) ;
– aux formes impersonnelles.

| 8 | arrecir | *engourdir* | se conjugue comme **abolir**. |

| 78 | atañer | *concerner,* | s'utilise seulement aux 3es personnes du singulier |
| | | *se rapporter à* | et du pluriel à tous les temps ; |

– aux formes impersonnelles.

| 8 | aterir | *transir, engourdir* | se conjugue comme **abolir**. |

| 8 | balbucir | *balbutier* | s'utilise seulement aux formes dont la terminaison |

commence par **i** et au futur de l'indicatif :
– à l'indicatif (indicativo) : à tous les temps, sauf à la
1re personne du singulier du présent (presente) ;
– au subjonctif (subjuntivo) : à tous les temps, sauf
au présent (presente) ;
– à l'impératif (imperativo) : aux 2es personnes du
singulier et du pluriel ;
– aux formes impersonnelles.

| 8 | blandir | *brandir (une arme)* | se conjugue comme **abolir**. |

| 8 | colorir | *colorer* | se conjugue comme **abolir**. |

| 8 | concernir | *concerner* | se conjugue comme **abolir**. |

| 7 | denegrir | *noircir* | s'utilise seulement aux formes impersonnelles. |

| 7 | descolorir | *décolorer* | s'utilise seulement à l'infinitif (infinitivo) et au participe |

passé (participio).

| 8 | despavorir | *s'effrayer, s'épouvanter* | se conjugue comme **descolorir**. |

| 8 | empedernir | *durcir, rendre dur* | se conjugue comme **abolir**. |

| 7 | fallir | *manquer quelque chose /* | se conjugue comme **descolorir**. |
| | | *à sa parole* | |

| 8 | garantir | *garantir* | se conjugue comme **abolir**. |

| 8 | manir | *faisander (le gibier),* | se conjugue comme **abolir**. |

| 7 | preterir | *omettre (une personne* | se conjugue comme **descolorir**. |
| | | *ou une chose)* | |

| 77 | soler | *avoir l'habitude* | s'utilise seulement à l'indicatif (indicativo) : au présent |

(presente), à l'imparfait (pretérito imperfecto), au
passé simple (pretérito perfecto simple), et au passé
composé (pretérito perfecto compuesto).
– au subjonctif (subjuntivo) : au présent (presente),
à l'imparfait (pretérito imperfecto).

8	transgredir	*transgresser*	se conjugue comme **abolir**
8	trasgredir	*transgresser*	se conjugue comme **abolir**
7	usucapir	*acquérir par usucapion*	s'utilise seulement aux formes impersonnelles.

3. LES VERBES RÉGULIERS AVEC PARTICIPE PASSÉ IRRÉGULIER

Le participe passé régulier des verbes de la première conjugaison a une terminaison en **-ado**, et ceux de la deuxième et de la troisième conjugaison, en **-ido**. Cependant, certains verbes réguliers ont un participe passé irrégulier. Ce sont les verbes suivants :

7	**abrir**	*ouvrir*	abierto	7	**prescribir**	*prescrire*	prescrito
7	**adscribir**	*assigner*	adscrito	7	**proscribir**	*proscrire*	proscrito
7	**circunscribir**	*circonscrire*	circunscrito	7	**reabrir**	*rouvrir*	reabierto
7	**cubrir**	*couvrir*	cubierto	7	**reinscribir**	*réinscrire*	reinscrito
7	**describir**	*décrire*	descrito	7	**rescribir**	*répondre par écrit*	rescrito
7	**descubrir**	*découvrir*	descubierto				
7	**encubrir**	*cacher*	encubierto	6	**romper**	*rompre, casser*	roto
7	**entreabrir**	*entrouvrir*	entreabierto	7	**sobrescribir**	*écrire sur*	sobrescrito
7	**escribir**	*écrire*	escrito	7	**subscribir**	*souscrire*	subscrito
7	**inscribir**	*inscrire*	inscrito	7	**suscribir**	*souscrire*	suscrito
7	**manuscribir**	*écrire à la main*	manuscrito	7	**transcribir**	*transcrire*	transcrito
				7	**trascribir**	*transcrire*	trascrito

4. VERBES À DOUBLE PARTICIPE PASSÉ

Certains verbes ont **un double participe passé.** **L'un régulier** s'utilise, avec les auxiliaires **haber** ou **ser**, pour former les temps composés. À la voix active, on utilise **haber** et le participe passé reste invariable. À la voix passive, on utilise **ser** et le participe passé s'accorde en genre et en nombre avec le sujet. **L'autre irrégulier** s'utilise, la plupart du temps, **comme adjectif** pour tous les verbes, seul ou avec les auxiliaires **estar** et **tener.** Dans le cas des verbes **freír, imprimir, prender** et **proveer,** on utilise **les deux participes passés indistinctement.** Ces verbes à double participe passé sont les suivants :

6	**absorber**	*absorber*	absorbido	absorto
79	**abstraer**	*abstraire*	abstraído	abstracto
32	**afligir**	*affliger*	afligido	aflicto

12	ahitar	*bourrer*	ahitado	ahíto
29	atender	*s'occuper de*	atendido	atento
61	bendecir	*bénir*	bendecido	bendito
64	bienquerer	*apprécier*	bienquerido	bienquisto
5	circuncidar	*circoncire*	circuncidado	circunciso
6	compeler	*contraindre*	compelido	compulso
6	comprender	*comprendre*	comprendido	comprenso
7	comprimir	*comprimer*	comprimido	compreso
45	concluir	*conclure*	concluido	concluso
56	confesar	*confesser, avouer*	confesado	confeso
7	confundir	*confondre*	confundido	confuso
7	consumir	*consommer*	consumido	consunto
7	contundir	*contusionner*	contundido	contuso
49	convencer	*convaincre*	convencido	convicto
36	corregir	*corriger*	corregido	correcto
6	corromper	*corrompre*	corrompido	corrupto
56	despertar	*éveiller*	despertado	despierto
26	desproveer	*démunir*	desproveído	desprovisto
7	difundir	*diffuser*	difundido	difuso
7	dividir	*diviser*	dividido	diviso
36	elegir	*élire*	elegido	electo
53	enjugar	*sécher, éponger*	enjugado	enjuto
45	excluir	*exclure*	excluido	excluso
7	eximir	*exempter*	eximido	exento
6	expeler	*expulser*	expelido	expulso
5	expresar	*exprimer*	expresado	expreso
29	extender	*étendre*	extendido	extenso
34	extinguir	*éteindre*	extinguido	extinto
5	fijar	*fixer*	fijado	fijo
67	freír	*frire*	freído	frito
5	hartar	*rassasier*	hartado	harto
7	imprimir	*imprimer*	imprimido	impreso
45	incluir	*inclure*	incluido	incluso
7	incurrir	*encourir*	incurrido	incurso
7	infundir	*inspirer*	infundido	infuso
76	ingerir	*ingérer*	ingerido	ingerto
5	injertar	*greffer*	injertado	injerto
5	insertar	*insérer*	insertado	inserto
76	invertir	*intervertir*	invertido	inverso
5	juntar	*joindre*	juntado	junto
61	maldecir	*maudire*	maldecido	maldito
64	malquerer	*détester*	malquerido	malquisto
56	manifestar	*manifester*	manifestado	manifiesto
7	manumitir	*affranchir (un esclave)*	manumitido	manumiso
5	marchitar	*faner*	marchitado	marchito
54	nacer	*naître*	nacido	nato
7	omitir	*omettre*	omitido	omiso

7	oprimir	opprimer	oprimido	opreso
5	pasar	passer	pasado	paso
26	poseer	posséder	poseído	poseso
6	prender	prendre	prendido	preso
7	presumir	présumer	presumido	presunto
6	pretender	prétendre	pretendido	pretenso
6	propender	tendre vers	propendido	propenso
26	proveer	pourvoir	proveído	provisto
7	radiodifundir	radiodiffuser	radiodifundido	radiodifuso
45	recluir	incarcérer	recluido	recluso
7	reimprimir	réimprimer	reimprimido	reimpreso
5	reinsertar	réinsérer	reinsertado	reinserto
22	retorcer	retordre	retorcido	retuerto
5	salpresar	conserver dans le sel	salpresado	salpreso
5	salvar	sauver	salvado	salvo
5	sepultar	ensevelir	sepultado	sepulto
7	sobreimprimir	surimprimer	sobreimprimido	sobreimpreso
67	sofreír	faire revenir	sofreído	sofrito
38	soltar	lâcher	soltado	suelto
7	subdividir	subdiviser	subdividido	subdiviso
45	substituir	substituer	substituido	substituto
5	sujetar	fixer, assujettir	sujetado	sujeto
7	suprimir	supprimer	suprimido	supreso
6	suspender	suspendre	suspendido	suspenso
45	sustituir	substituer	sustituido	sustituto
68	teñir	teindre	teñido	tinto
22	torcer	tordre	torcido	tuerto
5	torrefactar	torréfier	torrefactado	torrefacto

LE « TRATAMIENTO » ENTRE INTERLOCUTEURS

●●●

La communication en société, entre deux ou plusieurs personnes, est l'une des fonctions les plus importantes du langage articulé. Dans la conjugaison, les verbes doivent alors se soumettre à ce que la langue espagnole appelle **tratamiento** (traitement). Celui-ci est régi par les mœurs, les particularités régionales ou nationales, la familiarité entre les interlocuteurs ou, au contraire, le respect qu'ils se doivent.
Les trois formes de **tratamiento** les plus fréquentes sont :
– le **tuteo** (emploi de **tú**)
– le **voseo** (emploi de **vos**, dans certaines régions d'Amérique latine).
– le **tratamiento** avec **usted**.

1. LES PRONOMS PERSONNELS

Les pronoms personnels ont des formes différentes selon qu'ils sont sujets, compléments sans ou avec une préposition.

Personnes		Singulier			Pluriel			Réfléchi
		1re	2^e	3^e	1re	2^e	3^e	
Pronom sujet		yo *je, moi*	tú *tu, toi*	él, ella *il / lui, elle* usted *vous*	nosotros, nosotras *nous*	vosotros, vosotras *vous*	ellos, ellas *ils, elles / eux* ustedes *vous*	
Compléments sans préposition	direct	me *me*	te *te*	le, lo, la *le, la*	nos *nous*	os *vous*	los, les, las *les*	se *se*
	indirect			le *lui*			les *leur*	
Compléments avec préposition		mí *moi*	ti *toi*	él, ella *lui, elle* usted *vous*	nosotros *nous*	vosotros *vous*	ellos, ellas *eux, elles* ustedes *vous*	sí *soi*
Compléments avec la préposition **con**		conmigo *avec moi*	contigo *avec toi*	con él *avec lui* con ella *avec elle* con usted *avec vous*	con nosotros, con nosotras *avec nous*	con vosotros, con vosotras *avec vous*	con ellos *avec eux* con ellas *avec elles* con ustedes *avec vous*	consigo *avec soi*

a/ Tú, Sancho, hijo mío, serás Gobernador.
Sancho, mon fils, tu seras le Gouverneur.

b/ ¡Escucha niña! **te** hablo.
Écoute ma petite ! je te parle.

c/ Bailaré **contigo**.
Je danserai avec toi.

Estas flores son para **ti**. *(masculin et féminin)*
Ces fleurs sont pour toi.

Se han vuelto **contra ti**. *(masculin et féminin)*
Ils/elles se sont retourné(e)s contre toi.

Le pronom de la deuxième personne du pluriel **vosotros/vosotras** reste inchangé dans les énoncés prépositionnels :

Estoy **con vosotros**. *(masculin pluriel)*
Je suis avec vous.

Estos regalos son **para vosotras**. *(féminin pluriel)*
Ces cadeaux sont pour vous.

La forme **os**, unique pour les deux genres, correspond au complément d'objet direct et indirect.

Os digo la verdad. *(masculin et féminin)*
Je vous dis la vérité.

Os estoy mirando. *(masculin et féminin)*
Je suis en train de vous regarder.

2. LE TUTEO

● Le **tuteo** (tutoiement) est la forme habituelle de communication entre deux ou plusieurs interlocuteurs, quand il existe entre eux une **relation de familiarité ou d'amitié**.

On utilise **tú** (2ᵉ personne du singulier) pour s'adresser à une seule personne et les pronoms **vosotros** et **vosotras** pour parler à plusieurs interlocuteurs.

Tú hablas. *(masculin et féminin)*
Tu parles. (masculin et féminin)

Vosotros *(masculin)*
Vosotras *(féminin)* } cantáis.
Vous chantez. (masculin et féminin)

De nos jours, l'usage du **tuteo** (tutoiement) devient de plus en plus fréquent à cause du développement de la vie urbaine et de la transformation des mœurs. Le **tratamiento avec usted** (vouvoiement) est une marque de respect qui, dans certains cas, tend à tomber en désuétude.

- Comme dans certaines autres langues, en espagnol on tutoie Dieu, les saints, les divinités et la Patrie. Dans ce cas, le tutoiement est une marque d'amour ou de vénération. Ainsi, le poète nicaraguayen Rubén Darío s'adresse avec révérence à Léonard de Vinci :

    "Maestro, Pomona levanta su cesto. Tu estirpe saluda a la aurora. ¡Tú aurora!..."

- Le pronom **tú** peut être utilisé aussi pour exprimer l'irritation ou l'inimitié. Ce même poète interpelle ainsi Théodore Roosevelt, dans un autre poème :

    "¡Es con voz de la Biblia, o verso de Walt Whitman, que habría que llegar a **ti**, Cazador!"

    Les contextes, le ton employé, les signes de ponctuation, nous permettent de reconnaître le sens du **tuteo** dans chaque cas.

Remarque

Le pronom **tú** est toujours accentué. **Tu**, sans accent, est la forme de l'adjectif possessif de la deuxième personne du singulier : **Tu** pañuelo, *ton mouchoir* ; **tu** casa, *ta maison*.

3. LE VOSEO

Dans une grande partie du monde hispanophone on utilise le **voseo**, usage qui consiste à employer la forme **vos** pour s'adresser à une seule personne. Le **voseo** est pratiqué dans les pays du Río de la Plata (Argentine, Uruguay, une partie du Paraguay), ainsi que dans certains pays des Caraïbes et de l'Amérique Centrale.

- Le verbe conjugué avec **vos** prend au **présent de l'indicatif** des formes particulières que l'on obtient en éliminant la diphtongue à la deuxième personne du pluriel.

    vos sos, vos cantás, vos tenés, vos podés
    au lieu de
    sois, cantáis, tenéis, podéis

    À l'**impératif** nous avons :
    salí, cantá, poné
    au lieu de
    salid, cantad, poned

    Pour un ordre négatif deux formes coexistent, avec ou sans accent à la dernière syllabe.
    no cantes ou **no cantés**   **no digas** ou **no digás**
    ne chantez pas   *ne dites pas*

    Cependant, la forme accentuée est utilisée seulement à un niveau de langue moins cultivé.

- En général, aux autres modes et temps le **voseo** emploie les formes correspondant à la deuxième personne du singulier. Au **passé simple de l'indicatif** coexistent à nouveau deux formes, selon qu'on ajoute un **s** final ou pas.

    cantaste, bailaste, viniste *ou*
    cantastes, bailastes, vinistes

- **Au pluriel vos** devient **ustedes**. Le verbe est alors conjugué à la troisième personne du pluriel :

  ustedes toman,   ustedes beben,   ustedes escriben

  Il est difficile de déterminer l'origine historique du **voseo**. Son antécédent le plus vraisemblable est le **vos** espagnol utilisé, du temps de la Conquête, comme marque de révérence et de grand respect. De nos jours, en revanche, le **voseo** est un signe de familiarité et d'amitié.

  Le pronom **vos** est parfois précédé, plus particulièrement en Uruguay et en Argentine, du vocatif **che**. Mais ce dernier peut être employé seul pour souligner l'intention vocative d'une phrase.

¡**Che**, vos!	*Dis donc, toi!*
¡**Che**, Juan!	*Dis donc, Jean!*
¡**Che**, mirá!	*Eh, regarde!*

  En Uruguay, selon les régions géographiques et les couches sociales, on utilise le **voseo**, le **tuteo** ou une forme éclectique qui associe le pronom **tú** et le verbe "**voseado**".

  tú tenés,   **tú** venís,   **tú** bailás

  Le **voseo** a été considéré, jusqu'à une date relativement récente, comme une variante dialectale qui devait être évitée. Mais depuis son adoption par des écrivains renommés tels que Miguel Angel Asturias, Julio Cortázar, Jorge Luis Borges, Carlos Onetti, Ernesto Sábato, entre autres, il semble avoir acquis définitivement sa place dans la langue à côté du **tuteo**. Dans les pays du Río de la Plata, on l'emploie fréquemment dans la publicité et dans les journaux.

4. LE TRATAMIENTO AVEC USTED

L'ancien castillan avait adopté comme marque de respect la forme **vuestra merced** suivie du verbe conjugué à la troisième personne du singulier. Au cours des siècles, la formule **vuestra merced**, est devenue, d'abord, **vuesarced**, puis **vusted**, et enfin **usted**, que l'on emploie, de nos jours, comme marque de respect ou de considération envers son interlocuteur, en raison de l'âge ou de la situation sociale de celui-ci.

Usted est donc suivi du verbe conjugué à la troisième personne du singulier.

Si **vuestra merced** lo permite. *(3ᵉ personne du singulier)*
Si votre grâce le permet.

Si **usted** lo quiere.
Si vous le voulez.

La forme sujet **usted** (masculin et féminin) est employée également après une préposition. Par contre, l'espagnol emploie d'autres formes pour indiquer le destinataire ou le complément d'objet direct.

Au pluriel, **usted** (ud. / vd.) devient **ustedes** (uds. / vds.), masculin et féminin. Cette forme varie aussi selon les cas grammaticaux.

Fonction	Singulier		Pluriel	
	masculin	féminin	masculin	féminin
Sujet	Usted se queda en casa *Vous restez à la maison*		Ustedes se quedan en casa *Vous restez à la maison*	
Destinataire, complément d'objet indirect	Yo le traigo el periódico. *Je vous apporte le journal.* Yo se lo traigo. *Je vous l'apporte.*		Yo les subiré el correo. *Je vous monterai le courrier.* Yo se lo subo. *Je vous le monte.*	
Complément d'objet direct	Lo (le) veo bien. *Je vous vois bien.*	La veo bien. *Je vous vois bien.*	Los (les) veo bien. *Je vous vois bien.*	Las veo bien. *Je vous vois bien.*
Complément avec préposition	Me voy con usted. *Je pars avec vous.*		Me voy con ustedes. *Je pars avec vous.*	

Remarque

a/ **Usted** vocatif est placé devant le prénom ou le nom de l'interlocuteur, lui-même précédé de **don** ou de **señor**, selon les régions ou les pays.

Usted, **don** Juan se sentará aquí.   Usted, **señor** Díaz llegará primero.
Vous, don Juan vous vous assiérez ici.   Vous, monsieur Díaz, vous arriverez le premier.

b/ **Usted** et **ustedes** ont une relation particulière avec **les possessifs** qui entraîne parfois des ambiguïtés.

« objet possédé » possésseur	adjectif possessif		pronoms possessifs	
	singulier	pluriel	singulier	pluriel
Usted Ustedes	su (masculin et féminin singulier)	sus (masculin et féminin pluriel)	suyo (masculin singulier) suya (féminin singulier)	suyos (masculin pluriel) suyas (féminin pluriel)

Exemples

a/ Aquí tiene **su** coche. (de usted)
Aquí tienen **su** coche. (de ustedes)
Voici votre voiture.

b/ Han llegado **sus** primos. (de usted et de ustedes)
Vos cousins sont arrivés.

Han llegado **sus** hijas. (de usted et de ustedes)
Vos filles sont arrivées.

c/ ¿Este abrigo es **suyo**? (de usted masculin et féminin singulier)
Ce manteau est le vôtre ?

¿Esta gabardina es **suya**? (de usted masculin et féminin singulier)
Cette gabardine est la vôtre ?

d/ ¿Estos zapatos son **suyos**? (de usted ou de ustedes masculin et féminin singulier ou pluriel)
Ces souliers sont les vôtres ?

¿Estas camisas son **suyas**? (de usted ou de ustedes masculin et féminin singulier ou pluriel)
Ces chemises sont les vôtres ?

5. AUTRES FORMES DE TRATAMIENTO

Aux Canaries et dans les pays hispanophones d'Amérique latine, le pronom **vosotros**, généralement employé dans la Péninsule ibérique comme pluriel de **tú**, est remplacé par **ustedes** suivi du verbe conjugué à la troisième personne du pluriel.

ustedes tienen   *au lieu de*   **vosotros tenéis**

Par ailleurs, le pluriel **nosotros** ou **nos** peut être employé à la place de la première personne du singulier, mais uniquement dans des circonstances particulières, par exemple, pour exprimer l'autorité et dans des actes académiques ou solennels.

Nos, Juan XXIII, obispo de Roma...
Nous, Jean XXIII, évêque de Rome...

Ante **nos**, don Juan García, juez de instrucción...
Devant nous, don Juan García, juge d'instruction...

Vistos los malos resultados, **nos** permitimos discrepar con nuestro colega...
Vu les mauvais résultats, nous nous permettons de ne pas être d'accord avec notre collègue...

Tableaux
des
verbes types

Sont présentés dans leur conjugaison complète :
- les modèles de conjugaison des verbes auxiliaires
- les modèles des verbes réguliers des trois conjugaisons (-ar, -er, -ir)
- les modèles des verbes irréguliers
- les modèles des verbes avec modifications orthographiques et d'accentuation.
- le modèle de conjugaison passive
- le modèle de conjugaison pronominale
- le modèle de conjugaison impersonnelle

Comment lire :
- tableau des modes et temps
- **ser**emos : formes régulières de conjugaison (**radical** + terminaison)
- **cort**aron. : troisième personne du pluriel du Passé simple d'où dérivent l'Imparfait et le Futur du Subjonctif.
- anduve : formes irrégulières de conjugaison

▌ verbes suivant la conjugaison du verbe modèle

▌ remarques grammaticales sur le verbe modèle

* remarques particulières

LISTE DES VERBES TYPES

1	ser	*être*
2	estar	*être*
3	haber	*avoir*
4	tener	*avoir*

Verbes réguliers

5	cortar	*couper*	(première conjugaison verbes en -ar)
6	deber	*devoir*	(deuxième conjugaison verbes en -er)
7	vivir	*vivre*	(troisième conjugaison verbes en -ir)

Verbes irréguliers, défectifs, et avec modifications...

8	abolir	*abolir*
9	actuar	*agir*
10	adquirir	*acquérir*
11	ahincar	*s'acharner*
12	airar	*fâcher, irriter*
13	andar	*marcher*
14	asir	*prendre, saisir*
15	aullar	*hurler*
16	avergonzar	*faire honte*
17	averiguar	*vérifier*
18	bruñir	*polir, lustrer*
19	caber	*tenir, entrer*
20	caer	*tomber*
21	cazar	*chasser*
22	cocer	*cuire*
23	coger	*prendre*
24	colgar	*pendre, suspendre*
25	conocer	*connaître*
26	creer	*croire*
27	dar	*donner*
28	decir	*dire*
29	defender	*défendre*
30	delinquir	*commettre un délit*
31	desosar	*désosser*
32	dirigir	*diriger*
33	discernir	*discerner*
34	distinguir	*distinguer* ·
35	dormir	*dormir*
36	elegir	*élire*
37	empezar	*commencer*
38	encontrar	*trouver*
39	enraizar	*s'enraciner*
40	erguir	*dresser*

41	errar	*se tromper, errer*
42	forzar	*forcer*
43	guiar	*guider*
44	hacer	*faire*
45	influir	*influer, influencer*
46	ir	*aller*
47	jugar	*jouer*
48	lucir	*luire, briller*
49	mecer	*bercer*
50	mover	*mouvoir*
51	oír	*entendre, écouter*
52	oler	*sentir*
53	pagar	*payer*
54	parecer	*paraître*
55	pedir	*demander*
56	pensar	*penser*
57	placer	*plaire*
58	poder	*pouvoir*
59	podrir / pudrir	*pourrir*
60	poner	*placer, poser, mettre* .
61	predecir	*prédire*
62	producir	*produire*
63	prohibir	*prohiber, interdire*
64	querer	*vouloir, aimer*
65	raer	*racler, ratisser*
66	regar	*arroser, irriguer*
67	reír	*rire*
68	reñir	*quereller, gronder*

69	reunir	*réunir, assembler*
70	roer	*ronger*
71	saber	*savoir*
72	sacar	*tirer, sortir*
73	salir	*sortir*
74	satisfacer	*satisfaire*
75	seguir	*suivre*
76	sentir	*sentir*
77	soler	*avoir l'habitude*
78	tañer	*jouer (d'un instrument)*
79	traer	*apporter*
80	trocar	*troquer*
81	valer	*valoir*
82	venir	*venir*
83	ver	*voir*
84	volver	*revenir, retourner*
85	yacer	*gésir*
86	zurcir	*repriser, raccommoder*

Conjugaison type de la forme passive

| 87 | amar | *aimer* |

Conjugaison type de la forme pronominale

| 88 | levantarse | *se lever* |

Conjugaison type des verbes impersonnels

| 89 | llover | *pleuvoir* |

FORMES PERSONNELLES

| MODO INDICATIVO *(INDICATIF)* | | MODO SUBJUNTIVO *(SUBJONCTIF)* | |
Temps simples	Temps composés	Temps simples	Temps composés
Presente	Pretérito perfecto compuesto	Presente	Pretérito perfecto
(Bello: Presente) *Présent*	(Bello: Antepresente) *Passé composé*	(Bello: Presente) *Présent*	(Bello: Antepresente) *Passé composé*
Pretérito imperfecto	Pretérito pluscuamperfecto	Pretérito imperfecto	Pretérito pluscuamperfecto
(Bello: Copretérito) *Imparfait*	(Bello: Antecopretérito) *Plus-que-parfait*	(Bello: Pretérito) *Imparfait*	(Bello: Antepretérito) *Plus-que-parfait*
Pretérito perfecto simple	Pretérito anterior		
(Bello: Pretérito) *Passé simple*	(Bello: Antepretérito) *Passé antérieur*	Futuro	Futuro perfecto
		(Bello: Futuro) *Futur simple*	(Bello: Antefuturo) *Futur antérieur*
Futuro	Futuro perfecto		
(Bello: Futuro) *Futur simple*	(Bello: Antefuturo) *Futur antérieur*	**MODO IMPERATIVO** *(IMPÉRATIF)*	

Condicional	Condicional perfecto
(Bello: Pospretérito) *Contitionnel*	(Bello: Antepospretérito) *Contitionnel passé*

FORMES IMPERSONNELLES

Infinitivo *Infinitif*	Infinitivo compuesto *Infinitif passé*
Gerundio *Gérondif*	Gerundio compuesto *Gérondif composé*
Participio *Participe passé*	

* (Bello: Presente) : Terminologie sud-américaine de Andrés Bello.

 **SER / ÊTRE** verbe auxiliaire

FORMES PERSONNELLES

MODO INDICATIVO		MODO SUBJUNTIVO	
Temps simples	Temps composés	Temps simples	Temps composés

Presente	Pretérito perfecto compuesto	Presente	Pretérito perfecto
soy	he sido	sea	haya sido
eres	has sido	seas	hayas sido
es	ha sido	sea	haya sido
somos	hemos sido	seamos	hayamos sido
sois	habéis sido	seáis	hayáis sido
son	han sido	sean	hayan sido

Pretérito imperfecto	Pretérito pluscuamperfecto	Pretérito imperfecto	Pretérito pluscuamperfecto
era	había sido	fuera	hubiera sido
eras	habías sido	fueras	hubieras sido
era	había sido	fuera	hubiera sido
éramos	habíamos sido	fuéramos	hubiéramos sido
erais	habíais sido	fuerais	hubierais sido
eran	habían sido	fueran	hubieran sido
		fuese	hubiese sido
		fueses	hubieses sido
		fuese	hubiese sido
Pretérito perfecto simple	Pretérito anterior	fuésemos	hubiésemos sido
fui	hube sido	fueseis	hubieseis sido
fuiste	hubiste sido	fuesen	hubiesen sido
fue -	hubo sido		
fuimos	hubimos sido	Futuro	Futuro perfecto
fuisteis	hubisteis sido	fuere	hubiere sido
fueron	hubieron sido	fueres	hubieres sido
		fuere	hubiere sido
		fuéremos	hubiéremos sido
Futuro	Futuro perfecto	fuereis	hubiereis sido
seré	habré sido	fueren	hubieren sido
serás	habrás sido		
será	habrá sido		

MODO IMPERATIVO

seremos	habremos sido		seamos (nosotros/-as)
seréis	habréis sido	sé (tú)	sed (vosotros/-as)
serán	habrán sido	sea (él/ella/ud)	sean (ellos/-as/uds)

FORMES IMPERSONNELLES

Condicional	Condicional perfecto		
sería	habría sido	Infinitivo	Infinitivo compuesto
serías	habrías sido	**ser**	haber sido
sería	habría sido	Gerundio	Gerundio compuesto
seríamos	habríamos sido	**siendo**	habiendo sido
seríais	habríais sido	Participio	
serían	habrían sido	**sido**	

Ce verbe présente de nombreuses formes communes avec le verbe **ir** (voir tb. 34).
Ser est le verbe auxiliaire employé pour exprimer la forme passive.
Sur les sens et les divers emplois de **ser**, voir grammaire du verbe page 24.

ESTAR / ÊTRE 2

FORMES PERSONNELLES

MODO INDICATIVO

Temps simples	Temps composés	
Presente	**Pretérito perfecto compuesto**	
estoy	he	estado
estás	has	estado
está	ha	estado
estamos	hemos	estado
estáis	habéis	estado
están	han	estado
Pretérito imperfecto	**Pretérito pluscuamperfecto**	
estaba	había	estado
estabas	habías	estado
estaba	había	estado
estábamos	habíamos	estado
estabais	habíais	estado
estaban	habían	estado
Pretérito perfecto simple	**Pretérito anterior**	
estuve	hube	estado
estuviste	hubiste	estado
estuvo	hubo	estado
estuvimos	hubimos	estado
estuvisteis	hubisteis	estado
estuvieron	hubieron	estado
Futuro	**Futuro perfecto**	
estaré	habré	estado
estarás	habrás	estado
estará	habrá	estado
estaremos	habremos	estado
estaréis	habréis	estado
estarán	habrán	estado
Condicional	**Condicional perfecto**	
estaría	habría	estado
estarías	habrías	estado
estaría	habría	estado
estaríamos	habríamos	estado
estaríais	habríais	estado
estarían	habrían	estado

MODO SUBJUNTIVO

Temps simples	Temps composés	
Presente	**Pretérito perfecto**	
esté	haya	estado
estés	hayas	estado
esté	haya	estado
estemos	hayamos	estado
estéis	hayáis	estado
estén	hayan	estado
Pretérito imperfecto	**Pretérito pluscuamperfecto**	
estuviera	hubiera	estado
estuvieras	hubieras	estado
estuviera	hubiera	estado
estuviéramos	hubiéramos	estado
estuvierais	hubierais	estado
estuvieran	hubieran	estado
estuviese	hubiese	estado
estuvieses	hubieses	estado
estuviese	hubiese	estado
estuviésemos	hubiésemos	estado
estuvieseis	hubieseis	estado
estuviesen	hubiesen	estado
Futuro	**Futuro perfecto**	
estuviere	hubiere	estado
estuvieres	hubieres	estado
estuviere	hubiere	estado
estuviéremos	hubiéremos	estado
estuviereis	hubiereis	estado
estuvieren	hubieren	estado

MODO IMPERATIVO

estemos (nosotros/-as)
está(te) (tú)   estad (vosotros/-as)
esté (él/ella/ud)   estén (ellos/-as/uds)

FORMES IMPERSONNELLES

Infinitivo	Infinitivo compuesto
estar	haber estado
Gerundio	Gerundio compuesto
estando	habiendo estado
Participio	
estado	

Le *prétérit fort* altère le radical et ajoute **uv**, à toutes les pers. du Passé simple et de ses temps dérivés : Imparfait et Futur du Subjonctif.
Sur les sens et les divers emplois de **estar**, voir grammaire du verbe page 25.

verbe auxiliaire

FORMES PERSONNELLES

MODO INDICATIVO

Temps simples | Temps composés

Presente	Pretérito perfecto compuesto	
he	he	habido
has	has	habido
ha*	ha	habido
hemos	hemos	habido
habéis	habéis	habido
han	han	habido

Pretérito imperfecto	Pretérito pluscuamperfecto	
había	había	habido
habías	habías	habido
había	había	habido
habíamos	habíamos	habido
habíais	habíais	habido
habían	habían	habido

Pretérito perfecto simple	Pretérito anterior	
hube	hube	habido
hubiste	hubiste	habido
hubo	hubo	habido
hubimos	hubimos	habido
hubisteis	hubisteis	habido
hubieron	hubieron	habido

Futuro	Futuro perfecto	
habré	habré	habido
habrás	habrás	habido
habrá	habrá	habido
habremos	habremos	habido
habréis	habréis	habido
habrán	habrán	habido

Condicional	Condicional perfecto	
habría	habría	habido
habrías	habrías	habido
habría	habría	habido
habríamos	habríamos	habido
habríais	habríais	habido
habrían	habrían	habido

MODO SUBJUNTIVO

Temps simples | Temps composés

Presente	Pretérito perfecto	
haya	haya	habido
hayas	hayas	habido
haya	haya	habido
hayamos	hayamos	habido
hayáis	hayáis	habido
hayan	hayan	habido

Pretérito imperfecto	Pretérito pluscuamperfecto	
hubiera	hubiera	habido
hubieras	hubieras	habido
hubiera	hubiera	habido
hubiéramos	hubiéramos	habido
hubierais	hubierais	habido
hubieran	hubieran	habido
hubiese	hubiese	habido
hubieses	hubieses	habido
hubiese	hubiese	habido
hubiésemos	hubiésemos	habido
hubieseis	hubieseis	habido
hubiesen	hubiesen	habido

Futuro	Futuro perfecto	
hubiere	hubiere	habido
hubieres	hubieres	habido
hubiere	hubiere	habido
hubiéremos	hubiéremos	habido
hubiereis	hubiereis	habido
hubieren	hubieren	habido

MODO IMPERATIVO

—	
—	—
—	—

FORMES IMPERSONNELLES

Infinitivo	Infinitivo compuesto
haber	haber habido
Gerundio	Gerundio compuesto
habiendo	habiendo habido
Participio	
habido	

Haber est le verbe auxiliaire qui sert à former les temps composés de tous les verbes.
La voyelle du radical, **a > u**, à toutes les pers. du Passé simple et temps dérivés (voir p. 15).
L'Impératif n'est pas utilisé.
Pour faciliter la prononciation et éviter la confusion avec l'Imparfait de l'Indicatif, chute de la voyelle thématique e, à toutes les pers. du Futur de l'Indicatif et du Conditionnel.
* Il s'utilise comme verbe impersonnel à la 3e pers. du sing. du Présent de l'Indicatif : hay.

verbe auxiliaire

TENER / AVOIR **4**

FORMES PERSONNELLES

MODO INDICATIVO		MODO SUBJUNTIVO	
Temps simples	**Temps composés**	**Temps simples**	**Temps composés**

Presente	Pretérito perfecto compuesto	Presente	Pretérito perfecto
tengo	he tenido	tenga	haya tenido
tienes	has tenido	tengas	hayas tenido
tiene	ha tenido	tenga	haya tenido
tenemos	hemos tenido	tengamos	hayamos tenido
tenéis	habéis tenido	tengáis	hayáis tenido
tienen	han tenido	tengan	hayan tenido

		Pretérito imperfecto	Pretérito pluscuamperfecto
Pretérito imperfecto	**Pretérito pluscuamperfecto**	tuviera	hubiera tenido
tenía	había tenido	tuvieras	hubieras tenido
tenías	habías tenido	tuviera	hubiera tenido
tenía	había tenido	tuviéramos	hubiéramos tenido
teníamos	habíamos tenido	tuvierais	hubierais tenido
teníais	habíais tenido	tuvieran	hubieran tenido
tenían	habían tenido		
		tuviese	hubiese tenido
		tuvieses	hubieses tenido
		tuviese	hubiese tenido
Pretérito perfecto simple	**Pretérito anterior**	tuviésemos	hubiésemos tenido
tuve	hube tenido	tuvieseis	hubieseis tenido
tuviste	hubiste tenido	tuviesen	hubiesen tenido
tuvo	hubo tenido		
tuvimos	hubimos tenido	**Futuro**	**Futuro perfecto**
tuvisteis	hubisteis tenido	tuviere	hubiere tenido
tuvieron	hubieron tenido	tuvieres	hubieres tenido
		tuviere	hubiere tenido
		tuviéremos	hubiéremos tenido
Futuro	**Futuro perfecto**	tuviereis	hubiereis tenido
tendré	habré tenido	tuvieren	hubieren tenido
tendrás	habrás tenido		
tendrá	habrá tenido		

MODO IMPERATIVO

tengamos (nosotros/-as)
ten (tú)   tened (vosotros/-as)
tenga (él/ella/ud)   tengan (ellos/-as/uds)

Futuro	**Futuro perfecto**
tendremos	habremos tenido
tendréis	habréis tenido
tendrán	habrán tenido

Condicional	Condicional perfecto
tendría	habría tenido
tendrías	habrías tenido
tendría	habría tenido
tendríamos	habríamos tenido
tendríais	habríais tenido
tendrían	habrían tenido

FORMES IMPERSONNELLES

Infinitivo	Infinitivo compuesto
tener	haber tenido
Gerundio	Gerundio compuesto
teniendo	habiendo tenido
Participio	
tenido	

■ Ainsi se conjuguent : abstener, atenerse, contener, detener, entretener, mantener, obtener, retener et sostener.
Introduction de **uv**, au Passé simple et temps dérivés (voir p. 15).
Introduction de **g** devant **o** ou **a**, à la 1re pers. du sing. du Présent de l'Ind., à toutes les pers. du Présent du Subj. et formes dérivées. Diphtongaison de **e > ie**, à la 2e, 3e pers. du sing. et 3e du plur. du Présent de l'Ind. Pour faciliter la prononciation et éviter la confusion avec l'Imparfait de l'Indicatif, remplacement de la voyelle thématique, **e > d**, à toutes les pers. du Futur de l'Indicatif et du Conditionnel.

5 CORTAR / COUPER

première conjugaison **verbes réguliers en -ar**

FORMES PERSONNELLES

MODO INDICATIVO

Temps simples	Temps composés	
Presente	**Pretérito perfecto compuesto**	
corto	he	cortado
cortas	has	cortado
corta	ha	cortado
cortamos	hemos	cortado
cortáis	habéis	cortado
cortan	han	cortado
Pretérito imperfecto	**Pretérito pluscuamperfecto**	
cortaba	había	cortado
cortabas	habías	cortado
cortaba	había	cortado
cortábamos	habíamos	cortado
cortabais	habíais	cortado
cortaban	habían	cortado
Pretérito perfecto simple	**Pretérito anterior**	
corté	hube	cortado
cortaste	hubiste	cortado
cortó	hubo	cortado
cortamos	hubimos	cortado
cortasteis	hubisteis	cortado
cortaron	hubieron	cortado
Futuro	**Futuro perfecto**	
cortaré	habré	cortado
cortarás	habrás	cortado
cortará	habrá	cortado
cortaremos	habremos	cortado
cortaréis	habréis	cortado
cortarán	habrán	cortado
Condicional	**Condicional perfecto**	
cortaría	habría	cortado
cortarías	habrías	cortado
cortaría	habría	cortado
cortaríamos	habríamos	cortado
cortaríais	habríais	cortado
cortarían	habrían	cortado

MODO SUBJUNTIVO

Temps simples	Temps composés	
Presente	**Pretérito perfecto**	
corte	haya	cortado
cortes	hayas	cortado
corte	haya	cortado
cortemos	hayamos	cortado
cortéis	hayáis	cortado
corten	hayan	cortado
Pretérito imperfecto	**Pretérito pluscuamperfecto**	
cortara	hubiera	cortado
cortaras	hubieras	cortado
cortara	hubiera	cortado
cortáramos	hubiéramos	cortado
cortarais	hubierais	cortado
cortaran	hubieran	cortado
cortase	hubiese	cortado
cortases	hubieses	cortado
cortase	hubiese	cortado
cortásemos	hubiésemos	cortado
cortaseis	hubieseis	cortado
cortasen	hubiesen	cortado
Futuro	**Futuro perfecto**	
cortare	hubiere	cortado
cortares	hubieres	cortado
cortare	hubiere	cortado
cortáremos	hubiéremos	cortado
cortareis	hubiereis	cortado
cortaren	hubieren	cortado

MODO IMPERATIVO

	cortemos (nosotros/-as)
corta (tú)	cortad (vosotros/-as)
corte (él/ella/ud)	corten (ellos/-as/uds)

FORMES IMPERSONNELLES

Infinitivo	Infinitivo compuesto
cortar	haber cortado
Gerundio	Gerundio compuesto
cortando	habiendo cortado
Participio	
cortado	

* circuncidar, expresar, fijar, hartar, injertar, insertar, juntar, marchitar, pasar, salvar, sepultar et sujetar ont un double Participe passé (voir p. 30).
* apedrear, centellar, clarear, chispear, descampar, diluviar, escarchar, gotear, lloviznar, molliznar, obstar, pasar, relampaguear, resultar, rumorar, ventear, etc. sont utilisés comme verbes impersonnels (voir p. 27).

FORMES PERSONNELLES

MODO INDICATIVO		MODO SUBJUNTIVO	
Temps simples	**Temps composés**	**Temps simples**	**Temps composés**

Presente	Pretérito perfecto compuesto	Presente	Pretérito perfecto
deb**o**	he debido	deb**a**	haya debido
deb**es**	has debido	deb**as**	hayas debido
deb**e**	ha debido	deb**a**	haya debido
deb**emos**	hemos debido	deb**amos**	hayamos debido
deb**éis**	habéis debido	deb**áis**	hayáis debido
deb**en**	han debido	deb**an**	hayan debido

		Pretérito imperfecto	Pretérito pluscuamperfecto
Pretérito imperfecto	**Pretérito pluscuamperfecto**	deb**iera**	hubiera debido
deb**ía**	había debido	deb**ieras**	hubieras debido
deb**ías**	habías debido	deb**iera**	hubiera debido
deb**ía**	había debido	deb**iéramos**	hubiéramos debido
deb**íamos**	habíamos debido	deb**ierais**	hubierais debido
deb**íais**	habíais debido	deb**ieran**	hubieran debido
deb**ían**	habían debido		
		deb**iese**	hubiese debido
		deb**ieses**	hubieses debido
		deb**iese**	hubiese debido
Pretérito perfecto simple	**Pretérito anterior**	deb**iésemos**	hubiésemos debido
deb**í**	hube debido	deb**ieseis**	hubieseis debido
deb**iste**	hubiste debido	deb**iesen**	hubiesen debido
deb**ió**	hubo debido		
deb**imos**	hubimos debido	Futuro	Futuro perfecto
deb**isteis**	hubisteis debido	deb**iere**	hubiere debido
deb**ieron**	hubieron debido	deb**ieres**	hubieres debido
		deb**iere**	hubiere debido
		deb**iéremos**	hubiéremos debido
Futuro	**Futuro perfecto**	deb**iereis**	hubiereis debido
deb**eré**	habré debido	deb**ieren**	hubieren debido
deb**erás**	habrás debido		
deb**erá**	habrá debido	**MODO IMPERATIVO**	
deb**eremos**	habremos debido		deb**amos** (nosotros/-as)
deb**eréis**	habréis debido	deb**e** (tú)	deb**ed** (vosotros/-as)
deb**erán**	habrán debido	deb**a** (él/ella/ud)	deb**an** (ellos/-as/uds)

Condicional	Condicional perfecto
deb**ería**	habría debido
deb**erías**	habrías debido
deb**ería**	habría debido
deb**eríamos**	habríamos debido
deb**eríais**	habríais debido
deb**erían**	habrían debido

FORMES IMPERSONNELLES

Infinitivo	Infinitivo compuesto
deber	haber debido
Gerundio	Gerundio compuesto
deb**iendo**	habiendo debido
Participio	
deb**ido**	

* romper a un Participe passé irrégulier (voir p. 30).
* absorber, compeler, comprender, corromper, expeler, prender, pretender et suspender ont un double Participe passé (voir p. 30).
* suceder est utilisé comme verbe impersonnel (voir p. 27).

FORMES PERSONNELLES

MODO INDICATIVO		**MODO SUBJUNTIVO**	
Temps simples	Temps composés	Temps simples	Temps composés

Presente	Pretérito perfecto compuesto	Presente	Pretérito perfecto
vivo	he vivido	viva	haya vivido
vives	has vivido	vivas	hayas vivido
vive	ha vivido	viva	haya vivido
vivimos	hemos vivido	vivamos	hayamos vivido
vivís	habéis vivido	viváis	hayáis vivido
viven	han vivido	vivan	hayan vivido

Pretérito imperfecto	Pretérito pluscuamperfecto	Pretérito imperfecto	Pretérito pluscuamperfecto
vivía	había vivido	viviera	hubiera vivido
vivías	habías vivido	vivieras	hubieras vivido
vivía	había vivido	viviera	hubiera vivido
vivíamos	habíamos vivido	viviéramos	hubiéramos vivido
vivíais	habíais vivido	vivierais	hubierais vivido
vivían	habían vivido	vivieran	hubieran vivido
		viviese	hubiese vivido
		vivieses	hubieses vivido
		viviese	hubiese vivido
		viviésemos	hubiésemos vivido
		vivieseis	hubieseis vivido
		viviesen	hubiesen vivido

Pretérito perfecto simple	Pretérito anterior	Futuro	Futuro perfecto
viví	hube vivido	viviere	hubiere vivido
viviste	hubiste vivido	vivieres	hubieres vivido
vivió	hubo vivido	viviere	hubiere vivido
vivimos	hubimos vivido	viviéremos	hubiéremos vivido
vivisteis	hubisteis vivido	viviereis	hubiereis vivido
vivieron	hubieron vivido	vivieren	hubieren vivido

Futuro	Futuro perfecto
viviré	habré vivido
vivirás	habrás vivido
vivirá	habrá vivido
viviremos	habremos vivido
viviréis	habréis vivido
vivirán	habrán vivido

MODO IMPERATIVO

	vivamos (nosotros/-as)
vive (tú)	vivid (vosotros/-as)
viva (él/ella/ud)	vivan (ellos/-as/uds)

Condicional	Condicional perfecto
viviría	habría vivido
vivirías	habrías vivido
viviría	habría vivido
viviríamos	habríamos vivido
viviríais	habríais vivido
vivirían	habrían vivido

FORMES IMPERSONNELLES

Infinitivo	Infinitivo compuesto
vivir	haber vivido
Gerundio	Gerundio compuesto
viviendo	habiendo vivido
Participio	
vivido	

* abrir, adscribir, circunscribir, describir, descubrir, encubrir, entreabrir, escribir, inscribir, prescribir, proscribir, reabrir, subscribir, suscribir et transcribir ont un Participe passé irrégulier (voir p. 30).

* comprimir, confundir, consumir, contundir, difundir, dividir, eximir, imprimir, incurrir, infundir, manumitir, omitir, oprimir, presumir, reimprimir et suprimir ont un double Participe passé (voir p. 30).

* descolorir est un verbe défectif (voir p. 28).

FORMES PERSONNELLES

MODO INDICATIVO

Temps simples	Temps composés	
Presente	**Pretérito perfecto compuesto**	
—	he	abolido
—	has	abolido
—	ha	abolido
abolimos	hemos	abolido
abolís	habéis	abolido
—	han	abolido

Pretérito imperfecto	**Pretérito pluscuamperfecto**	
abolía	había	abolido
abolías	habías	abolido
abolía	había	abolido
abolíamos	habíamos	abolido
abolíais	habíais	abolido
abolían	habían	abolido

Pretérito perfecto simple	**Pretérito anterior**	
abolí	hube	abolido
aboliste	hubiste	abolido
abolió	hubo	abolido
abolimos	hubimos	abolido
abolisteis	hubisteis	abolido
abolieron	hubieron	abolido

Futuro	**Futuro perfecto**	
aboliré	habré	abolido
abolirás	habrás	abolido
abolirá	habrá	abolido
aboliremos	habremos	abolido
aboliréis	habréis	abolido
abolirán	habrán	abolido

Condicional	**Condicional perfecto**	
aboliría	habría	abolido
abolirías	habrías	abolido
aboliría	habría	abolido
aboliríamos	habríamos	abolido
aboliríais	habríais	abolido
abolirían	habrían	abolido

MODO SUBJUNTIVO

Temps simples	Temps composés	
Presente	**Pretérito perfecto**	
—	haya	abolido
—	hayas	abolido
—	haya	abolido
—	hayamos	abolido
—	hayáis	abolido
—	hayan	abolido

Pretérito imperfecto	**Pretérito pluscuamperfecto**	
aboliera	hubiera	abolido
abolieras	hubieras	abolido
aboliera	hubiera	abolido
aboliéramos	hubiéramos	abolido
abolierais	hubierais	abolido
abolieran	hubieran	abolido
aboliese	hubiese	abolido
abolieses	hubieses	abolido
aboliese	hubiese	abolido
aboliésemos	hubiésemos	abolido
abolieseis	hubieseis	abolido
aboliesen	hubiesen	abolido

Futuro	**Futuro perfecto**	
aboliere	hubiere	abolido
abolieres	hubieres	abolido
aboliere	hubiere	abolido
aboliéremos	hubiéremos	abolido
aboliereis	hubiereis	abolido
abolieren	hubieren	abolido

MODO IMPERATIVO

—	
—	**abol**id (vosotros/-as)
	—

FORMES IMPERSONNELLES

Infinitivo	Infinitivo compuesto
abolir	haber abolido
Gerundio	**Gerundio compuesto**
aboliendo	habiendo abolido
Participio	
abolido	

Ainsi se conjuguent : agredir, aguerrir, aterir, balbucir, blandir, colorir, despavorir, empedernir, garantir, manir, transgredir etc. Ces verbes sont défectifs (voir p. 28).

9 ACTUAR / AGIR

modification d'accentuation

FORMES PERSONNELLES

MODO INDICATIVO		MODO SUBJUNTIVO	
Temps simples	**Temps composés**	**Temps simples**	**Temps composés**

Presente	Pretérito perfecto compuesto	Presente	Pretérito perfecto
actúo	he actuado	actúe	haya actuado
actúas	has actuado	actúes	hayas actuado
actúa	ha actuado	actúe	haya actuado
actuamos	hemos actuado	actuemos	hayamos actuado
actuáis	habéis actuado	actuéis	hayáis actuado
actúan	han actuado	actúen	hayan actuado

Pretérito imperfecto	Pretérito pluscuamperfecto	Pretérito imperfecto	Pretérito pluscuamperfecto
actuaba	había actuado	actuara	hubiera actuado
actuabas	habías actuado	actuaras	hubieras actuado
actuaba	había actuado	actuara	hubiera actuado
actuábamos	habíamos actuado	actuáramos	hubiéramos actuado
actuabais	habíais actuado	actuarais	hubierais actuado
actuaban	habían actuado	actuaran	hubieran actuado
		actuase	hubiese actuado
		actuases	hubieses actuado
		actuase	hubiese actuado
Pretérito perfecto simple	Pretérito anterior	actuásemos	hubiésemos actuado
actué	hube actuado	actuaseis	hubieseis actuado
actuaste	hubiste actuado	actuasen	hubiesen actuado
actuó	hubo actuado		
actuamos	hubimos actuado	Futuro	Futuro perfecto
actuasteis	hubisteis actuado	actuare	hubiere actuado
actuaron	hubieron actuado	actuares	hubieres actuado
		actuare	hubiere actuado
		actuáremos	hubiéremos actuado
Futuro	Futuro perfecto	actuareis	hubiereis actuado
actuaré	habré actuado	actuaren	hubieren actuado
actuarás	habrás actuado		
actuará	habrá actuado		

MODO IMPERATIVO

actuaremos	habremos actuado	actuemos (nosotros/-as)
actuaréis	habréis actuado	**actúa** (tú)	**actuad** (vosotros/-as)
actuarán	habrán actuado	**actúe** (él/ella/ud)	**actúen** (ellos/-as/uds)

FORMES IMPERSONNELLES

Condicional	Condicional perfecto	Infinitivo	Infinitivo compuesto
actuaría	habría actuado	actuar	haber actuado
actuarías	habrías actuado	Gerundio	Gerundio compuesto
actuaría	habría actuado	actuando	habiendo actuado
actuaríamos	habríamos actuado	Participio	
actuaríais	habríais actuado	actuado	
actuarían	habrían actuado		

Ainsi se conjuguent la plupart des verbes se terminant par **-uar** sauf ceux qui se terminent en **-guar** qui suivent le modèle de **averiguar** (tb. 17).

* garuar est utilisé comme verbe impersonnel (voir p. 27).

Verbes réguliers de la première conjugaison, accentués sur la voyelle du radical, u > ú, aux trois pers. du sing. et à la 3e pers. du plur. des Présents de l'indicatif et du Subjonctif et formes dérivées.

FORMES PERSONNELLES

MODO INDICATIVO

Temps simples	Temps composés	
Presente	**Pretérito perfecto compuesto**	
adquiero	he	adquirido
adquieres	has	adquirido
adquiere	ha	adquirido
adquirimos	hemos	adquirido
adquirís	habéis	adquirido
adquieren	han	adquirido
Pretérito imperfecto	**Pretérito pluscuamperfecto**	
adquiría	había	adquirido
adquirías	habías	adquirido
adquiría	había	adquirido
adquiríamos	habíamos	adquirido
adquiríais	habíais	adquirido
adquirían	habían	adquirido
Pretérito perfecto simple	**Pretérito anterior**	
adquirí	hube	adquirido
adquiriste	hubiste	adquirido
adquirió	hubo	adquirido
adquirimos	hubimos	adquirido
adquiristeis	hubisteis	adquirido
adquirieron	hubieron	adquirido
Futuro	**Futuro perfecto**	
adquiriré	habré	adquirido
adquirirás	habrás	adquirido
adquirirá	habrá	adquirido
adquiriremos	habremos	adquirido
adquiriréis	habréis	adquirido
adquirirán	habrán	adquirido
Condicional	**Condicional perfecto**	
adquiriría	habría	adquirido
adquirirías	habrías	adquirido
adquiriría	habría	adquirido
adquiriríamos	habríamos	adquirido
adquiriríais	habríais	adquirido
adquirirían	habrían	adquirido

MODO SUBJUNTIVO

Temps simples	Temps composés	
Presente	**Pretérito perfecto**	
adquiera	haya	adquirido
adquieras	hayas	adquirido
adquiera	haya	adquirido
adquiramos	hayamos	adquirido
adquiráis	hayáis	adquirido
adquieran	hayan	adquirido
Pretérito imperfecto	**Pretérito pluscuamperfecto**	
adquiriera	hubiera	adquirido
adquirieras	hubieras	adquirido
adquiriera	hubiera	adquirido
adquiriéramos	hubiéramos	adquirido
adquirierais	hubierais	adquirido
adquirieran	hubieran	adquirido
adquiriese	hubiese	adquirido
adquirieses	hubieses	adquirido
adquiriese	hubiese	adquirido
adquiriésemos	hubiésemos	adquirido
adquirieseis	hubieseis	adquirido
adquiriesen	hubiesen	adquirido
Futuro	**Futuro perfecto**	
adquiriere	hubiere	adquirido
adquirieres	hubieres	adquirido
adquiriere	hubiere	adquirido
adquiriéremos	hubiéremos	adquirido
adquiriereis	hubiereis	adquirido
adquirieren	hubieren	adquirido

MODO IMPERATIVO

	adquiramos (nosotros/-as)
adquiere (tú)	adquirid (vosotros/-as)
adquiera (él/ella/ud)	adquieran (ellos/-as/uds)

FORMES IMPERSONNELLES

Infinitivo **adquirir**	Infinitivo compuesto haber adquirido
Gerundio **adquiriendo**	Gerundio compuesto habiendo adquirido
Participio **adquirido**	

Ainsi se conjugue : inquirir.

L'accent tonique diphtongue la dernière voyelle du radical, i > **ie**, aux trois pers. du sing., à la 3e pers. du plur. des Présents de l'Indicatif et du Subjonctif et aux formes de l'Impératif qui en dérivent.

FORMES PERSONNELLES

MODO INDICATIVO

Temps simples		Temps composés	
Presente		Pretérito perfecto compuesto	
ahínco		he	ahincado
ahíncas		has	ahincado
ahínca		ha	ahincado
ahincamos		hemos	ahincado
ahincáis		habéis	ahincado
ahíncan		han	ahincado
Pretérito imperfecto		Pretérito pluscuamperfecto	
ahincaba		había	ahincado
ahincabas		habías	ahincado
ahincaba		había	ahincado
ahincábamos		habíamos	ahincado
ahincabais		habíais	ahincado
ahincaban		habían	ahincado
Pretérito perfecto simple		Pretérito anterior	
ahinqué		hube	ahincado
ahincaste		hubiste	ahincado
ahincó		hubo	ahincado
ahincamos		hubimos	ahincado
ahincasteis		hubisteis	ahincado
ahincaron		hubieron	ahincado
Futuro		Futuro perfecto	
ahincaré		habré	ahincado
ahincarás		habrás	ahincado
ahincará		habrá	ahincado
ahincaremos		habremos	ahincado
ahincaréis		habréis	ahincado
ahincarán		habrán	ahincado
Condicional		Condicional perfecto	
ahincaría		habría	ahincado
ahincarías		habrías	ahincado
ahincaría		habría	ahincado
ahincaríamos		habríamos	ahincado
ahincaríais		habríais	ahincado
ahincarían		habrían	ahincado

MODO SUBJUNTIVO

Temps simples	Temps composés	
Presente	Pretérito perfecto	
ahínque	haya	ahincado
ahínques	hayas	ahincado
ahínque	haya	ahincado
ahinquemos	hayamos	ahincado
ahinquéis	hayáis	ahincado
ahínquen	hayan	ahincado
Pretérito imperfecto	Pretérito pluscuamperfecto	
ahincara	hubiera	ahincado
ahincaras	hubieras	ahincado
ahincara	hubiera	ahincado
ahincáramos	hubiéramos	ahincado
ahincarais	hubierais	ahincado
ahincaran	hubieran	ahincado
ahincase	hubiese	ahincado
ahincases	hubieses	ahincado
ahincase	hubiese	ahincado
ahincásemos	hubiésemos	ahincado
ahincaseis	hubieseis	ahincado
ahincasen	hubiesen	ahincado
Futuro	Futuro perfecto	
ahincare	hubiere	ahincado
ahincares	hubieres	ahincado
ahincare	hubiere	ahincado
ahincáremos	hubiéremos	ahincado
ahincareis	hubiereis	ahincado
ahincaren	hubieren	ahincado

MODO IMPERATIVO

	ahinquemos (nosotros/-as)
ahínca (tú)	ahincad (vosotros/-as)
ahínque (él/ella/ud)	ahínquen (ellos/-as/uds)

FORMES IMPERSONNELLES

Infinitivo	Infinitivo compuesto
ahincar	haber ahincado
Gerundio	Gerundio compuesto
ahincando	habiendo ahincado
Participio	
ahincado	

Verbe régulier de la première conjugaison, accentué sur la voyelle du radical, **i** > **í**, aux trois pers. du sing. et à la 3ᵉ pers. du plur. du Présent de l'Indicatif. Pour conserver la prononciation **c** > **qu** devant **e**, à la 1ʳᵉ pers. du sing. du Passé simple ; à toutes les pers. du Présent du Subjonctif et aux formes de l'Impératif qui en dérivent.

FORMES PERSONNELLES

MODO INDICATIVO		MODO SUBJUNTIVO	
Temps simples	**Temps composés**	**Temps simples**	**Temps composés**

Presente	Pretérito perfecto compuesto	Presente	Pretérito perfecto
aíro	he airado	aíre	haya airado
aíras	has airado	aíres	hayas airado
aíra	ha airado	aíre	haya airado
airamos	hemos airado	airemos	hayamos airado
airáis	habéis airado	airéis	hayáis airado
aíran	han airado	aíren	hayan airado

Pretérito imperfecto	Pretérito pluscuamperfecto	Pretérito imperfecto	Pretérito pluscuamperfecto
airaba	había airado	airara	hubiera airado
airabas	habías airado	airaras	hubieras airado
airaba	había airado	airara	hubiera airado
airábamos	habíamos airado	airáramos	hubiéramos airado
airabais	habíais airado	airarais	hubierais airado
airaban	habían airado	airaran	hubieran airado
		airase	hubiese airado
		airases	hubieses airado
		airase	hubiese airado
		airásemos	hubiésemos airado
		airaseis	hubieseis airado
		airasen	hubiesen airado

Pretérito perfecto simple	Pretérito anterior		
airé	hube airado		
airaste	hubiste airado		
airó	hubo airado		
airamos	hubimos airado		
airasteis	hubisteis airado		
airaron	hubieron airado		

Futuro	Futuro perfecto
airare	hubiere airado
airares	hubieres airado
airare	hubiere airado
airáremos	hubiéremos airado
airareis	hubiereis airado
airaren	hubieren airado

Futuro	Futuro perfecto
airaré	habré airado
airarás	habrás airado
airará	habrá airado
airaremos	habremos airado
airaréis	habréis airado
airarán	habrán airado

MODO IMPERATIVO

	airemos (nosotros/-as)
aíra (tú)	airad (vosotros/-as)
aíre (él/ella/ud)	aíren (ellos/-as/uds)

Condicional	Condicional perfecto
airaría	habría airado
airarías	habrías airado
airaría	habría airado
airaríamos	habríamos airado
airaríais	habríais airado
airarían	habrían airado

FORMES IMPERSONNELLES

Infinitivo	Infinitivo compuesto
airar	haber airado
Gerundio	Gerundio compuesto
airando	habiendo airado
Participio	
airado	

Ainsi se conjuguent : ahijar, ahilar, ahitar, aislar, amohinar, atraillar, desahijar, desairar, descafeinar, prohijar, rehilar, sainar et sobrehilar.
* ahitar a un double Participe passé (voir p. 30).
Verbes réguliers de la première conjugaison, accentués sur la voyelle du radical, i > í, aux trois pers. du sing. et à la 3e pers. du plur. des Présents de l'Indicatif et du Subjonctif et aux formes de l'Impératif qui en dérivent.

FORMES PERSONNELLES

MODO INDICATIVO

Temps simples   **Temps composés**

Presente

ando		Pretérito perfecto compuesto
ando	he	andado
andas	has	andado
anda	ha	andado
andamos	hemos	andado
andáis	habéis	andado
andan	han	andado

Pretérito imperfecto	Pretérito pluscuamperfecto	
andaba	había	andado
andabas	habías	andado
andaba	había	andado
andábamos	habíamos	andado
andabais	habíais	andado
andaban	habían	andado

Pretérito perfecto simple	Pretérito anterior	
anduve	hube	andado
anduviste	hubiste	andado
anduvo	hubo	andado
anduvimos	hubimos	andado
anduvisteis	hubisteis	andado
anduvieron	hubieron	andado

Futuro	Futuro perfecto	
andaré	habré	andado
andarás	habrás	andado
andará	habrá	andado
andaremos	habremos	andado
andaréis	habréis	andado
andarán	habrán	andado

Condicional	Condicional perfecto	
andaría	habría	andado
andarías	habrías	andado
andaría	habría	andado
andaríamos	habríamos	andado
andaríais	habríais	andado
andarían	habrían	andado

MODO SUBJUNTIVO

Temps simples   **Temps composés**

Presente	Pretérito perfecto	
ande	haya	andado
andes	hayas	andado
ande	haya	andado
andemos	hayamos	andado
andéis	hayáis	andado
anden	hayan	andado

Pretérito imperfecto	Pretérito pluscuamperfecto	
anduviera	hubiera	andado
anduvieras	hubieras	andado
anduviera	hubiera	andado
anduviéramos	hubiéramos	andado
anduvierais	hubierais	andado
anduvieran	hubieran	andado
anduviese	hubiese	andado
anduvieses	hubieses	andado
anduviese	hubiese	andado
anduviésemos	hubiésemos	andado
anduvieseis	hubieseis	andado
anduviesen	hubiesen	andado

Futuro	Futuro perfecto	
anduviere	hubiere	andado
anduvieres	hubieres	andado
anduviere	hubiere	andado
anduviéremos	hubiéremos	andado
anduviereis	hubiereis	andado
anduvieren	hubieren	andado

MODO IMPERATIVO

	andemos (nosotros/-as)
anda (tú)	andad (vosotros/-as)
ande (él/ella/ud)	anden (ellos/-as/uds)

FORMES IMPERSONNELLES

Infinitivo	Infinitivo compuesto
andar	haber andado

Gerundio	Gerundio compuesto
andando	habiendo andado

Participio	
andado	

■ Ainsi se conjugue : desandar

Le *prétérit fort* altère le radical et ajoute **uv**, à toutes les pers. du Passé simple et à ses temps dérivés : Imparfait et Futur du Subjonctif.

FORMES PERSONNELLES

MODO INDICATIVO

Temps simples	Temps composés
Presente	**Pretérito perfecto compuesto**
asgo	he asido
ases	has asido
ase	ha asido
asimos	hemos asido
asís	habéis asido
asen	han asido
Pretérito imperfecto	**Pretérito pluscuamperfecto**
asía	había asido
asías	habías asido
asía	había asido
asíamos	habíamos asido
asíais	habíais asido
asían	habían asido
Pretérito perfecto simple	**Pretérito anterior**
así	hube asido
asiste	hubiste asido
asió	hubo asido
asimos	hubimos asido
asisteis	hubisteis asido
asieron	hubieron asido
Futuro	**Futuro perfecto**
asiré	habré asido
asirás	habrás asido
asirá	habrá asido
asiremos	habremos asido
asiréis	habréis asido
asirán	habrán asido
Condicional	**Condicional perfecto**
asiría	habría asido
asirías	habrías asido
asiría	habría asido
asiríamos	habríamos asido
asiríais	habríais asido
asirían	habrían asido

MODO SUBJUNTIVO

Temps simples	Temps composés
Presente	**Pretérito perfecto**
asga	haya asido
asgas	hayas asido
asga	haya asido
asgamos	hayamos asido
asgáis	hayáis asido
asgan	hayan asido
Pretérito imperfecto	**Pretérito pluscuamperfecto**
asiera	hubiera asido
asieras	hubieras asido
asiera	hubiera asido
asiéramos	hubiéramos asido
asierais	hubierais asido
asieran	hubieran asido
asiese	hubiese asido
asieses	hubieses asido
asiese	hubiese asido
asiésemos	hubiésemos asido
asieseis	hubieseis asido
asiesen	hubiesen asido
Futuro	**Futuro perfecto**
asiere	hubiere asido
asieres	hubieres asido
asiere	hubiere asido
asiéremos	hubiéremos asido
asiereis	hubiereis asido
asieren	hubieren asido

MODO IMPERATIVO

	asgamos (nosotros/-as)
ase (tú)	asid (vosotros/-as)
asga (él/ella/ud)	asgan (ellos/-as/uds)

FORMES IMPERSONNELLES

Infinitivo	Infinitivo compuesto
asir	haber asido
Gerundio	**Gerundio compuesto**
asiendo	habiendo asido
Participio	
asido	

▮ Ainsi se conjugue : desasir.

Introduction de **g** devant **o** ou **a**, à la 1re pers. du sing. du Présent de l'Indicatif, à toutes les pers. du Présent du Subjonctif et aux formes de l'Impératif qui en dérivent.

∗ Les formes irrégulières sont à peu près inusitées. Toutes les formes régulières sont d'usage courant.

FORMES PERSONNELLES

MODO INDICATIVO		MODO SUBJUNTIVO	
Temps simples	Temps composés	Temps simples	Temps composés

Presente	Pretérito perfecto compuesto	Presente	Pretérito perfecto
aúllo	he aullado	aúlle	haya aullado
aúllas	has aullado	aúlles	hayas aullado
aúlla	ha aullado	aúlle	haya aullado
aullamos	hemos aullado	aullemos	hayamos aullado
aulláis	habéis aullado	aulléis	hayáis aullado
aúllan	han aullado	aúllen	hayan aullado

		Pretérito imperfecto	Pretérito pluscuamperfecto
Pretérito imperfecto	Pretérito pluscuamperfecto	aullara	hubiera aullado
aullaba	había aullado	aullaras	hubieras aullado
aullabas	habías aullado	aullara	hubiera aullado
aullaba	había aullado	aulláramos	hubiéramos aullado
aullábamos	habíamos aullado	aullarais	hubierais aullado
aullabais	habíais aullado	aullaran	hubieran aullado
aullaban	habían aullado		
		aullase	hubiese aullado
		aullases	hubieses aullado
		aullase	hubiese aullado
Pretérito perfecto simple	Pretérito anterior	aullásemos	hubiésemos aullado
aullé	hube aullado	aullaseis	hubieseis aullado
aullaste	hubiste aullado	aullasen	hubiesen aullado
aulló	hubo aullado		
aullamos	hubimos aullado	Futuro	Futuro perfecto
aullasteis	hubisteis aullado	aullare	hubiere aullado
aullaron	hubieron aullado	aullares	hubieres aullado
		aullare	hubiere aullado
		aulláremos	hubiéremos aullado
Futuro	Futuro perfecto	aullareis	hubiereis aullado
aullaré	habré aullado	aullaren	hubieren aullado
aullarás	habrás aullado		
aullará	habrá aullado		

MODO IMPERATIVO

aullaremos	habremos aullado
aullaréis	habréis aullado
aullarán	habrán aullado

	aullemos (nosotros/-as)
aúlla (tú)	aullad (vosotros/-as)
aúlle (él/ella/ud)	aúllen (ellos/-as/uds)

Condicional	Condicional perfecto
aullaría	habría aullado
aullarías	habrías aullado
aullaría	habría aullado
aullaríamos	habríamos aullado
aullaríais	habríais aullado
aullarían	habrían aullado

FORMES IMPERSONNELLES

Infinitivo	Infinitivo compuesto
aullar	haber aullado
Gerundio	Gerundio compuesto
aullando	habiendo aullado
Participio	
aullado	

Ainsi se conjuguent : adecuar, ahuchar, ahumar, ahusar, aunar, aupar, embaular, maullar, rehusar et sahumar.

Verbes réguliers de la première conjugaison, accentués sur la voyelle du radical, u > ú, aux trois pers. du sing. et à la 3e pers. du plur. des Présents de l'Indicatif, du Subjonctif et aux formes de l'Impératif qui en dérivent.

FORMES PERSONNELLES

MODO INDICATIVO

Temps simples — **Temps composés**

Presente / Pretérito perfecto compuesto

Presente		Pretérito perfecto compuesto	
avergüenzo		he	avergonzado
avergüenzas		has	avergonzado
avergüenza		ha	avergonzado
avergonzamos		hemos	avergonzado
avergonzáis		habéis	avergonzado
avergüenzan		han	avergonzado

Pretérito imperfecto / Pretérito pluscuamperfecto

Pretérito imperfecto		Pretérito pluscuamperfecto	
avergonzaba		había	avergonzado
avergonzabas		habías	avergonzado
avergonzaba		había	avergonzado
avergonzábamos		habíamos	avergonzado
avergonzabais		habíais	avergonzado
avergonzaban		habían	avergonzado

Pretérito perfecto simple / Pretérito anterior

Pretérito perfecto simple		Pretérito anterior	
avergoncé		hube	avergonzado
avergonzaste		hubiste	avergonzado
avergonzó		hubo	avergonzado
avergonzamos		hubimos	avergonzado
avergonzasteis		hubisteis	avergonzado
avergonzaron		hubieron	avergonzado

Futuro / Futuro perfecto

Futuro		Futuro perfecto	
avergonzaré		habré	avergonzado
avergonzarás		habrás	avergonzado
avergonzará		habrá	avergonzado
avergonzaremos		habremos	avergonzado
avergonzaréis		habréis	avergonzado
avergonzarán		habrán	avergonzado

Condicional / Condicional perfecto

Condicional		Condicional perfecto	
avergonzaría		habría	avergonzado
avergonzarías		habrías	avergonzado
avergonzaría		habría	avergonzado
avergonzaríamos		habríamos	avergonzado
avergonzaríais		habríais	avergonzado
avergonzarían		habrían	avergonzado

MODO SUBJUNTIVO

Temps simples — **Temps composés**

Presente / Pretérito perfecto

Presente		Pretérito perfecto	
avergüence		haya	avergonzado
avergüences		hayas	avergonzado
avergüence		haya	avergonzado
avergoncemos		hayamos	avergonzado
avergoncéis		hayáis	avergonzado
avergüencen		hayan	avergonzado

Pretérito imperfecto / Pretérito pluscuamperfecto

Pretérito imperfecto		Pretérito pluscuamperfecto	
avergonzara		hubiera	avergonzado
avergonzaras		hubieras	avergonzado
avergonzara		hubiera	avergonzado
avergonzáramos		hubiéramos	avergonzado
avergonzarais		hubierais	avergonzado
avergonzaran		hubieran	avergonzado
avergonzase		hubiese	avergonzado
avergonzases		hubieses	avergonzado
avergonzase		hubiese	avergonzado
avergonzásemos		hubiésemos	avergonzado
avergonzaseis		hubieseis	avergonzado
avergonzasen		hubiesen	avergonzado

Futuro / Futuro perfecto

Futuro		Futuro perfecto	
avergonzare		hubiere	avergonzado
avergonzares		hubieres	avergonzado
avergonzare		hubiere	avergonzado
avergonzáremos		hubiéremos	avergonzado
avergonzareis		hubiereis	avergonzado
avergonzaren		hubieren	avergonzado

MODO IMPERATIVO

avergüenza(te) (tú)   avergoncemos (nosotros/-as)
avergüence(se) (él/ella/ud)   avergonzad (vosotros/-as)   avergüencen (ellos/-as/uds)

FORMES IMPERSONNELLES

Infinitivo	Infinitivo compuesto
avergonzar	haber avergonzado
Gerundio	Gerundio compuesto
avergonzando	habiendo avergonzado
Participio	
avergonzado	

L'accent tonique diphtongue la voyelle du radical, o > ue, et pour faciliter la prononciation gu > gü devant e, aux trois pers. du sing., à la 3e pers. des Présents de l'Indicatif et du Subjonctif, et aux formes de l'Impératif qui en dérivent.

FORMES PERSONNELLES

MODO INDICATIVO		MODO SUBJUNTIVO	
Tempo simples	Tempo composés	Temps simples	Temps composés

Presente / Pretérito perfecto compuesto

averiguo	he averiguado	averigüe	haya averiguado
averiguas	has averiguado	averigües	hayas averiguado
averigua	ha averiguado	averigüe	haya averiguado
averiguamos	hemos averiguado	averigüemos	hayamos averiguado
averiguáis	habéis averiguado	averigüéis	hayáis averiguado
averiguan	han averiguado	averigüen	hayan averiguado

Pretérito imperfecto / Pretérito pluscuamperfecto (indicativo) — Pretérito imperfecto / Pretérito pluscuamperfecto (subjuntivo)

averiguaba	había averiguado	averiguara	hubiera averiguado
averiguabas	habías averiguado	averiguaras	hubieras averiguado
averiguaba	había averiguado	averiguara	hubiera averiguado
averiguábamos	habíamos averiguado	averiguáramos	hubiéramos averiguado
averiguabais	habíais averiguado	averiguarais	hubierais averiguado
averiguaban	habían averiguado	averiguaran	hubieran averiguado
		averiguase	hubiese averiguado
		averiguases	hubieses averiguado
		averiguase	hubiese averiguado
		averiguásemos	hubiésemos averiguado
		averiguaseis	hubieseis averiguado
		averiguasen	hubiesen averiguado

Pretérito perfecto simple / Pretérito anterior — Futuro / Futuro perfecto (subjuntivo)

averigüé	hube averiguado	averiguare	hubiere averiguado
averiguaste	hubiste averiguado	averiguares	hubieres averiguado
averiguó	hubo averiguado	averiguare	hubiere averiguado
averiguamos	hubimos averiguado	averiguáremos	hubiéremos averiguado
averiguasteis	hubisteis averiguado	averiguareis	hubiereis averiguado
averiguaron	hubieron averiguado	averiguaren	hubieren averiguado

Futuro / Futuro perfecto

averiguaré	habré averiguado
averiguarás	habrás averiguado
averiguará	habrá averiguado
averiguaremos	habremos averiguado
averiguaréis	habréis averiguado
averiguarán	habrán averiguado

MODO IMPERATIVO

averigüemos (nosotros/-as)
averigua (tú)   averiguad (vosotros/-as)
averigüe (él/ella/ud)   averigüen (ellos/-as/uds)

Condicional / Condicional perfecto

averiguaría	habría averiguado
averiguarías	habrías averiguado
averiguaría	habría averiguado
averiguaríamos	habríamos averiguado
averiguaríais	habríais averiguado
averiguarían	habrían averiguado

FORMES IMPERSONNELLES

Infinitivo	Infinitivo compuesto
averiguar	haber averiguado
Gerundio	Gerundio compuesto
averiguando	habiendo averiguado
Participio	
averiguado	

Ainsi se conjuguent tous les verbes se terminant par **-guar** : amortiguar, apaciguar, atestiguar, desaguar, fraguar, menguar santiguar, etc.

Verbes réguliers de la première conjugaison. Pour conserver la prononciation gu > gü devant **e**, à la 1re pers. du sing. du Passé simple ; à toutes les pers. du Présent du Subjonctif et aux formes de l'Impératif qui en dérivent.

FORMES PERSONNELLES

MODO INDICATIVO

Temps simples	Temps composés	
Presente	Pretérito perfecto compuesto	
bruño	he	bruñido
bruñes	has	bruñido
bruñe	ha	bruñido
bruñimos	hemos	bruñido
bruñís	habéis	bruñido
bruñen	han	bruñido

Pretérito imperfecto	Pretérito pluscuamperfecto	
bruñía	había	bruñido
bruñías	habías	bruñido
bruñía	había	bruñido
bruñíamos	habíamos	bruñido
bruñíais	habíais	bruñido
bruñían	habían	bruñido

Pretérito perfecto simple	Pretérito anterior	
bruñí	hube	bruñido
bruñiste	hubiste	bruñido
bruñó	hubo	bruñido
bruñimos	hubimos	bruñido
bruñisteis	hubisteis	bruñido
bruñeron	hubieron	bruñido

Futuro	Futuro perfecto	
bruñiré	habré	bruñido
bruñirás	habrás	bruñido
bruñirá	habrá	bruñido
bruñiremos	habremos	bruñido
bruñiréis	habréis	bruñido
bruñirán	habrán	bruñido

Condicional	Condicional perfecto	
bruñiría	habría	bruñido
bruñirías	habrías	bruñido
bruñiría	habría	bruñido
bruñiríamos	habríamos	bruñido
bruñiríais	habríais	bruñido
bruñirían	habrían	bruñido

MODO SUBJUNTIVO

Temps simples	Temps composés	
Presente	Pretérito perfecto	
bruña	haya	bruñido
bruñas	hayas	bruñido
bruña	haya	bruñido
bruñamos	hayamos	bruñido
bruñáis	hayáis	bruñido
bruñan	hayan	bruñido

Pretérito imperfecto	Pretérito pluscuamperfecto	
bruñera	hubiera	bruñido
bruñeras	hubieras	bruñido
bruñera	hubiera	bruñido
bruñéramos	hubiéramos	bruñido
bruñerais	hubierais	bruñido
bruñeran	hubieran	bruñido
bruñese	hubiese	bruñido
bruñeses	hubieses	bruñido
bruñese	hubiese	bruñido
bruñésemos	hubiésemos	bruñido
bruñeseis	hubieseis	bruñido
bruñesen	hubiesen	bruñido

Futuro	Futuro perfecto	
bruñere	hubiere	bruñido
bruñeres	hubieres	bruñido
bruñere	hubiere	bruñido
bruñéremos	hubiéremos	bruñido
bruñereis	hubiereis	bruñido
bruñeren	hubieren	bruñido

MODO IMPERATIVO

	bruñamos (nosotros/-as)
bruñe (tú)	**bruñid** (vosotros/-as)
bruña (él/ella/ud)	**bruñan** (ellos/-as/uds)

FORMES IMPERSONNELLES

Infinitivo	Infinitivo compuesto
bruñir	haber bruñido
Gerundio	Gerundio compuesto
bruñendo	habiendo bruñido
Participio	
bruñido	

Ainsi se conjuguent : bullir, descabullirse, engullir, gañir, gruñir, mullir, plañir, rebullir, restriñir, tullir et zambullir.

Modification orthographique, le i atone disparaît entre les consonnes ll ou ñ et une voyelle, aux 3ᵉ pers. du sing. et du plur. du Passé simple et à ses temps dérivés : Imparfait et Furur du Subjonctif, et Gérondif.

19   CABER / TENIR, ENTRER   verbe irrégulier

FORMES PERSONNELLES

MODO INDICATIVO

Temps simples	Temps composés

Presente — **Pretérito perfecto compuesto**

quepo	he	cabido
cabes	has	cabido
cabe	ha	cabido
cabemos	hemos	cabido
cabéis	habéis	cabido
caben	han	cabido

Pretérito imperfecto — **Pretérito pluscuamperfecto**

cabía	había	cabido
cabías	habías	cabido
cabía	había	cabido
cabíamos	habíamos	cabido
cabíais	habíais	cabido
cabían	habían	cabido

Pretérito perfecto simple — **Pretérito anterior**

cupe	hube	cabido
cupiste	hubiste	cabido
cupo	hubo	cabido
cupimos	hubimos	cabido
cupisteis	hubisteis	cabido
cupieron	hubieron	cabido

Futuro — **Futuro perfecto**

cabré	habré	cabido
cabrás	habrás	cabido
cabrá	habrá	cabido
cabremos	habremos	cabido
cabréis	habréis	cabido
cabrán	habrán	cabido

Condicional — **Condicional perfecto**

cabría	habría	cabido
cabrías	habrías	cabido
cabría	habría	cabido
cabríamos	habríamos	cabido
cabríais	habríais	cabido
cabrían	habrían	cabido

MODO SUBJUNTIVO

Temps simples	Temps composés

Presente — **Pretérito perfecto**

quepa	haya	cabido
quepas	hayas	cabido
quepa	haya	cabido
quepamos	hayamos	cabido
quepáis	hayáis	cabido
quepan	hayan	cabido

Pretérito imperfecto — **Pretérito pluscuamperfecto**

cupiera	hubiera	cabido
cupieras	hubieras	cabido
cupiera	hubiera	cabido
cupiéramos	hubiéramos	cabido
cupierais	hubierais	cabido
cupieran	hubieran	cabido
cupiese	hubiese	cabido
cupieses	hubieses	cabido
cupiese	hubiese	cabido
cupiésemos	hubiésemos	cabido
cupieseis	hubieseis	cabido
cupiesen	hubiesen	cabido

Futuro — **Futuro perfecto**

cupiere	hubiere	cabido
cupieres	hubieres	cabido
cupiere	hubiere	cabido
cupiéremos	hubiéremos	cabido
cupiereis	hubiereis	cabido
cupieren	hubieren	cabido

MODO IMPERATIVO

	quepamos (nosotros/-as)
cabe (tú)	cabed (vosotros/-as)
quepa (él/ella/ud)	quepan (ellos/-as/uds)

FORMES IMPERSONNELLES

Infinitivo	Infinitivo compuesto
caber	haber cabido
Gerundio	Gerundio compuesto
cabiendo	habiendo cabido
Participio	
cabido	

Le prétérit fort altère le radical, **ab** > **up**, à toutes les pers. du Passé simple et temps dérivés (voir p. 15). Pour conserver la prononciation **c** > **qu** devant **e**. Modification de la dernière consonne du radical, **b** > **p** devant **o** ou **a**, à la 1re pers. du sing. du Présent de l'Indicatif, à toutes les pers. du Présent du Subjonctif et aux formes de l'Impératif qui en dérivent. Pour éviter la confusion entre le Conditionnel et l'Imparfait de l'Indicatif, introduction de **r**, à toutes les pers. du Futur et du Conditionnel.

FORMES PERSONNELLES

FORMES PERSONNELLES

MODO INDICATIVO

Temps simples / Temps composés

Presente / Pretérito perfecto compuesto

caigo	he	caído
caes	has	caído
cae	ha	caído
caemos	hemos	caído
caéis	habéis	caído
caen	han	caído

Pretérito imperfecto / Pretérito pluscuamperfecto

caía	había	caído
caías	habías	caído
caía	había	caído
caíamos	habíamos	caído
caíais	habíais	caído
caían	habían	caído

Pretérito perfecto simple / Pretérito anterior

caí	hube	caído
caíste	hubiste	caído
cayó	hubo	caído
caímos	hubimos	caído
caísteis	hubisteis	caído
cayeron	hubieron	caído

Futuro / Futuro perfecto

caeré	habré	caído
caerás	habrás	caído
caerá	habrá	caído
caeremos	habremos	caído
caeréis	habréis	caído
caerán	habrán	caído

Condicional / Condicional perfecto

caería	habría	caído
caerías	habrías	caído
caería	habría	caído
caeríamos	habríamos	caído
caeríais	habríais	caído
caerían	habrían	caído

MODO SUBJUNTIVO

Temps simples / Temps composés

Presente / Pretérito perfecto

caiga	haya	caído
caigas	hayas	caído
caiga	haya	caído
caigamos	hayamos	caído
caigáis	hayáis	caído
caigan	hayan	caído

Pretérito imperfecto / Pretérito pluscuamperfecto

cayera	hubiera	caído
cayeras	hubieras	caído
cayera	hubiera	caído
cayéramos	hubiéramos	caído
cayerais	hubierais	caído
cayeran	hubieran	caído
cayese	hubiese	caído
cayeses	hubieses	caído
cayese	hubiese	caído
cayésemos	hubiésemos	caído
cayeseis	hubieseis	caído
cayesen	hubiesen	caído

Futuro / Futuro perfecto

cayere	hubiere	caído
cayeres	hubieres	caído
cayere	hubiere	caído
cayéremos	hubiéremos	caído
cayereis	hubiereis	caído
cayeren	hubieren	caído

MODO IMPERATIVO

caigamos (nosotros/-as)
cae (tú)   caed (vosotros/-as)
caiga (él/ella/ud)   caigan (ellos/-as/uds)

FORMES IMPERSONNELLES

Infinitivo	Infinitivo compuesto
caer	haber caído
Gerundio	**Gerundio compuesto**
cayendo	habiendo caído
Participio	
caído	

Allongement de la voyelle, **a > ai**, et introduction de **g** devant **o** ou **a**, à la 1re pers. du sing. du Présent de l'Ind., à toutes les pers. du Présent du Subj., aux formes dérivées et au Participe passé.
La voyelle atone **i > y** devant **e** ou **o**, aux 3e pers. du sing. et du plur. du Passé simple, à ses temps dérivés (voir p. 15) et au Gérondif.
* Terminaisons irrégulières à la 2e pers. du sing. (**-iste**), aux 1re et 2e pers. du plur. du Passé simple, (**-ímos, -ísteis**) et au Participe passé (**-ído**).

61

FORMES PERSONNELLES

MODO INDICATIVO			**MODO SUBJUNTIVO**		
Temps simples	Temps composés		Temps simples	Temps composés	

Presente	Pretérito perfecto compuesto		Presente	Pretérito perfecto	
cazo	he	cazado	cace	haya	cazado
cazas	has	cazado	caces	hayas	cazado
caza	ha	cazado	cace	haya	cazado
cazamos	hemos	cazado	cacemos	hayamos	cazado
cazáis	habéis	cazado	cacéis	hayáis	cazado
cazan	han	cazado	cacen	hayan	cazado

Pretérito imperfecto	Pretérito pluscuamperfecto		Pretérito imperfecto	Pretérito pluscuamperfecto	
cazaba	había	cazado	cazara	hubiera	cazado
cazabas	habías	cazado	cazaras	hubieras	cazado
cazaba	había	cazado	cazara	hubiera	cazado
cazábamos	habíamos	cazado	cazáramos	hubiéramos	cazado
cazabais	habíais	cazado	cazarais	hubierais	cazado
cazaban	habían	cazado	cazaran	hubieran	cazado
			cazase	hubiese	cazado
			cazases	hubieses	cazado
			cazase	hubiese	cazado
			cazásemos	hubiésemos	cazado
			cazaseis	hubieseis	cazado
			cazasen	hubiesen	cazado

Pretérito perfecto simple	Pretérito anterior				
cacé	hube	cazado			
cazaste	hubiste	cazado			
cazó	hubo	cazado			
cazamos	hubimos	cazado			
cazasteis	hubisteis	cazado			
cazaron	hubieron	cazado			

Futuro	Futuro perfecto		Futuro	Futuro perfecto	
cazaré	habré	cazado	cazare	hubiere	cazado
cazarás	habrás	cazado	cazares	hubieres	cazado
cazará	habrá	cazado	cazare	hubiere	cazado
cazaremos	habremos	cazado	cazáremos	hubiéremos	cazado
cazaréis	habréis	cazado	cazareis	hubiereis	cazado
cazarán	habrán	cazado	cazaren	hubieren	cazado

MODO IMPERATIVO

	cacemos (nosotros/-as)
caza (tú)	cazad (vosotros/-as)
cace (él/ella/ud)	cacen (ellos/-as/uds)

Condicional	Condicional perfecto	
cazaría	habría	cazado
cazarías	habrías	cazado
cazaría	habría	cazado
cazaríamos	habríamos	cazado
cazaríais	habríais	cazado
cazarían	habrían	cazado

FORMES IMPERSONNELLES

Infinitivo	Infinitivo compuesto
cazar	haber cazado
Gerundio	Gerundio compuesto
cazando	habiendo cazado
Participio	
cazado	

Ainsi se conjuguent la plupart des verbes se terminant par **-zar** sauf ceux qui suivent les modèles de **avergonzar** (tb. 16), **empezar** (tb. 37), **enraizar** (tb. 39) et **forzar** (tb. 42).
* granizar est utilisé comme verbe impersonnel (voir p. 27).
Pour conserver la prononciation **z** > **c** devant **e**, à la 1re pers. du sing. du Passé simple ; à toutes les pers. du Présent du Subjonctif et formes dérivées.

verbe irrégulier   o > ue   COCER / CUIRE **22**

FORMES PERSONNELLES

MODO INDICATIVO

Temps simples	Temps composés	
Presente	**Pretérito perfecto compuesto**	
cuezo	he	cocido
cueces	has	cocido
cuece	ha	cocido
cocemos	hemos	cocido
cocéis	habéis	cocido
cuecen	han	cocido
Pretérito imperfecto	**Pretérito pluscuamperfecto**	
cocía	había	cocido
cocías	habías	cocido
cocía	había	cocido
cocíamos	habíamos	cocido
cocíais	habíais	cocido
cocían	habían	cocido
Pretérito perfecto simple	**Pretérito anterior**	
cocí	hube	cocido
cociste	hubiste	cocido
coció	hubo	cocido
cocimos	hubimos	cocido
cocisteis	hubisteis	cocido
cocieron	hubieron	cocido
Futuro	**Futuro perfecto**	
coceré	habré	cocido
cocerás	habrás	cocido
cocerá	habrá	cocido
coceremos	habremos	cocido
coceréis	habréis	cocido
cocerán	habrán	cocido
Condicional	**Condicional perfecto**	
cocería	habría	cocido
cocerías	habrías	cocido
cocería	habría	cocido
coceríamos	habríamos	cocido
coceríais	habríais	cocido
cocerían	habrían	cocido

MODO SUBJUNTIVO

Temps simples	Temps composés	
Presente	**Pretérito perfecto**	
cueza	haya	cocido
cuezas	hayas	cocido
cueza	haya	cocido
cozamos	hayamos	cocido
cozáis	hayáis	cocido
cuezan	hayan	cocido
Pretérito imperfecto	**Pretérito pluscuamperfecto**	
cociera	hubiera	cocido
cocieras	hubieras	cocido
cociera	hubiera	cocido
cociéramos	hubiéramos	cocido
cocierais	hubierais	cocido
cocieran	hubieran	cocido
cociese	hubiese	cocido
cocieses	hubieses	cocido
cociese	hubiese	cocido
cociésemos	hubiésemos	cocido
cocieseis	hubieseis	cocido
cociesen	hubiesen	cocido
Futuro	**Futuro perfecto**	
cociere	hubiere	cocido
cocieres	hubieres	cocido
cociere	hubiere	cocido
cociéremos	hubiéremos	cocido
cociereis	hubiereis	cocido
cocieren	hubieren	cocido

MODO IMPERATIVO

cozamos (nosotros/-as)
cuece (tú) coced (vosotros/-as)
cueza (él/ella/ud) cuezan (ellos/-as/uds)

FORMES IMPERSONNELLES

Infinitivo	Infinitivo compuesto
cocer	haber cocido
Gerundio	**Gerundio compuesto**
cociendo	habiendo cocido
Participio	
cocido	

Ainsi se conjuguent : contorcerse, destorcer, escocer, recocer, retorcer et torcer.
* retorcer et torcer ont un double Participe passé (voir p. 30).
L'accent tonique diphtongue la voyelle du radical, **o** > **ue**, aux trois pers. du sing. et à la 3e pers. du plur. des Présents de l'Indicatif et du Subjonctif et aux formes de l'Impératif qui en dérivent.
Pour conserver la prononciation **c** > **z** devant **o** ou **a**, à la 1re pers. du sing. du Présent de l'Indicatif, à toutes les pers. du Présent du Subjonctif et aux formes de l'Impératif qui en dérivent.

FORMES PERSONNELLES

MODO INDICATIVO

Temps simples	Temps composés
Presente	Pretérito perfecto compuesto
cojo	he cogido
coges	has cogido
coge	ha cogido
cogemos	hemos cogido
cogéis	habéis cogido
cogen	han cogido
Pretérito imperfecto	Pretérito pluscuamperfecto
cogía	había cogido
cogías	habías cogido
cogía	había cogido
cogíamos	habíamos cogido
cogíais	habíais cogido
cogían	habían cogido
Pretérito perfecto simple	Pretérito anterior
cogí	hube cogido
cogiste	hubiste cogido
cogió	hubo cogido
cogimos	hubimos cogido
cogisteis	hubisteis cogido
cogieron	hubieron cogido
Futuro	Futuro perfecto
cogeré	habré cogido
cogerás	habrás cogido
cogerá	habrá cogido
cogeremos	habremos cogido
cogeréis	habréis cogido
cogerán	habrán cogido
Condicional	Condicional perfecto
cogería	habría cogido
cogerías	habrías cogido
cogería	habría cogido
cogeríamos	habríamos cogido
cogeríais	habríais cogido
cogerían	habrían cogido

MODO SUBJUNTIVO

Temps simples	Temps composés
Presente	Pretérito perfecto
coja	haya cogido
cojas	hayas cogido
coja	haya cogido
cojamos	hayamos cogido
cojáis	hayáis cogido
cojan	hayan cogido
Pretérito imperfecto	Pretérito pluscuamperfecto
cogiera	hubiera cogido
cogieras	hubieras cogido
cogiera	hubiera cogido
cogiéramos	hubiéramos cogido
cogierais	hubierais cogido
cogieran	hubieran cogido
cogiese	hubiese cogido
cogieses	hubieses cogido
cogiese	hubiese cogido
cogiésemos	hubiésemos cogido
cogieseis	hubieseis cogido
cogiesen	hubiesen cogido
Futuro	Futuro perfecto
cogiere	hubiere cogido
cogieres	hubieres cogido
cogiere	hubiere cogido
cogiéremos	hubiéremos cogido
cogiereis	hubiereis cogido
cogieren	hubieren cogido

MODO IMPERATIVO

	cojamos (nosotros/-as)
coge (tú)	coged (vosotros/-as)
coja (él/ella/ud)	cojan (ellos/-as/uds)

FORMES IMPERSONNELLES

Infinitivo	Infinitivo compuesto
coger	haber cogido
Gerundio	Gerundio compuesto
cogiendo	habiendo cogido
Participio	
cogido	

Ainsi se conjuguent : acoger, converger, desencoger, emerger, encoger, entrecoger, escoger, proteger, recoger et sobrecoger.

Pour conserver la prononciation g > j devant o ou a, à la 1re pers; du sing. du Présent de l'Indicatif, à toutes les pers. du Présent du Subjonctif et aux formes de l'Impératif qui en dérivent.

COLGAR / PENDRE, SUSPENDRE   **24**

FORMES PERSONNELLES

MODO INDICATIVO

Temps simples	Temps composés
Presente	**Pretérito perfecto compuesto**
cuelgo	he colgado
cuelgas	has colgado
cuelga	ha colgado
colgamos	hemos colgado
colgáis	habéis colgado
cuelgan	han colgado

Pretérito imperfecto	Pretérito pluscuamperfecto
colgaba	había colgado
colgabas	habías colgado
colgaba	había colgado
colgábamos	habíamos colgado
colgabais	habíais colgado
colgaban	habían colgado

Pretérito perfecto simple	Pretérito anterior
colgué	hube colgado
colgaste	hubiste colgado
colgó	hubo colgado
colgamos	hubimos colgado
colgasteis	hubisteis colgado
colgaron	hubieron colgado

Futuro	Futuro perfecto
colgaré	habré colgado
colgarás	habrás colgado
colgará	habrá colgado
colgaremos	habremos colgado
colgaréis	habréis colgado
colgarán	habrán colgado

Condicional	Condicional perfecto
colgaría	habría colgado
colgarías	habrías colgado
colgaría	habría colgado
colgaríamos	habríamos colgado
colgaríais	habríais colgado
colgarían	habrían colgado

MODO SUBJUNTIVO

Temps simples	Temps composés
Presente	**Pretérito perfecto**
cuelgue	haya colgado
cuelgues	hayas colgado
cuelgue	haya colgado
colguemos	hayamos colgado
colguéis	hayáis colgado
cuelguen	hayan colgado

Pretérito imperfecto	Pretérito pluscuamperfecto
colgara	hubiera colgado
colgaras	hubieras colgado
colgara	hubiera colgado
colgáramos	hubiéramos colgado
colgarais	hubierais colgado
colgaran	hubieran colgado
colgase	hubiese colgado
colgases	hubieses colgado
colgase	hubiese colgado
colgásemos	hubiésemos colgado
colgaseis	hubieseis colgado
colgasen	hubiesen colgado

Futuro	Futuro perfecto
colgare	hubiere colgado
colgares	hubieres colgado
colgare	hubiere colgado
colgáremos	hubiéremos colgado
colgareis	hubiereis colgado
colgaren	hubieren colgado

MODO IMPERATIVO

	colguemos (nosotros/-as)
cuelga (tú)	colgad (vosotros/-as)
cuelgue (él/ella/ud)	cuelguen (ellos/-as/uds)

FORMES IMPERSONNELLES

Infinitivo	Infinitivo compuesto
colgar	haber colgado
Gerundio	**Gerundio compuesto**
colgando	habiendo colgado
Participio	
colgado	

■ Ainsi se conjuguent : alonga, descolgar, holgar et rogar.

L'accent tonique diphtongue la voyelle du radical, o > ue, aux trois pers. du sing. et à la 3e pers. du plur. des Présents de l'Indicatif et du Subjonctif et aux formes de l'Impératif qui en dérivent.

Pour conserver la prononciation g > gu devant e, à la 1re pers. du sing. du Passé simple ; aux trois pers. du sing. et à la 3e pers. du plur. du Présent du Subjonctif et aux formes de l'Impératif qui en dérivent.

verbe irrégulier   c > zc

FORMES PERSONNELLES

MODO INDICATIVO

Temps simples	Temps composés		
Presente	**Pretérito perfecto compuesto**		
conozco	he	conocido	
conoces	has	conocido	
conoce	ha	conocido	
conocemos	hemos	conocido	
conocéis	habéis	conocido	
conocen	han	conocido	
Pretérito imperfecto	**Pretérito pluscuamperfecto**		
conocía	había	conocido	
conocías	habías	conocido	
conocía	había	conocido	
conocíamos	habíamos	conocido	
conocíais	habíais	conocido	
conocían	habían	conocido	
Pretérito perfecto simple	**Pretérito anterior**		
conocí	hube	conocido	
conociste	hubiste	conocido	
conoció	hubo	conocido	
conocimos	hubimos	conocido	
conocisteis	hubisteis	conocido	
conocieron	hubieron	conocido	
Futuro	**Futuro perfecto**		
conoceré	habré	conocido	
conocerás	habrás	conocido	
conocerá	habrá	conocido	
conoceremos	habremos	conocido	
conoceréis	habréis	conocido	
conocerán	habrán	conocido	
Condicional	**Condicional perfecto**		
conocería	habría	conocido	
conocerías	habrías	conocido	
conocería	habría	conocido	
conoceríamos	habríamos	conocido	
conoceríais	habríais	conocido	
conocerían	habrían	conocido	

MODO SUBJUNTIVO

Temps simples	Temps composés		
Presente	**Pretérito perfecto**		
conozca	haya	conocido	
conozcas	hayas	conocido	
conozca	haya	conocido	
conozcamos	hayamos	conocido	
conozcáis	hayáis	conocido	
conozcan	hayan	conocido	
Pretérito imperfecto	**Pretérito pluscuamperfecto**		
conociera	hubiera	conocido	
conocieras	hubieras	conocido	
conociera	hubiera	conocido	
conociéramos	hubiéramos	conocido	
conocierais	hubierais	conocido	
conocieran	hubieran	conocido	
conociese	hubiese	conocido	
conocieses	hubieses	conocido	
conociese	hubiese	conocido	
conociésemos	hubiésemos	conocido	
conocieseis	hubieseis	conocido	
conociesen	hubiesen	conocido	
Futuro	**Futuro perfecto**		
conociere	hubiere	conocido	
conocieres	hubieres	conocido	
conociere	hubiere	conocido	
conociéremos	hubiéremos	conocido	
conociereis	hubiereis	conocido	
conocieren	hubieren	conocido	

MODO IMPERATIVO

	conozcamos (nosotros/-as)
conoce (tú)	conoced (vosotros/-as)
conozca (él/ella/ud)	conozcan (ellos/-as/uds)

FORMES IMPERSONNELLES

Infinitivo	Infinitivo compuesto
conocer	haber conocido
Gerundio	**Gerundio compuesto**
conociendo	habiendo conocido
Participio	
conocido	

▌ Ainsi se conjuguent : desconocer, preconocer et reconocer.

▌ Modification du radical, introduction d'une consonne, c > zc devant o ou a, à la 1re pers. du sing. du Présent de l'Indicatif, à toutes les pers. du Présent du Subjonctif et aux formes de l'Impératif qui en dérivent.

FORMES PERSONNELLES

MODO INDICATIVO

Temps simples	Temps composés	
Presente	**Pretérito perfecto compuesto**	
creo	he	creído
crees	has	creído
cree	ha	creído
creemos	hemos	creído
creéis	habéis	creído
creen	han	creído
Pretérito imperfecto	**Pretérito pluscuamperfecto**	
creía	había	creído
creías	habías	creído
creía	había	creído
creíamos	habíamos	creído
creíais	habíais	creído
creían	habían	creído
Pretérito perfecto simple	**Pretérito anterior**	
creí	hube	creído
creíste	hubiste	creído
creyó	hubo	creído
creímos	hubimos	creído
creísteis	hubisteis	creído
creyeron	hubieron	creído
Futuro	**Futuro perfecto**	
creeré	habré	creído
creerás	habrás	creído
creerá	habrá	creído
creeremos	habremos	creído
creeréis	habréis	creído
creerán	habrán	creído
Condicional	**Condicional perfecto**	
creería	habría	creído
creerías	habrías	creído
creería	habría	creído
creeríamos	habríamos	creído
creeríais	habríais	creído
creerían	habrían	creído

MODO SUBJUNTIVO

Temps simples	Temps composés	
Presente	**Pretérito perfecto**	
crea	haya	creído
creas	hayas	creído
crea	haya	creído
creamos	hayamos	creído
creáis	hayáis	creído
crean	hayan	creído
Pretérito imperfecto	**Pretérito pluscuamperfecto**	
creyera	hubiera	creído
creyeras	hubieras	creído
creyera	hubiera	creído
creyéramos	hubiéramos	creído
creyerais	hubierais	creído
creyeran	hubieran	creído
creyese	hubiese	creído
creyeses	hubieses	creído
creyese	hubiese	creído
creyésemos	hubiésemos	creído
creyeseis	hubieseis	creído
creyesen	hubiesen	creído
Futuro	**Futuro perfecto**	
creyere	hubiere	creído
creyeres	hubieres	creído
creyere	hubiere	creído
creyéremos	hubiéremos	creído
creyereis	hubiereis	creído
creyeren	hubieren	creído

MODO IMPERATIVO

creamos (nosotros/-as)
cree (tú) creed (vosotros/-as)
crea (él/ella/ud) crean (ellos/-as/uds)

FORMES IMPERSONNELLES

Infinitivo	Infinitivo compuesto
creer	haber creído
Gerundio	**Gerundio compuesto**
creyendo	habiendo creído
Participio	
creído	

Ainsi se conjuguent : descreer, desposeer, desproveer, leer, poseer, proveer et releer.
* desproveer, poseer et proveer ont un double Participe passé (voir p. 30).
La voyelle atone i > y devant e ou o, à la 3e pers. du sing. et du plur. du Passé simple, à ses temps dérivés : Imparfait, Futur du Subjonctif, et au Gérondif.
* Terminaisons irrégulières à la 2e pers. du sing. (- íste), aux 1re et 2e pers. du plur. du Passé simple (- ímos, - ísteis) et au Participe passé (- ído).

FORMES PERSONNELLES

MODO INDICATIVO		MODO SUBJUNTIVO	
Temps simples	**Temps composés**	**Temps simples**	**Temps composés**

Presente	Pretérito perfecto compuesto	Presente	Pretérito perfecto
doy	he dado	dé	haya dado
das	has dado	des	hayas dado
da	ha dado	dé	haya dado
damos	hemos dado	demos	hayamos dado
dais	habéis dado	deis	hayáis dado
dan	han dado	den	hayan dado

Pretérito imperfecto	Pretérito pluscuamperfecto	Pretérito imperfecto	Pretérito pluscuamperfecto
daba	había dado	diera	hubiera dado
dabas	habías dado	dieras	hubieras dado
daba	había dado	diera	hubiera dado
dábamos	habíamos dado	diéramos	hubiéramos dado
dabais	habíais dado	dierais	hubierais dado
daban	habían dado	dieran	hubieran dado
		diese	hubiese dado
		dieses	hubieses dado
Pretérito perfecto simple	Pretérito anterior	diese	hubiese dado
di	hube dado	diésemos	hubiésemos dado
diste	hubiste dado	dieseis	hubieseis dado
dio	hubo dado	diesen	hubiesen dado
dimos	hubimos dado		
disteis	hubisteis dado	Futuro	Futuro perfecto
dieron	hubieron dado	diere	hubiere dado
		dieres	hubieres dado
Futuro	Futuro perfecto	diere	hubiere dado
daré	habré dado	diéremos	hubiéremos dado
darás	habrás dado	diereis	hubiereis dado
dará	habrá dado	dieren	hubieren dado
daremos	habremos dado		
daréis	habréis dado		
darán	habrán dado		

MODO IMPERATIVO

demos (nosotros/-as)
da (tú)   dad (vosotros/-as)
dé (él/ella/ud)   den (ellos/-as/uds)

Condicional	Condicional perfecto
daría	habría dado
darías	habrías dado
daría	habría dado
daríamos	habríamos dado
daríais	habríais dado
darían	habrían dado

FORMES IMPERSONNELLES

Infinitivo	Infinitivo compuesto
dar	haber dado
Gerundio	Gerundio compuesto
dando	habiendo dado
Participio	
dado	

* Ce verbe de la première conjugaison se conjugue au Passé simple comme un verbe de la deuxième conjugaison (di) pour éviter la confusion avec le Présent du Subjonctif et l'Impératif (dé). Cette irrégularité du Passé simple se transmet à ses temps dérivés : Imparfait et Futur du Subjonctif.
* La forme di, de la 1re pers. du sing. du Passé simple, est la même que celle de la 2e pers. du sing. de l'Impératif du verbe **decir** (voir tb. 28).

FORMES PERSONNELLES

MODO INDICATIVO

Temps simples	Temps composés
Presente	**Pretérito perfecto compuesto**
digo	he dicho
dices	has dicho
dice	ha dicho
decimos	hemos dicho
decís	habéis dicho
dicen	han dicho
Pretérito imperfecto	**Pretérito pluscuamperfecto**
decía	había dicho
decías	habías dicho
decía	había dicho
decíamos	habíamos dicho
decíais	habíais dicho
decían	habían dicho
Pretérito perfecto simple	**Pretérito anterior**
dije	hube dicho
dijiste	hubiste dicho
dijo	hubo dicho
dijimos	hubimos dicho
dijisteis	hubisteis dicho
dijeron	hubieron dicho
Futuro	**Futuro perfecto**
diré	habré dicho
dirás	habrás dicho
dirá	habrá dicho
diremos	habremos dicho
diréis	habréis dicho
dirán	habrán dicho
Condicional	**Condicional perfecto**
diría	habría dicho
dirías	habrías dicho
diría	habría dicho
diríamos	habríamos dicho
diríais	habríais dicho
dirían	habrían dicho

MODO SUBJUNTIVO

Temps simples	Temps composés
Presente	**Pretérito perfecto**
diga	haya dicho
digas	hayas dicho
diga	haya dicho
digamos	hayamos dicho
digáis	hayáis dicho
digan	hayan dicho
Pretérito imperfecto	**Pretérito pluscuamperfecto**
dijera	hubiera dicho
dijeras	hubieras dicho
dijera	hubiera dicho
dijéramos	hubiéramos dicho
dijerais	hubierais dicho
dijeran	hubieran dicho
dijese	hubiese dicho
dijeses	hubieses dicho
dijese	hubiese dicho
dijésemos	hubiésemos dicho
dijeseis	hubieseis dicho
dijesen	hubiesen dicho
Futuro	**Futuro perfecto**
dijere	hubiere dicho
dijeres	hubieres dicho
dijere	hubiere dicho
dijéremos	hubiéremos dicho
dijereis	hubiereis dicho
dijeren	hubieren dicho

MODO IMPERATIVO

	digamos (nosotros/-as)
di (tú)	decid (vosotros/-as)
diga (él/ella/ud)	digan (ellos/-as/uds)

FORMES IMPERSONNELLES

Infinitivo	Infinitivo compuesto
decir	haber dicho
Gerundio	Gerundio compuesto
diciendo	habiendo dicho
Participio	
dicho	

La voyelle du radical **e > i**, aux trois pers. du sing. et à la 3ᵉ du plur. du Présent de l'Indicatif, à toutes les pers. du Présent du Subjonctif, aux formes dérivées, au Gérondif et au Participe passé.
Introduction de **g** devant **o** ou **a**, à la 1ʳᵉ pers. du sing. du Présent de l'Indicatif, à toutes les pers. du Présent du Subjonctif, et formes dérivées. Introduction de **j**, à toutes les pers. du Passé simple et temps dérivés (voir p. 15). Contraction de l'infinitif au Futur de l'Indicatif et au Conditionnel.
★ La 2ᵉ pers. du sing. de l'Imp., **di**, est semblable à la 1ʳᵉ pers. du sing. du Passé simple de **dar** (tb. 27).

FORMES PERSONNELLES

MODO INDICATIVO

Temps simples | **Temps composés**

Presente | **Pretérito perfecto compuesto**

defiendo	he	defendido
defiendes	has	defendido
defiende	ha	defendido
defendemos	hemos	defendido
defendéis	habéis	defendido
defienden	han	defendido

Pretérito imperfecto | **Pretérito pluscuamperfecto**

defendía	había	defendido
defendías	habías	defendido
defendía	había	defendido
defendíamos	habíamos	defendido
defendíais	habíais	defendido
defendían	habían	defendido

Pretérito perfecto simple | **Pretérito anterior**

defendí	hube	defendido
defendiste	hubiste	defendido
defendió	hubo	defendido
defendimos	hubimos	defendido
defendisteis	hubisteis	defendido
defendieron	hubieron	defendido

Futuro | **Futuro perfecto**

defenderé	habré	defendido
defenderás	habrás	defendido
defenderá	habrá	defendido
defenderemos	habremos	defendido
defenderéis	habréis	defendido
defenderán	habrán	defendido

Condicional | **Condicional perfecto**

defendería	habría	defendido
defenderías	habrías	defendido
defendería	habría	defendido
defenderíamos	habríamos	defendido
defenderíais	habríais	defendido
defenderían	habrían	defendido

MODO SUBJUNTIVO

Temps simples | **Temps composés**

Presente | **Pretérito perfecto**

defienda	haya	defendido
defiendas	hayas	defendido
defienda	haya	defendido
defendamos	hayamos	defendido
defendáis	hayáis	defendido
defiendan	hayan	defendido

Pretérito imperfecto | **Pretérito pluscuamperfecto**

defendiera	hubiera	defendido
defendieras	hubieras	defendido
defendiera	hubiera	defendido
defendiéramos	hubiéramos	defendido
defendierais	hubierais	defendido
defendieran	hubieran	defendido
defendiese	hubiese	defendido
defendieses	hubieses	defendido
defendiese	hubiese	defendido
defendiésemos	hubiésemos	defendido
defendieseis	hubieseis	defendido
defendiesen	hubiesen	defendido

Futuro | **Futuro perfecto**

defendiere	hubiere	defendido
defendieres	hubieres	defendido
defendiere	hubiere	defendido
defendiéremos	hubiéremos	defendido
defendiereis	hubiereis	defendido
defendieren	hubieren	defendido

MODO IMPERATIVO

	defendamos (nosotros/-as)
defiende (tú)	defended (vosotros/-as)
defienda (él/ella/ud)	defiendan (ellos/-as/uds)

FORMES IMPERSONNELLES

Infinitivo | **Infinitivo compuesto**
defender | haber defendido

Gerundio | **Gerundio compuesto**
defendiendo | habiendo defendido

Participio
defendido

Ainsi se conjuguent : ascender, atender, cerner, coextenderse, condescender, contender, desatender, descender, desentenderse, distender, encender, entender, extender, heder, hender, perder, reverter, sobreentender, sobrentender, subentender, tender, transcender, trascender, trasverter et verter.
★ atender et extender ont un double Participe passé (voir p. 30).

Diphtongaison de la voyelle du radical, e > ie, aux trois pers. du sing. et à la 3e pers. du plur. des Présents de l'Indicatif et du Subjonctif et aux formes de l'Impératif qui en dérivent.

DELINQUIR / COMMETTRE UN DÉLIT **30**

FORMES PERSONNELLES

MODO INDICATIVO		MODO SUBJUNTIVO	
Temps simples	Temps composés	Temps simples	Temps composés

MODO INDICATIVO

Presente

	Pretérito perfecto compuesto	
delinco	he	delinquido
delinques	has	delinquido
delinque	ha	delinquido
delinquimos	hemos	delinquido
delinquís	habéis	delinquido
delinquen	han	delinquido

Pretérito imperfecto

	Pretérito pluscuamperfecto	
delinquía	había	delinquido
delinquías	habías	delinquido
delinquía	había	delinquido
delinquíamos	habíamos	delinquido
delinquíais	habíais	delinquido
delinquían	habían	delinquido

Pretérito perfecto simple

	Pretérito anterior	
delinquí	hube	delinquido
delinquiste	hubiste	delinquido
delinquió	hubo	delinquido
delinquimos	hubimos	delinquido
delinquisteis	hubisteis	delinquido
delinquieron	hubieron	delinquido

Futuro

	Futuro perfecto	
delinquiré	habré	delinquido
delinquirás	habrás	delinquido
delinquirá	habrá	delinquido
delinquiremos	habremos	delinquido
delinquiréis	habréis	delinquido
delinquirán	habrán	delinquido

Condicional

	Condicional perfecto	
delinquiría	habría	delinquido
delinquirías	habrías	delinquido
delinquiría	habría	delinquido
delinquiríamos	habríamos	delinquido
delinquiríais	habríais	delinquido
delinquirían	habrían	delinquido

MODO SUBJUNTIVO

Presente

	Pretérito perfecto	
delinca	haya	delinquido
delincas	hayas	delinquido
delinca	haya	delinquido
delincamos	hayamos	delinquido
delincáis	hayáis	delinquido
delincan	hayan	delinquido

Pretérito imperfecto

	Pretérito pluscuamperfecto	
delinquiera	hubiera	delinquido
delinquieras	hubieras	delinquido
delinquiera	hubiera	delinquido
delinquiéramos	hubiéramos	delinquido
delinquierais	hubierais	delinquido
delinquieran	hubieran	delinquido
delinquiese	hubiese	delinquido
delinquieses	hubieses	delinquido
delinquiese	hubiese	delinquido
delinquiésemos	hubiésemos	delinquido
delinquieseis	hubieseis	delinquido
delinquiesen	hubiesen	delinquido

Futuro

	Futuro perfecto	
delinquiere	hubiere	delinquido
delinquieres	hubieres	delinquido
delinquiere	hubiere	delinquido
delinquiéremos	hubiéremos	delinquido
delinquiereis	hubiereis	delinquido
delinquieren	hubieren	delinquido

MODO IMPERATIVO

	delincamos (nosotros/-as)
delinque (tú)	delinquid (vosotros/-as)
delinca (él/ella/ud)	delincan (ellos/-as/uds)

FORMES IMPERSONNELLES

Infinitivo	Infinitivo compuesto
delinquir	haber delinquido
Gerundio	Gerundio compuesto
delinquiendo	habiendo delinquido
Participio	
delinquido	

■ Ainsi se conjugue : derrelinquir.

Verbe régulier de la troisième conjugaison. Pour conserver la prononciation **qu** > **c** devant **o** ou **a**, à la 1re pers. du sing. du Présent de l'Indicatif, à toutes les pers. du Présent du Subjonctif et aux formes de l'Impératif qui en dérivent.

FORMES PERSONNELLES

MODO INDICATIVO

Temps simples — **Temps composés**

Presente	Pretérito perfecto compuesto	
deshueso	he	desosado
deshuesas	has	desosado
deshuesa	ha	desosado
desosamos	hemos	desosado
desosáis	habéis	desosado
deshuesan	han	desosado

Pretérito imperfecto	Pretérito pluscuamperfecto	
desosaba	había	desosado
desosabas	habías	desosado
desosaba	había	desosado
desosábamos	habíamos	desosado
desosabais	habíais	desosado
desosaban	habían	desosado

Pretérito perfecto simple	Pretérito anterior	
desosé	hube	desosado
desosaste	hubiste	desosado
desosó	hubo	desosado
desosamos	hubimos	desosado
desosasteis	hubisteis	desosado
desosaron	hubieron	desosado

Futuro	Futuro perfecto	
desosaré	habré	desosado
desosarás	habrás	desosado
desosará	habrá	desosado
desosaremos	habremos	desosado
desosaréis	habréis	desosado
desosarán	habrán	desosado

Condicional	Condicional perfecto	
desosaría	habría	desosado
desosarías	habrías	desosado
desosaría	habría	desosado
desosaríamos	habríamos	desosado
desosaríais	habríais	desosado
desosarían	habrían	desosado

MODO SUBJUNTIVO

Temps simples — **Temps composés**

Presente	Pretérito perfecto	
deshuese	haya	desosado
deshueses	hayas	desosado
deshuese	haya	desosado
desosemos	hayamos	desosado
desoséis	hayáis	desosado
deshuesen	hayan	desosado

Pretérito imperfecto	Pretérito pluscuamperfecto	
desosara	hubiera	desosado
desosaras	hubieras	desosado
desosara	hubiera	desosado
desosáramos	hubiéramos	desosado
desosarais	hubierais	desosado
desosaran	hubieran	desosado
desosase	hubiese	desosado
desosases	hubieses	desosado
desosase	hubiese	desosado
desosásemos	hubiésemos	desosado
desosaseis	hubieseis	desosado
desosasen	hubiesen	desosado

Futuro	Futuro perfecto	
desosare	hubiere	desosado
desosares	hubieres	desosado
desosare	hubiere	desosado
desosáremos	hubiéremos	desosado
desosareis	hubiereis	desosado
desosaren	hubieren	desosado

MODO IMPERATIVO

	desosemos (nosotros/-as)
deshuesa (tú)	desosad (vosotros/-as)
deshuese (él/ella/ud)	deshuesen (ellos/-as/uds)

FORMES IMPERSONNELLES

Infinitivo	Infinitivo compuesto
desosar	haber desosado
Gerundio	Gerundio compuesto
desosando	habiendo desosado
Participio	
desosado	

L'accent tonique diphtongue la voyelle du radical, o > ue. Introduction de h, simple signe graphique, pour conserver le son vocalique devant ue, aux trois pers. du sing. et à la 3e pers. du plur. des Présents de l'Indicatif et du Subjonctif et aux formes de l'Impératif qui en dérivent.

FORMES PERSONNELLES

MODO INDICATIVO		**MODO SUBJUNTIVO**	
Temps simples	Temps composés	Temps simples	Temps composés

Presente	Pretérito perfecto compuesto		Presente	Pretérito perfecto	
dirijo	he	dirigido	dirija	haya	dirigido
diriges	has	dirigido	dirijas	hayas	dirigido
dirige	ha	dirigido	dirija	haya	dirigido
dirigimos	hemos	dirigido	dirijamos	hayamos	dirigido
dirigís	habéis	dirigido	dirijáis	hayáis	dirigido
dirigen	han	dirigido	dirijan	hayan	dirigido

Pretérito imperfecto	Pretérito pluscuamperfecto		Pretérito imperfecto	Pretérito pluscuamperfecto	
dirigía	había	dirigido	dirigiera	hubiera	dirigido
dirigías	habías	dirigido	dirigieras	hubieras	dirigido
dirigía	había	dirigido	dirigiera	hubiera	dirigido
dirigíamos	habíamos	dirigido	dirigiéramos	hubiéramos	dirigido
dirigíais	habíais	dirigido	dirigierais	hubierais	dirigido
dirigían	habían	dirigido	dirigieran	hubieran	dirigido
			dirigiese	hubiese	dirigido
			dirigieses	hubieses	dirigido
			dirigiese	hubiese	dirigido
Pretérito perfecto simple	Pretérito anterior		dirigiésemos	hubiésemos	dirigido
dirigí	hube	dirigido	dirigieseis	hubieseis	dirigido
dirigiste	hubiste	dirigido	dirigiesen	hubiesen	dirigido
dirigió	hubo	dirigido			
dirigimos	hubimos	dirigido	Futuro	Futuro perfecto	
dirigisteis	hubisteis	dirigido	dirigiere	hubiere	dirigido
dirigieron	hubieron	dirigido	dirigieres	hubieres	dirigido
			dirigiere	hubiere	dirigido
			dirigiéremos	hubiéremos	dirigido
Futuro	Futuro perfecto		dirigiereis	hubiereis	dirigido
dirigiré	habré	dirigido	dirigieren	hubieren	dirigido
dirigirás	habrás	dirigido			
dirigirá	habrá	dirigido			
dirigiremos	habremos	dirigido			
dirigiréis	habréis	dirigido			
dirigirán	habrán	dirigido			

MODO IMPERATIVO

dirijamos (nosotros/-as)
dirige (tú)   dirigid (vosotros/-as)
dirija (él/ella/ud)   dirijan (ellos/-as/uds)

Condicional	Condicional perfecto	
dirigiría	habría	dirigido
dirigirías	habrías	dirigido
dirigiría	habría	dirigido
dirigiríamos	habríamos	dirigido
dirigiríais	habríais	dirigido
dirigirían	habrían	dirigido

FORMES IMPERSONNELLES

Infinitivo	Infinitivo compuesto
dirigir	haber dirigido
Gerundio	Gerundio compuesto
dirigiendo	habiendo dirigido
Participio	
dirigido	

Ainsi se conjuguent : afligir, astringir, compungir, convergir, divergir, exigir, fingir, fulgir, fungir, infligir, infringir, inmergir, mugir, pungir, restringir, resurgir, rugir, sumergir, surgir, teledirigir, transigir, ungir et urgir.
★ rugir et urgir sont aussi utilisés comme verbes impersonnels (voir p. 27).
Verbes réguliers de la troisième conjugaison. Pour conserver la prononciation g > j devant o ou a, à la 1re pers. du sing. du Présent de l'Indicatif, à toutes les pers. du Présent du Subjonctif et aux formes de l'Impératif qui en dérivent.

FORMES PERSONNELLES

MODO INDICATIVO

Temps simples	Temps composés	
Presente	**Pretérito perfecto compuesto**	
discierno	he	discernido
disciernes	has	discernido
discierne	ha	discernido
discernimos	hemos	discernido
discernís	habéis	discernido
disciernen	han	discernido
Pretérito imperfecto	**Pretérito pluscuamperfecto**	
discernía	había	discernido
discernías	habías	discernido
discernía	había	discernido
discerníamos	habíamos	discernido
discerníais	habíais	discernido
discernían	habían	discernido
Pretérito perfecto simple	**Pretérito anterior**	
discerní	hube	discernido
discerniste	hubiste	discernido
discernió	hubo	discernido
discernimos	hubimos	discernido
discernisteis	hubisteis	discernido
discernieron	hubieron	discernido
Futuro	**Futuro perfecto**	
discerniré	habré	discernido
discernirás	habrás	discernido
discernirá	habrá	discernido
discerniremos	habremos	discernido
discerniréis	habréis	discernido
discernirán	habrán	discernido
Condicional	**Condicional perfecto**	
discerniría	habría	discernido
discernirías	habrías	discernido
discerniría	habría	discernido
discerniríamos	habríamos	discernido
discerniríais	habríais	discernido
discernirían	habrían	discernido

MODO SUBJUNTIVO

Temps simples	Temps composés	
Presente	**Pretérito perfecto**	
discierna	haya	discernido
disciernas	hayas	discernido
discierna	haya	discernido
discernamos	hayamos	discernido
discernáis	hayáis	discernido
disciernan	hayan	discernido
Pretérito imperfecto	**Pretérito pluscuamperfecto**	
discerniera	hubiera	discernido
discernieras	hubieras	discernido
discerniera	hubiera	discernido
discerniéramos	hubiéramos	discernido
discernierais	hubierais	discernido
discernieran	hubieran	discernido
discerniese	hubiese	discernido
discernieses	hubieses	discernido
discerniese	hubiese	discernido
discerniésemos	hubiésemos	discernido
discernieseis	hubieseis	discernido
discerniesen	hubiesen	discernido
Futuro	**Futuro perfecto**	
discerniere	hubiere	discernido
discernieres	hubieres	discernido
discerniere	hubiere	discernido
discerniéremos	hubiéremos	discernido
discerniereis	hubiereis	discernido
discernieren	hubieren	discernido

MODO IMPERATIVO

discernamos (nosotros/-as)
discierne (tú)   discernid (vosotros/-as)
discierna (él/ella/ud)   disciernan (ellos/-as/uds)

FORMES IMPERSONNELLES

Infinitivo	Infinitivo compuesto
discernir	haber discernido
Gerundio	**Gerundio compuesto**
discerniendo	habiendo discernido
Participio	
discernido	

Ainsi se conjuguent : cernir, concernir et hendir.
* cernir et concernir sont des verbes défectifs (voir p. 28).
L'accent tonique diphtongue la voyelle du radical, e > ie, aux trois pers. du sing. et à la 3e pers. du plur. des Présents de l'Indicatif et du Subjonctif et aux formes de l'Impératif qui en dérivent.

FORMES PERSONNELLES

MODO INDICATIVO

Temps simples	Temps composés
Presente	**Pretérito perfecto compuesto**
distingo	he distinguido
distingues	has distinguido
distingue	ha distinguido
distinguimos	hemos distinguido
distinguís	habéis distinguido
distinguen	han distinguido

Pretérito imperfecto	Pretérito pluscuamperfecto
distinguía	había distinguido
distinguías	habías distinguido
distinguía	había distinguido
distinguíamos	habíamos distinguido
distinguíais	habíais distinguido
distinguían	habían distinguido

Pretérito perfecto simple	Pretérito anterior
distinguí	hube distinguido
distinguiste	hubiste distinguido
distinguió	hubo distinguido
distinguimos	hubimos distinguido
distinguisteis	hubisteis distinguido
distinguieron	hubieron distinguido

Futuro	Futuro perfecto
distinguiré	habré distinguido
distinguirás	habrás distinguido
distinguirá	habrá distinguido
distinguiremos	habremos distinguido
distinguiréis	habréis distinguido
distinguirán	habrán distinguido

Condicional	Condicional perfecto
distinguiría	habría distinguido
distinguirías	habrías distinguido
distinguiría	habría distinguido
distinguiríamos	habríamos distinguido
distinguiríais	habríais distinguido
distinguirían	habrían distinguido

MODO SUBJUNTIVO

Temps simples	Temps composés
Presente	**Pretérito perfecto**
distinga	haya distinguido
distingas	hayas distinguido
distinga	haya distinguido
distingamos	hayamos distinguido
distingáis	hayáis distinguido
distingan	hayan distinguido

Pretérito imperfecto	Pretérito pluscuamperfecto
distinguiera	hubiera distinguido
distinguieras	hubieras distinguido
distinguiera	hubiera distinguido
distinguiéramos	hubiéramos distinguido
distinguierais	hubierais distinguido
distinguieran	hubieran distinguido
distinguiese	hubiese distinguido
distinguieses	hubieses distinguido
distinguiese	hubiese distinguido
distinguiésemos	hubiésemos distinguido
distinguieseis	hubieseis distinguido
distinguiesen	hubiesen distinguido

Futuro	Futuro perfecto
distinguiere	hubiere distinguido
distinguieres	hubieres distinguido
distinguiere	hubiere distinguido
distinguiéremos	hubiéremos distinguido
distinguiereis	hubiereis distinguido
distinguieren	hubieren distinguido

MODO IMPERATIVO

distingamos (nosotros/-as)
distingue (tú)   **distingu**id (vosotros/-as)
distinga (él/ella/ud)   **disting**an (ellos/-as/uds)

FORMES IMPERSONNELLES

Infinitivo	Infinitivo compuesto
distinguir	haber distinguido
Gerundio	**Gerundio compuesto**
distinguiendo	habiendo distinguido
Participio	
distinguido	

■ Ainsi se conjugue : extinguir qui a un double Participe passé (voir p. 30).
Verbes réguliers de la troisième conjugaison. Pour conserver la prononciation gu > g devant o ou a, à la 1re pers. du sing. du Présent de l'Indicatif, à toutes les pers. du Présent du Subjonctif et aux formes de l'Impératif qui en dérivent.

DORMIR / DORMIR   verbe irrégulier   **o > ue / u**

FORMES PERSONNELLES

MODO INDICATIVO

Temps simples	Temps composés	
Presente	**Pretérito perfecto compuesto**	
duermo	he	dormido
duermes	has	dormido
duerme	ha	dormido
dormimos	hemos	dormido
dormís	habéis	dormido
duermen	han	dormido

Pretérito imperfecto	Pretérito pluscuamperfecto	
dormía	había	dormido
dormías	habías	dormido
dormía	había	dormido
dormíamos	habíamos	dormido
dormíais	habíais	dormido
dormían	habían	dormido

Pretérito perfecto simple	Pretérito anterior	
dormí	hube	dormido
dormiste	hubiste	dormido
durmió	hubo	dormido
dormimos	hubimos	dormido
dormisteis	hubisteis	dormido
durmieron	hubieron	dormido

Futuro	Futuro perfecto	
dormiré	habré	dormido
dormirás	habrás	dormido
dormirá	habrá	dormido
dormiremos	habremos	dormido
dormiréis	habréis	dormido
dormirán	habrán	dormido

Condicional	Condicional perfecto	
dormiría	habría	dormido
dormirías	habrías	dormido
dormiría	habría	dormido
dormiríamos	habríamos	dormido
dormiríais	habríais	dormido
dormirían	habrían	dormido

MODO SUBJUNTIVO

Temps simples	Temps composés	
Presente	**Pretérito perfecto**	
duerma	haya	dormido
duermas	hayas	dormido
duerma	haya	dormido
durmamos	hayamos	dormido
durmáis	hayáis	dormido
duerman	hayan	dormido

Pretérito imperfecto	Pretérito pluscuamperfecto	
durmiera	hubiera	dormido
durmieras	hubieras	dormido
durmiera	hubiera	dormido
durmiéramos	hubiéramos	dormido
durmierais	hubierais	dormido
durmieran	hubieran	dormido
durmiese	hubiese	dormido
durmieses	hubieses	dormido
durmiese	hubiese	dormido
durmiésemos	hubiésemos	dormido
durmieseis	hubieseis	dormido
durmiesen	hubiesen	dormido

Futuro	Futuro perfecto	
durmiere	hubiere	dormido
durmieres	hubieres	dormido
durmiere	hubiere	dormido
durmiéremos	hubiéremos	dormido
durmiereis	hubiereis	dormido
durmieren	hubieren	dormido

MODO IMPERATIVO

	durmamos (nosotros/-as)
duerme (tú)	dormid (vosotros/-as)
duerma (él/ella/ud)	duerman (ellos/-as/uds)

FORMES IMPERSONNELLES

Infinitivo	Infinitivo compuesto
dormir	haber dormido
Gerundio	Gerundio compuesto
durmiendo	habiendo dormido
Participio	
dormido	

■ Ainsi se conjuguent : morir et premorir. Ces verbes ont un participe passé irrégulier (muerto et premuerto).
L'accent tonique diphtongue la voyelle du radical, o > ue, aux trois pers. du sing. et à la 3e pers. du plur. du Présent de l'Indicatif, à toutes les pers. du Présent du Subjonctif et aux formes de l'Impératif qui en dérivent.
Affaiblissement de la voyelle, o > u, à la 1re et 2e pers. du plur. du Présent du Subjonctif ; aux 3e pers. du sing. et du plur. du Passé simple et de ses temps dérivés : Imparfait et Futur du Subjonctif, et Gérondif.

FORMES PERSONNELLES

MODO INDICATIVO

Temps simples	Temps composés
Presente	**Pretérito perfecto compuesto**
elijo	he elegido
eliges	has elegido
elige	ha elegido
elegimos	hemos elegido
elegís	habéis elegido
eligen	han elegido
Pretérito imperfecto	**Pretérito pluscuamperfecto**
elegía	había elegido
elegías	habías elegido
elegía	había elegido
elegíamos	habíamos elegido
elegíais	habíais elegido
elegían	habían elegido
Pretérito perfecto simple	**Pretérito anterior**
elegí	hube elegido
elegiste	hubiste elegido
eligió	hubo elegido
elegimos	hubimos elegido
elegisteis	hubisteis elegido
eligieron	hubieron elegido
Futuro	**Futuro perfecto**
elegiré	habré elegido
elegirás	habrás elegido
elegirá	habrá elegido
elegiremos	habremos elegido
elegiréis	habréis elegido
elegirán	habrán elegido
Condicional	**Condicional perfecto**
elegiría	habría elegido
elegirías	habrías elegido
elegiría	habría elegido
elegiríamos	habríamos elegido
elegiríais	habríais elegido
elegirían	habrían elegido

MODO SUBJUNTIVO

Temps simples	Temps composés
Presente	**Pretérito perfecto**
elija	haya elegido
elijas	hayas elegido
elija	haya elegido
elijamos	hayamos elegido
elijáis	hayáis elegido
elijan	hayan elegido
Pretérito imperfecto	**Pretérito pluscuamperfecto**
eligiera	hubiera elegido
eligieras	hubieras elegido
eligiera	hubiera elegido
eligiéramos	hubiéramos elegido
eligierais	hubierais elegido
eligieran	hubieran elegido
eligiese	hubiese elegido
eligieses	hubieses elegido
eligiese	hubiese elegido
eligiésemos	hubiésemos elegido
eligieseis	hubieseis elegido
eligiesen	hubiesen elegido
Futuro	**Futuro perfecto**
eligiere	hubiere elegido
eligieres	hubieres elegido
eligiere	hubiere elegido
eligiéremos	hubiéremos elegido
eligiereis	hubiereis elegido
eligieren	hubieren elegido

MODO IMPERATIVO

elijamos (nosotros/-as)
elige (tú) elegid (vosotros/-as)
elija (él/ella/ud) elijan (ellos/-as/uds)

FORMES IMPERSONNELLES

Infinitivo	Infinitivo compuesto
elegir	haber elegido
Gerundio	**Gerundio compuesto**
eligiendo	habiendo elegido
Participio	
elegido / electo	

Ainsi se conjuguent : colegir, reelegir et regir ; corregir a un double Participe passé (voir p. 30).
La voyelle du radical e > i, aux trois pers. du sing. et à la 3e du plur. du Présent de l'Indicatif ; aux 3e pers. du sing. et du plur. du Passé simple, à ses temps dérivés et au Gérondif ; à toutes les pers. du Présent du Subjonctif et formes dérivées.
Pour conserver la prononciation, g > j devant o ou a, à la 1re pers. du sing. du Présent de l'Indicatif, à toutes les pers. du Présent du Subjonctif et formes dérivées.

EMPEZAR / COMMENCER   verbe irrégulier   **e > ie**

FORMES PERSONNELLES

MODO INDICATIVO			MODO SUBJUNTIVO		
Temps simples	**Temps composés**		**Temps simples**	**Temps composés**	

Presente	Pretérito perfecto compuesto		Presente	Pretérito perfecto	
empiezo	he	empezado	empiece	haya	empezado
empiezas	has	empezado	empieces	hayas	empezado
empieza	ha	empezado	empiece	haya	empezado
empezamos	hemos	empezado	empecemos	hayamos	empezado
empezáis	habéis	empezado	empecéis	hayáis	empezado
empiezan	han	empezado	empiecen	hayan	empezado

Pretérito imperfecto	Pretérito pluscuamperfecto		Pretérito imperfecto	Pretérito pluscuamperfecto	
empezaba	había	empezado	empezara	hubiera	empezado
empezabas	habías	empezado	empezaras	hubieras	empezado
empezaba	había	empezado	empezara	hubiera	empezado
empezábamos	habíamos	empezado	empezáramos	hubiéramos	empezado
empezabais	habíais	empezado	empezarais	hubierais	empezado
empezaban	habían	empezado	empezaran	hubieran	empezado
			empezase	hubiese	empezado
			empezases	hubieses	empezado
			empezase	hubiese	empezado
Pretérito perfecto simple	Pretérito anterior		empezásemos	hubiésemos	empezado
			empezaseis	hubieseis	empezado
empecé	hube	empezado	empezasen	hubiesen	empezado
empezaste	hubiste	empezado			
empezó	hubo	empezado			
empezamos	hubimos	empezado	Futuro	Futuro perfecto	
empezasteis	hubisteis	empezado	empezare	hubiere	empezado
empezaron	hubieron	empezado	empezares	hubieres	empezado
			empezare	hubiere	empezado
			empezáremos	hubiéremos	empezado
			empezareis	hubiereis	empezado
Futuro	Futuro perfecto		empezaren	hubieren	empezado

Futuro	Futuro perfecto	
empezaré	habré	empezado
empezarás	habrás	empezado
empezará	habrá	empezado
empezaremos	habremos	empezado
empezaréis	habréis	empezado
empezarán	habrán	empezado

MODO IMPERATIVO

	empecemos (nosotros/-as)
empieza (tú)	empezad (vosotros/-as)
empiece (él/ella/ud)	empiecen (ellos/-as/uds)

Condicional	Condicional perfecto	
empezaría	habría	empezado
empezarías	habrías	empezado
empezaría	habría	empezado
empezaríamos	habríamos	empezado
empezaríais	habríais	empezado
empezarían	habrían	empezado

FORMES IMPERSONNELLES

Infinitivo	Infinitivo compuesto
empezar	haber empezado
Gerundio	Gerundio compuesto
empezando	habiendo empezado
Participio	
empezado	

■ Ainsi se conjuguent : comenzar et tropezar.

L'accent tonique diphtongue la dernière voyelle du radical, **i > ie**, aux trois pers. du sing. et à la 3e pers. du plur. des Présents de l'Indicatif et du Subjonctif et aux formes de l'Impératif qui en dérivent. Pour conserver la prononciation **z > c** devant **e**, à la 1re pers. du sing. du Passé simple, à toutes les pers. du Présent du Subjonctif et aux formes de l'Impératif qui en dérivent.

FORMES PERSONNELLES

MODO INDICATIVO

Temps simples   **Temps composés**

Presente — Pretérito perfecto compuesto

encuentro	he	encontrado
encuentras	has	encontrado
encuentra	ha	encontrado
encontramos	hemos	encontrado
encontráis	habéis	encontrado
encuentran	han	encontrado

Pretérito imperfecto — Pretérito pluscuamperfecto

encontraba	había	encontrado
encontrabas	habías	encontrado
encontraba	había	encontrado
encontrábamos	habíamos	encontrado
encontrabais	habíais	encontrado
encontraban	habían	encontrado

Pretérito perfecto simple — Pretérito anterior

encontré	hube	encontrado
encontraste	hubiste	encontrado
encontró	hubo	encontrado
encontramos	hubimos	encontrado
encontrasteis	hubisteis	encontrado
encontraron	hubieron	encontrado

Futuro — Futuro perfecto

encontraré	habré	encontrado
encontrarás	habrás	encontrado
encontrará	habrá	encontrado
encontraremos	habremos	encontrado
encontraréis	habréis	encontrado
encontrarán	habrán	encontrado

Condicional — Condicional perfecto

encontraría	habría	encontrado
encontrarías	habrías	encontrado
encontraría	habría	encontrado
encontraríamos	habríamos	encontrado
encontraríais	habríais	encontrado
encontrarían	habrían	encontrado

MODO SUBJUNTIVO

Temps simples   **Temps composés**

Presente — Pretérito perfecto

encuentre	haya	encontrado
encuentres	hayas	encontrado
encuentre	haya	encontrado
encontremos	hayamos	encontrado
encontréis	hayáis	encontrado
encuentren	hayan	encontrado

Pretérito imperfecto — Pretérito pluscuamperfecto

encontrara	hubiera	encontrado
encontraras	hubieras	encontrado
encontrara	hubiera	encontrado
encontráramos	hubiéramos	encontrado
encontrarais	hubierais	encontrado
encontraran	hubieran	encontrado
encontrase	hubiese	encontrado
encontrases	hubieses	encontrado
encontrase	hubiese	encontrado
encontrásemos	hubiésemos	encontrado
encontraseis	hubieseis	encontrado
encontrasen	hubiesen	encontrado

Futuro — Futuro perfecto

encontrare	hubiere	encontrado
encontrares	hubieres	encontrado
encontrare	hubiere	encontrado
encontráremos	hubiéremos	encontrado
encontrareis	hubiereis	encontrado
encontraren	hubieren	encontrado

MODO IMPERATIVO

	encontremos (nosotros/-as)
encuentra (tú)	encontrad (vosotros/-as)
encuentre (él/ella/ud)	encuentren (ellos/-as/uds)

FORMES IMPERSONNELLES

Infinitivo	Infinitivo compuesto
encontrar	haber encontrado
Gerundio	Gerundio compuesto
encontrando	habiendo encontrado
Participio	
encontrado	

Ainsi se conjuguent : acordar, acostar, apostar, aprobar, asolar, colar, comprobar, concordar, consolar, contar, costar, demostrar, desaprobar, descontar, despoblar, discordar, disonar, mancornar, moblar, mostrar, poblar, probar, recordar, renovar, rodar, solar, soldar, sonar, soñar, tostar, volar, etc.
* soltar a un double p.p. (voir p. 30) ; atronar et tronar sont utilisés comme verbes impersonnels (voir p. 27).
La voyelle du radical **o > ue**, aux trois pers. du sing. et la 3e du plur. des Présents de l'Ind. et du Subj. et formes dérivées.

FORMES PERSONNELLES

MODO INDICATIVO		MODO SUBJUNTIVO	
Temps simples	**Temps composés**	**Temps simples**	**Temps composés**

Presente	Pretérito perfecto compuesto	Presente	Pretérito perfecto
enra**í**zo	he enraizado	enra**í**ce	haya enraizado
enra**í**zas	has enraizado	enra**í**ces	hayas enraizado
enra**í**za	ha enraizado	enra**í**ce	haya enraizado
enraiz**amos**	hemos enraizado	enraic**emos**	hayamos enraizado
enraiz**áis**	habéis enraizado	enraic**éis**	hayáis enraizado
enra**í**zan	han enraizado	enra**í**cen	hayan enraizado

Pretérito imperfecto	Pretérito pluscuamperfecto	Pretérito imperfecto	Pretérito pluscuamperfecto
enraiz**aba**	había enraizado	enraiz*ara*	hubiera enraizado
enraiz**abas**	habías enraizado	enraiz*aras*	hubieras enraizado
enraiz**aba**	había enraizado	enraiz*ara*	hubiera enraizado
enraiz**ábamos**	habíamos enraizado	enraiz*áramos*	hubiéramos enraizado
enraiz**abais**	habíais enraizado	enraiz*arais*	hubierais enraizado
enraiz**aban**	habían enraizado	enraiz*aran*	hubieran enraizado
		enraiz*ase*	hubiese enraizado
		enraiz*ases*	hubieses enraizado
		enraiz*ase*	hubiese enraizado
Pretérito perfecto simple	Pretérito anterior	enraiz*ásemos*	hubiésemos enraizado
enraic**é**	hube enraizado	enraiz*aseis*	hubieseis enraizado
enraiz**aste**	hubiste enraizado	enraiz*asen*	hubiesen enraizado
enraiz**ó**	hubo enraizado		
enraiz**amos**	hubimos enraizado	Futuro	Futuro perfecto
enraiz**asteis**	hubisteis enraizado	enraiz*are*	hubiere enraizado
enraiz*aron*	hubieron enraizado	enraiz*ares*	hubieres enraizado
		enraiz*are*	hubiere enraizado
Futuro	Futuro perfecto	enraiz*áremos*	hubiéremos enraizado
enraiz**aré**	habré enraizado	enraiz*areis*	hubiereis enraizado
enraiz**arás**	habrás enraizado	enraiz*aren*	hubieren enraizado
enraiz**ará**	habrá enraizado		
enraiz**aremos**	habremos enraizado	**MODO IMPERATIVO**	
enraiz**aréis**	habréis enraizado		enraic**emos** (nosotros/-as)
enraiz**arán**	habrán enraizado	enra**í**za (tú)	enraiz**ad** (vosotros/-as)
		enra**í**ce (él/ella/ud)	enra**í**cen (ellos/-as/uds)

Condicional	Condicional perfecto	**FORMES IMPERSONNELLES**	
enraiz**aría**	habría enraizado	Infinitivo	Infinitivo compuesto
enraiz**arías**	habrías enraizado	enraiz**ar**	haber enraizado
enraiz**aría**	habría enraizado	Gerundio	Gerundio compuesto
enraiz**aríamos**	habríamos enraizado	enraiz**ando**	habiendo enraizado
enraiz**aríais**	habríais enraizado	Participio	
enraiz**arían**	habrían enraizado	enraiz**ado**	

■ Ainsi se conjuguent : arcaizar, desraizar, europeizar et judaizar.
Verbes réguliers de la première conjugaison, accentués sur la voyelle du radical, i > í, aux trois pers. du sing. et à la 3e pers. du plur. du Présent de l'Indicatif, à toutes les pers. du Présent du Subjonctif et aux formes de l'Impératif qui en dérivent. Pour conserver la prononciation, z > c devant e, à la 1re pers. du sing. du Passé simple ; à toutes les pers. du Présent du Subjonctif et aux formes de l'Impératif qui en dérivent.

FORMES PERSONNELLES

MODO INDICATIVO		MODO SUBJUNTIVO	
Temps simples	**Temps composés**	**Temps simples**	**Temps composés**

Presente	Pretérito perfecto compuesto	Presente	Pretérito perfecto
yergo	he erguido	yerga	haya erguido
yergues	has erguido	yergas	hayas erguido
yergue	ha erguido	yerga	haya erguido
erguimos	hemos erguido	irgamos	hayamos erguido
erguís	habéis erguido	irgáis	hayáis erguido
yerguen	han erguido	yergan	hayan erguido

Pretérito imperfecto	Pretérito pluscuamperfecto	Pretérito imperfecto	Pretérito pluscuamperfecto
erguía	había erguido	irguiera	hubiera erguido
erguías	habías erguido	irguieras	hubieras erguido
erguía	había erguido	irguiera	hubiera erguido
erguíamos	habíamos erguido	irguiéramos	hubiéramos erguido
erguíais	habíais erguido	irguierais	hubierais erguido
erguían	habían erguido	irguieran	hubieran erguido
		irguiese	hubiese erguido
		irguieses	hubieses erguido
		irguiese	hubiese erguido
Pretérito perfecto simple	Pretérito anterior	irguiésemos	hubiésemos erguido
erguí	hube erguido	irguieseis	hubieseis erguido
erguiste	hubiste erguido	irguiesen	hubiesen erguido
irguió	hubo erguido		
erguimos	hubimos erguido	Futuro	Futuro perfecto
erguisteis	hubisteis erguido	irguiere	hubiere erguido
irguieron	hubieron erguido	irguieres	hubieres erguido
		irguiere	hubiere erguido
		irguiéremos	hubiéremos erguido
Futuro	Futuro perfecto	irguiereis	hubiereis erguido
erguiré	habré erguido	irguieren	hubieren erguido
erguirás	habrás erguido		
erguirá	habrá erguido		**MODO IMPERATIVO**
erguiremos	habremos erguido		yergamos (nosotros/-as)
erguiréis	habréis erguido	yergue (tú)	erguid (vosotros/-as)
erguirán	habrán erguido	yerga (él/ella/ud)	yergan (ellos/-as/uds)

Condicional	Condicional perfecto	FORMES IMPERSONNELLES	
erguiría	habría erguido	Infinitivo	Infinitivo compuesto
erguirías	habrías erguido	erguir	haber erguido
erguiría	habría erguido	Gerundio	Gerundio compuesto
erguiríamos	habríamos erguido	irguiendo	habiendo erguido
erguiríais	habríais erguido	Participio	
erguirían	habrían erguido	erguido	

L'accent tonique diphtongue la voyelle du radical, **e > ie** et la voyelle atone **i > y** devant **e**, aux trois pers. du sing. et à la 3e pers. du plur. des Présents de l'Indicatif et du Subjonctif et aux formes de l'Impératif qui en dérivent.
Affaiblissement de la voyelle du radical, **e > i**, à la 3e pers. du sing. et du plur. du Passé simple et de ses temps dérivés : Imparfait et Futur du Subjonctif, et Gérondif.

FORMES PERSONNELLES

MODO INDICATIVO		MODO SUBJUNTIVO	
Temps simples	**Temps composés**	**Temps simples**	**Temps composés**

Presente	Pretérito perfecto compuesto	Presente	Pretérito perfecto
yerro	he errado	yerre	haya errado
yerras	has errado	yerres	hayas errado
yerra	ha errado	yerre	haya errado
erramos	hemos errado	erremos	hayamos errado
erráis	habéis errado	erréis	hayáis errado
yerran	han errado	yerren	hayan errado

Pretérito imperfecto	Pretérito pluscuamperfecto	Pretérito imperfecto	Pretérito pluscuamperfecto
erraba	había errado	errara	hubiera errado
errabas	habías errado	erraras	hubieras errado
erraba	había errado	errara	hubiera errado
errábamos	habíamos errado	erráramos	hubiéramos errado
errabais	habíais errado	errarais	hubierais errado
erraban	habían errado	erraran	hubieran errado
		errase	hubiese errado
		errases	hubieses errado
		errase	hubiese errado
		errásemos	hubiésemos errado
		erraseis	hubieseis errado
		errasen	hubiesen errado

Pretérito perfecto simple	Pretérito anterior	Futuro	Futuro perfecto
erré	hube errado	errare	hubiere errado
erraste	hubiste errado	errares	hubieres errado
erró	hubo errado	errare	hubiere errado
erramos	hubimos errado	erráremos	hubiéremos errado
errasteis	hubisteis errado	errareis	hubiereis errado
erraron	hubieron errado	erraren	hubieren errado

Futuro	Futuro perfecto
erraré	habré errado
errarás	habrás errado
errará	habrá errado
erraremos	habremos errado
erraréis	habréis errado
errarán	habrán errado

MODO IMPERATIVO

erremos (nosotros/-as)
yerra (tú)   **errad** (vosotros/-as)
yerre (él/ella/ud)   **yerren** (ellos/-as/uds)

Condicional	Condicional perfecto
erraría	habría errado
errarías	habrías errado
erraría	habría errado
erraríamos	habríamos errado
erraríais	habríais errado
errarían	habrían errado

FORMES IMPERSONNELLES

Infinitivo	Infinitivo compuesto
errar	haber errado
Gerundio	Gerundio compuesto
errando	habiendo errado
Participio	
errado	

■ Ainsi se conjugue : aberrar.

L'accent tonique diphtongue la voyelle du radical, **e > ie**, et la voyelle atone **i > y**, aux trois pers. du sing. et la 3e pers. du plur. des Présents de l'Indicatif et du Subjonctif et aux formes de l'Impératif qui en dérivent.

FORMES PERSONNELLES

MODO INDICATIVO		**MODO SUBJUNTIVO**	
Temps simples	Temps composés	Temps simples	Temps composés

Presente	Pretérito perfecto compuesto	Presente	Pretérito perfecto
fuerzo	he forzado	**fuerce**	haya forzado
fuerzas	has forzado	**fuerces**	hayas forzado
fuerza	ha forzado	**fuerce**	haya forzado
forzamos	hemos forzado	**forcemos**	hayamos forzado
forzáis	habéis forzado	**forcéis**	hayáis forzado
fuerzan	han forzado	**fuercen**	hayan forzado

		Pretérito imperfecto	Pretérito pluscuamperfecto
Pretérito imperfecto	Pretérito pluscuamperfecto	**forz**ara	hubiera forzado
forzaba	había forzado	**forz**aras	hubieras forzado
forzabas	habías forzado	**forz**ara	hubiera forzado
forzaba	había forzado	**forz**áramos	hubiéramos forzado
forzábamos	habíamos forzado	**forz**arais	hubierais forzado
forzabais	habíais forzado	**forz**aran	hubieran forzado
forzaban	habían forzado		
		forzase	hubiese forzado
		forzases	hubieses forzado
		forzase	hubiese forzado
Pretérito perfecto simple	Pretérito anterior	**forz**ásemos	hubiésemos forzado
forcé	hube forzado	**forz**aseis	hubieseis forzado
forzaste	hubiste forzado	**forz**asen	hubiesen forzado
forzó	hubo forzado		
forzamos	hubimos forzado	Futuro	Futuro perfecto
forzasteis	hubisteis forzado	**forz**are	hubiere forzado
forzaron	hubieron forzado	**forz**ares	hubieres forzado
		forzare	hubiere forzado
		forzáremos	hubiéremos forzado
Futuro	Futuro perfecto	**forz**areis	hubiereis forzado
forzaré	habré forzado	**forz**aren	hubieren forzado
forzarás	habrás forzado		
forzará	habrá forzado		

MODO IMPERATIVO

forzaremos	habremos forzado
forzaréis	habréis forzado
forzarán	habrán forzado

	forcemos (nosotros/-as)
fuerza (tú)	**forz**ad (vosotros/-as)
fuerce (él/ella/ud)	**fuercen** (ellos/-as/uds)

FORMES IMPERSONNELLES

Condicional	Condicional perfecto
forzaría	habría forzado
forzarías	habrías forzado
forzaría	habría forzado
forzaríamos	habríamos forzado
forzaríais	habríais forzado
forzarían	habrían forzado

Infinitivo	Infinitivo compuesto
forzar	haber forzado
Gerundio	Gerundio compuesto
forzando	habiendo forzado
Participio	
forzado	

■ Ainsi se conjuguent : almorzar, esforzar et reforzar.

L'accent tonique diphtongue la voyelle du radical, **o > ue**, aux trois pers. du sing. et à la 3ᵉ pers. du plur. des Présents de l'Indicatif et du Subjonctif et aux formes de l'Impératif qui en dérivent.

Pour conserver la prononciation, **z > c** devant **e**, à la 1ʳᵉ pers. du sing. du Passé simple, à toutes les pers. du Présent du Subjonctif et aux formes de l'Impératif qui en dérivent.

FORMES PERSONNELLES

MODO INDICATIVO

Temps simples	Temps composés	
Presente	Pretérito perfecto compuesto	
guío	he	guiado
guías	has	guiado
guía	ha	guiado
guiamos	hemos	guiado
guiáis	habéis	guiado
guían	han	guiado
Pretérito imperfecto	Pretérito pluscuamperfecto	
guiaba	había	guiado
guiabas	habías	guiado
guiaba	había	guiado
guiábamos	habíamos	guiado
guiabais	habíais	guiado
guiaban	habían	guiado
Pretérito perfecto simple	Pretérito anterior	
guié	hube	guiado
guiaste	hubiste	guiado
guió	hubo	guiado
guiamos	hubimos	guiado
guiasteis	hubisteis	guiado
guiaron	hubieron	guiado
Futuro	Futuro perfecto	
guiaré	habré	guiado
guiarás	habrás	guiado
guiará	habrá	guiado
guiaremos	habremos	guiado
guiaréis	habréis	guiado
guiarán	habrán	guiado
Condicional	Condicional perfecto	
guiaría	habría	guiado
guiarías	habrías	guiado
guiaría	habría	guiado
guiaríamos	habríamos	guiado
guiaríais	habríais	guiado
guiarían	habrían	guiado

MODO SUBJUNTIVO

Temps simples	Temps composés	
Presente	Pretérito perfecto	
guíe	haya	guiado
guíes	hayas	guiado
guíe	haya	guiado
guiemos	hayamos	guiado
guiéis	hayáis	guiado
guíen	hayan	guiado
Pretérito imperfecto	Pretérito pluscuamperfecto	
guiara	hubiera	guiado
guiaras	hubieras	guiado
guiara	hubiera	guiado
guiáramos	hubiéramos	guiado
guiarais	hubierais	guiado
guiaran	hubieran	guiado
guiase	hubiese	guiado
guiases	hubieses	guiado
guiase	hubiese	guiado
guiásemos	hubiésemos	guiado
guiaseis	hubieseis	guiado
guiasen	hubiesen	guiado
Futuro	Futuro perfecto	
guiare	hubiere	guiado
guiares	hubieres	guiado
guiare	hubiere	guiado
guiáremos	hubiéremos	guiado
guiareis	hubiereis	guiado
guiaren	hubieren	guiado

MODO IMPERATIVO

	guiemos (nosotros/-as)
guía (tú)	guiad (vosotros/-as)
guíe (él/ella/ud)	guíen (ellos/-as/uds)

FORMES IMPERSONNELLES

Infinitivo	Infinitivo compuesto
guiar	haber guiado
Gerundio	Gerundio compuesto
guiando	habiendo guiado
Participio	
guiado	

Ainsi se conjuguent tous les verbes se terminant par **-iar**.
* rociar est utilisé comme verbe impersonnel (voir p. 27).
Verbes réguliers de la première conjugaison, accentués sur la voyelle du radical, **i** > **í**, aux trois pers. du sing. et à la 3ᵉ pers. du plur. des Présents de l'Indicatif et du Subjonctif et aux formes de l'Impératif qui en dérivent.

FORMES PERSONNELLES

MODO INDICATIVO

Temps simples	Temps composés	
Presente	**Pretérito perfecto compuesto**	
hago	he	hecho
haces	has	hecho
hace	ha	hecho
hacemos	hemos	hecho
hacéis	habéis	hecho
hacen	han	hecho
Pretérito imperfecto	**Pretérito pluscuamperfecto**	
hacía	había	hecho
hacías	habías	hecho
hacía	había	hecho
hacíamos	habíamos	hecho
hacíais	habíais	hecho
hacían	habían	hecho
Pretérito perfecto simple	**Pretérito anterior**	
hice	hube	hecho
hiciste	hubiste	hecho
hizo	hubo	hecho
hicimos	hubimos	hecho
hicisteis	hubisteis	hecho
hicieron	hubieron	hecho
Futuro	**Futuro perfecto**	
haré	habré	hecho
harás	habrás	hecho
hará	habrá	hecho
haremos	habremos	hecho
haréis	habréis	hecho
harán	habrán	hecho
Condicional	**Condicional perfecto**	
haría	habría	hecho
harías	habrías	hecho
haría	habría	hecho
haríamos	habríamos	hecho
haríais	habríais	hecho
harían	habrían	hecho

MODO SUBJUNTIVO

Temps simples	Temps composés	
Presente	**Pretérito perfecto**	
haga	haya	hecho
hagas	hayas	hecho
haga	haya	hecho
hagamos	hayamos	hecho
hagáis	hayáis	hecho
hagan	hayan	hecho
Pretérito imperfecto	**Pretérito pluscuamperfecto**	
hiciera	hubiera	hecho
hicieras	hubieras	hecho
hiciera	hubiera	hecho
hiciéramos	hubiéramos	hecho
hicierais	hubierais	hecho
hicieran	hubieran	hecho
hiciese	hubiese	hecho
hicieses	hubieses	hecho
hiciese	hubiese	hecho
hiciésemos	hubiésemos	hecho
hicieseis	hubieseis	hecho
hiciesen	hubiesen	hecho
Futuro	**Futuro perfecto**	
hiciere	hubiere	hecho
hicieres	hubieres	hecho
hiciere	hubiere	hecho
hiciéremos	hubiéremos	hecho
hiciereis	hubiereis	hecho
hicieren	hubieren	hecho

MODO IMPERATIVO

hagamos (nosotros/-as)
haz (tú)   haced (vosotros/-as)
haga (él/ella/ud)   hagan (ellos/-as/uds)

FORMES IMPERSONNELLES

Infinitivo	Infinitivo compuesto
hacer	haber hecho
Gerundio	Gerundio compuesto
haciendo	habiendo hecho
Participio	
hecho	

Introduction de **g** devant **o** ou **a**, à la 1re pers. du sing. du Présent de l'Indicatif, à toutes les pers. du Présent du Subjonctif et formes dérivées.
Pour conserver la prononciation **c** > **z** devant **o**, à la 3e pers. du sing. du Passé simple et à la 2e pers. du sing. de l'Impératif. Contraction de l'infinitif au Futur de l'Indicatif et au Conditionnel.
Le *prétérit fort* altère la voyelle du radical, **a** > **i**, à toutes les pers. du Passé simple et temps dérivés.
★ Apocope de la 2e pers. du sing. de l'Impératif.

FORMES PERSONNELLES

MODO INDICATIVO		MODO SUBJUNTIVO	
Temps simples	**Temps composés**	**Temps simples**	**Temps composés**

Presente	Pretérito perfecto compuesto	Presente	Pretérito perfecto
influyo	he influido	influya	haya influido
influyes	has influido	influyas	hayas influido
influye	ha influido	influya	haya influido
influimos	hemos influido	influyamos	hayamos influido
influís	habéis influido	influyáis	hayáis influido
influyen	han influido	influyan	hayan influido

Pretérito imperfecto	Pretérito pluscuamperfecto	Pretérito imperfecto	Pretérito pluscuamperfecto
influía	había influido	influyera	hubiera influido
influías	habías influido	influyeras	hubieras influido
influía	había influido	influyera	hubiera influido
influíamos	habíamos influido	influyéramos	hubiéramos influido
influíais	habíais influido	influyerais	hubierais influido
influían	habían influido	influyeran	hubieran influido
		influyese	hubiese influido
		influyeses	hubieses influido
		influyese	hubiese influido
Pretérito perfecto simple	Pretérito anterior	influyésemos	hubiésemos influido
influí	hube influido	influyeseis	hubieseis influido
influiste	hubiste influido	influyesen	hubiesen influido
influyó	hubo influido		
influimos	hubimos influido	Futuro	Futuro perfecto
influisteis	hubisteis influido	influyere	hubiere influido
influyeron	hubieron influido	influyeres	hubieres influido
		influyere	hubiere influido
		influyéremos	hubiéremos influido
		influyereis	hubiereis influido
Futuro	Futuro perfecto	influyeren	hubieren influido
influiré	habré influido		
influirás	habrás influido		

MODO IMPERATIVO

influirá	habrá influido		
influiremos	habremos influido		influyamos (nosotros/-as)
influiréis	habréis influido	influye (tú)	influid (vosotros/-as)
influirán	habrán influido	influya (él/ella/ud)	influyan (ellos/-as/uds)

Condicional	Condicional perfecto	FORMES IMPERSONNELLES	
influiría	habría influido	Infinitivo	Infinitivo compuesto
influirías	habrías influido	**influir**	haber influido
influiría	habría influido	Gerundio	Gerundio compuesto
influiríamos	habríamos influido	**influyendo**	habiendo influido
influiríais	habríais influido	Participio	
influirían	habrían influido	**influido**	

Ainsi se conjuguent : afluir, argüir, atribuir, confluir, constituir, construir, contribuir, destituir, diluir, disminuir, distribuir, fluir, huir, imbuir, inmiscuir, instituir, instruir, luir, obstruir, ocluir, reconstituir, reconstruir, restituir, retribuir, etc.
★ concluir, excluir, incluir, recluir, substituir et sustituir ont un double Participe passé (voir p. 30).
La voyelle atone i > y devant a, e ou o, aux trois pers. du sing. et à la 3e pers. du plur. du Présent de l'Indicatif, à toutes les pers. du Présent du Subjonctif, aux formes dérivées, au Gérondif et aux 3e pers. du sing. et du plur. du Passé simple et temps dérivés (voir p. 15).

FORMES PERSONNELLES

MODO INDICATIVO		MODO SUBJUNTIVO	
Temps simples	**Temps composés**	**Temps simples**	**Temps composés**

Presente	Pretérito perfecto compuesto	Presente	Pretérito perfecto
voy	he ido	vaya	haya ido
vas	has ido	vayas	hayas ido
va	ha ido	vaya	haya ido
vamos	hemos ido	vayamos	hayamos ido
vais	habéis ido	vayáis	hayáis ido
van	han ido	vayan	hayan ido

Pretérito imperfecto	Pretérito pluscuamperfecto	Pretérito imperfecto	Pretérito pluscuamperfecto
iba	había ido	fuera	hubiera ido
ibas	habías ido	fueras	hubieras ido
iba	había ido	fuera	hubiera ido
íbamos	habíamos ido	fuéramos	hubiéramos ido
ibais	habíais ido	fuerais	hubierais ido
iban	habían ido	fueran	hubieran ido
		fuese	hubiese ido
		fueses	hubieses ido
		fuese	hubiese ido
Pretérito perfecto simple	Pretérito anterior	fuésemos	hubiésemos ido
fui	hube ido	fueseis	hubieseis ido
fuiste	hubiste ido	fuesen	hubiesen ido
fue	hubo ido		
fuimos	hubimos ido	Futuro	Futuro perfecto
fuisteis	hubisteis ido	fuere	hubiere ido
fueron	hubieron ido	fueres	hubieres ido
		fuere	hubiere ido
		fuéremos	hubiéremos ido
Futuro	Futuro perfecto	fuereis	hubiereis ido
iré	habré ido	fueren	hubieren ido
irás	habrás ido		
irá	habrá ido	**MODO IMPERATIVO**	
iremos	habremos ido		vayamos* (nosotros/-as)
iréis	habréis ido	ve (tú)	id (vosotros/-as)
irán	habrán ido	vaya (él/ella/ud)	vayan (ellos/-as/uds)

Condicional	Condicional perfecto
iría	habría ido
irías	habrías ido
iría	habría ido
iríamos	habríamos ido
iríais	habríais ido
irían	habrían ido

FORMES IMPERSONNELLES

Infinitivo	Infinitivo compuesto
ir	haber ido
Gerundio	Gerundio compuesto
yendo	habiendo ido
Participio	
ido	

Ce verbe est très irrégulier et présente de nombreuses formes communes avec le verbe **ser** (voir tableau 1).
* L'utilisation de la 1re pers. du plur. du Présent de l'Indicatif (**vamos**) est aujourd'hui plus fréquente que celle de l'impératif (**vayamos**). On l'utilise généralement pour rendre l'exhortation et elle sert à constituer, seule ou accompagnée d'un verbe, des expressions impératives (ex : ¡vamos a dormir!, ¡vámonos!, ¡vamos a la cama!).

47 JUGAR / JOUER

verbe irrégulier   u > ue

FORMES PERSONNELLES

MODO INDICATIVO

Temps simples	Temps composés

Presente — **Pretérito perfecto compuesto**

juego	he	jugado
juegas	has	jugado
juega	ha	jugado
jugamos	hemos	jugado
jugáis	habéis	jugado
juegan	han	jugado

Pretérito imperfecto — **Pretérito pluscuamperfecto**

jugaba	había	jugado
jugabas	habías	jugado
jugaba	había	jugado
jugábamos	habíamos	jugado
jugabais	habíais	jugado
jugaban	habían	jugado

Pretérito perfecto simple — **Pretérito anterior**

jugué	hube	jugado
jugaste	hubiste	jugado
jugó	hubo	jugado
jugamos	hubimos	jugado
jugasteis	hubisteis	jugado
jugaron	hubieron	jugado

Futuro — **Futuro perfecto**

jugaré	habré	jugado
jugarás	habrás	jugado
jugará	habrá	jugado
jugaremos	habremos	jugado
jugaréis	habréis	jugado
jugarán	habrán	jugado

Condicional — **Condicional perfecto**

jugaría	habría	jugado
jugarías	habrías	jugado
jugaría	habría	jugado
jugaríamos	habríamos	jugado
jugaríais	habríais	jugado
jugarían	habrían	jugado

MODO SUBJUNTIVO

Temps simples	Temps composés

Presente — **Pretérito perfecto**

juegue	haya	jugado
juegues	hayas	jugado
juegue	haya	jugado
juguemos	hayamos	jugado
juguéis	hayáis	jugado
jueguen	hayan	jugado

Pretérito imperfecto — **Pretérito pluscuamperfecto**

jugara	hubiera	jugado
jugaras	hubieras	jugado
jugara	hubiera	jugado
jugáramos	hubiéramos	jugado
jugarais	hubierais	jugado
jugaran	hubieran	jugado
jugase	hubiese	jugado
jugases	hubieses	jugado
jugase	hubiese	jugado
jugásemos	hubiésemos	jugado
jugaseis	hubieseis	jugado
jugasen	hubiesen	jugado

Futuro — **Futuro perfecto**

jugare	hubiere	jugado
jugares	hubieres	jugado
jugare	hubiere	jugado
jugáremos	hubiéremos	jugado
jugareis	hubiereis	jugado
jugaren	hubieren	jugado

MODO IMPERATIVO

	juguemos (nosotros/-as)
juega (tú)	jugad (vosotros/-as)
juegue (él/ella/ud)	jueguen (ellos/-as/uds)

FORMES IMPERSONNELLES

Infinitivo	Infinitivo compuesto
jugar	haber jugado
Gerundio	Gerundio compuesto
jugando	habiendo jugado
Participio	
jugado	

L'accent tonique diphtongue la voyelle du radical, u > ue, aux trois pers. du sing. et à la 3ᵉ pers. du plur. du Présent de l'Indicatif ; aux trois pers. du sing. et à la 3ᵉ pers. du plur. du Présent du Subjonctif et aux formes de l'Impératif qui en dérivent.
Pour conserver la prononciation g > gu devant e, à la 1ʳᵉ pers. du Présent de l'Indicatif, à toutes les pers. du Présent du Subjonctif et aux formes de l'Impératif qui en dérivent.

FORMES PERSONNELLES

MODO INDICATIVO		MODO SUBJUNTIVO	
Temps simples	Temps composés	Temps simples	Temps composés

Presente	Pretérito perfecto compuesto	Presente	Pretérito perfecto
luzco	he lucido	luzca	haya lucido
luces	has lucido	luzcas	hayas lucido
luce	ha lucido	luzca	haya lucido
lucimos	hemos lucido	luzcamos	hayamos lucido
lucís	habéis lucido	luzcáis	hayáis lucido
lucen	han lucido	luzcan	hayan lucido

Pretérito imperfecto	Pretérito pluscuamperfecto	Pretérito imperfecto	Pretérito pluscuamperfecto
lucía	había lucido	luciera	hubiera lucido
lucías	habías lucido	lucieras	hubieras lucido
lucía	había lucido	luciera	hubiera lucido
lucíamos	habíamos lucido	luciéramos	hubiéramos lucido
lucíais	habíais lucido	lucierais	hubierais lucido
lucían	habían lucido	lucieran	hubieran lucido
		luciese	hubiese lucido
		lucieses	hubieses lucido
		luciese	hubiese lucido
		luciésemos	hubiésemos lucido
		lucieseis	hubieseis lucido
		luciesen	hubiesen lucido

Pretérito perfecto simple	Pretérito anterior
lucí	hube lucido
luciste	hubiste lucido
lució	hubo lucido
lucimos	hubimos lucido
lucisteis	hubisteis lucido
lucieron	hubieron lucido

Futuro	Futuro perfecto
luciere	hubiere lucido
lucieres	hubieres lucido
luciere	hubiere lucido
luciéremos	hubiéremos lucido
luciereis	hubiereis lucido
lucieren	hubieren lucido

Futuro	Futuro perfecto
luciré	habré lucido
lucirás	habrás lucido
lucirá	habrá lucido
luciremos	habremos lucido
luciréis	habréis lucido
lucirán	habrán lucido

MODO IMPERATIVO

luzcamos (nosotros/-as)
luce (tú) lucid (vosotros/-as)
luzca (él/ella/ud) luzcan (ellos/-as/uds)

Condicional	Condicional perfecto
luciría	habría lucido
lucirías	habrías lucido
luciría	habría lucido
luciríamos	habríamos lucido
luciríais	habríais lucido
lucirían	habrían lucido

FORMES IMPERSONNELLES

Infinitivo	Infinitivo compuesto
lucir	haber lucido
Gerundio	Gerundio compuesto
luciendo	habiendo lucido
Participio	
lucido	

■ Ainsi se conjuguent : deslucir, enlucir, entrelucir, relucir et traslucir.
Modification du radical, introduction d'une consonne, c > zc devant o ou a, à la 1re pers. du sing. du Présent de l'Indicatif, à toutes les pers. du Présent du Subjonctif et aux formes de l'Impératif qui en dérivent.

# 49 MECER / BERCER   modification orthographique

FORMES PERSONNELLES

MODO INDICATIVO

Temps simples	Temps composés	
Presente	**Pretérito perfecto compuesto**	
mezo	he	mecido
meces	has	mecido
mece	ha	mecido
mecemos	hemos	mecido
mecéis	habéis	mecido
mecen	han	mecido
Pretérito imperfecto	**Pretérito pluscuamperfecto**	
mecía	había	mecido
mecías	habías	mecido
mecía	había	mecido
mecíamos	habíamos	mecido
mecíais	habíais	mecido
mecían	habían	mecido
Pretérito perfecto simple	**Pretérito anterior**	
mecí	hube	mecido
meciste	hubiste	mecido
meció	hubo	mecido
mecimos	hubimos	mecido
mecisteis	hubisteis	mecido
mecieron	hubieron	mecido
Futuro	**Futuro perfecto**	
meceré	habré	mecido
mecerás	habrás	mecido
mecerá	habrá	mecido
meceremos	habremos	mecido
meceréis	habréis	mecido
mecerán	habrán	mecido
Condicional	**Condicional perfecto**	
mecería	habría	mecido
mecerías	habrías	mecido
mecería	habría	mecido
meceríamos	habríamos	mecido
meceríais	habríais	mecido
mecerían	habrían	mecido

MODO SUBJUNTIVO

Temps simples	Temps composés	
Presente	**Pretérito perfecto**	
meza	haya	mecido
mezas	hayas	mecido
meza	haya	mecido
mezamos	hayamos	mecido
mezáis	hayáis	mecido
mezan	hayan	mecido
Pretérito imperfecto	**Pretérito pluscuamperfecto**	
meciera	hubiera	mecido
mecieras	hubieras	mecido
meciera	hubiera	mecido
meciéramos	hubiéramos	mecido
mecierais	hubierais	mecido
mecieran	hubieran	mecido
meciese	hubiese	mecido
mecieses	hubieses	mecido
meciese	hubiese	mecido
meciésemos	hubiésemos	mecido
mecieseis	hubieseis	mecido
meciesen	hubiesen	mecido
Futuro	**Futuro perfecto**	
meciere	hubiere	mecido
mecieres	hubieres	mecido
meciere	hubiere	mecido
meciéremos	hubiéremos	mecido
meciereis	hubiereis	mecido
mecieren	hubieren	mecido

MODO IMPERATIVO

	mezamos (nosotros/-as)
mece (tú)	**meced** (vosotros/-as)
meza (él/ella/ud)	**mezan** (ellos/-as/uds)

FORMES IMPERSONNELLES

Infinitivo	Infinitivo compuesto
mecer	haber mecido
Gerundio	Gerundio compuesto
meciendo	habiendo mecido
Participio	
mecido	

Ainsi se conjuguent : ejercer, remecer et vencer.
* convencer a un double Participe passé (voir p. 30).
Verbes réguliers de la deuxième conjugaison. Pour conserver la prononciation, **c > z** devant **o** ou **a**, à la 1re pers. du sing. du Présent de l'Indicatif, à toutes les pers. du Présent du Subjonctif et aux formes de l'Impératif qui en dérivent.

verbe irrégulier   o > ue   **MOVER** / MOUVOIR   **50**

FORMES PERSONNELLES

MODO INDICATIVO		MODO SUBJUNTIVO	
Temps simples	**Temps composés**	**Temps simples**	**Temps composés**

Presente	Pretérito perfecto compuesto	Presente	Pretérito perfecto
muevo	he movido	**mueva**	haya movido
mueves	has movido	**muevas**	hayas movido
mueve	ha movido	**mueva**	haya movido
movemos	hemos movido	**mov**amos	hayamos movido
movéis	habéis movido	**mov**áis	hayáis movido
mueven	han movido	**muevan**	hayan movido

		Pretérito imperfecto	Pretérito pluscuamperfecto
Pretérito imperfecto	Pretérito pluscuamperfecto	**mov**iera	hubiera movido
movía	había movido	**mov**ieras	hubieras movido
movías	habías movido	**mov**iera	hubiera movido
movía	había movido	**mov**iéramos	hubiéramos movido
movíamos	habíamos movido	**mov**ierais	hubierais movido
movíais	habíais movido	**mov**ieran	hubieran movido
movían	habían movido		
		moviese	hubiese movido
		movieses	hubieses movido
		moviese	hubiese movido
Pretérito perfecto simple	Pretérito anterior	**mov**iésemos	hubiésemos movido
moví	hube movido	**mov**ieseis	hubieseis movido
moviste	hubiste movido	**mov**iesen	hubiesen movido
movió	hubo movido		
movimos	hubimos movido	Futuro	Futuro perfecto
movisteis	hubisteis movido	**mov**iere	hubiere movido
movieron	hubieron movido	**mov**ieres	hubieres movido
		moviere	hubiere movido
		moviéremos	hubiéremos movido
Futuro	Futuro perfecto	**mov**iereis	hubiereis movido
moveré	habré movido	**mov**ieren	hubieren movido
moverás	habrás movido		
moverá	habrá movido	**MODO IMPERATIVO**	
moveremos	habremos movido		**mov**amos (nosotros/-as)
moveréis	habréis movido	**mueve** (tú)	**mov**ed (vosotros/-as)
moverán	habrán movido	**mueva** (él/ella/ud)	**muevan** (ellos/-as/uds)

FORMES IMPERSONNELLES

Condicional	Condicional perfecto	Infinitivo	Infinitivo compuesto
movería	habría movido	**mover**	haber movido
moverías	habrías movido		
movería	habría movido	Gerundio	Gerundio compuesto
moveríamos	habríamos movido	**mov**iendo	habiendo movido
moveríais	habríais movido		
moverían	habrían movido	Participio	
		movido	

Ainsi se conjuguent : amover, condolerse, conmover, demoler, doler, moler, morder, promover, remoler, remorder et remover.

* llover, est utilisé comme verbe impersonnel (voir p. 27).

L'accent tonique diphtongue la voyelle du radical, **o > ue**, aux trois pers. du sing. et à la 3ᵉ pers. du plur. des Présents de l'Indicatif et du Subjonctif et aux formes de l'Impératif qui en dérivent.

51 OÍR / ENTENDRE, ÉCOUTER · verbe irrégulier · + y

FORMES PERSONNELLES

MODO INDICATIVO

Temps simples	Temps composés	
Presente	**Pretérito perfecto compuesto**	
oigo	ha	oído
oyes	has	oído
oye	ha	oído
oímos	hemos	oído
oís	habéis	oído
oyen	han	oído
Pretérito imperfecto	**Pretérito pluscuamperfecto**	
oía	había	oído
oías	habías	oído
oía	había	oído
oíamos	habíamos	oído
oíais	habíais	oído
oían	habían	oído
Pretérito perfecto simple	**Pretérito anterior**	
oí	hube	oído
oíste	hubiste	oído
oyó	hubo	oído
oímos	hubimos	oído
oísteis	hubisteis	oído
oyeron	hubieron	oído
Futuro	**Futuro perfecto**	
oiré	habré	oído
oirás	habrás	oído
oirá	habrá	oído
oiremos	habremos	oído
oiréis	habréis	oído
oirán	habrán	oído
Condicional	**Condicional perfecto**	
oiría	habría	oído
oirías	habrías	oído
oiría	habría	oído
oiríamos	habríamos	oído
oiríais	habríais	oído
oirían	habrían	oído

MODO SUBJUNTIVO

Temps simples	Temps composés	
Presente	**Pretérito perfecto**	
oiga	haya	oído
oigas	hayas	oído
oiga	haya	oído
oigamos	hayamos	oído
oigáis	hayáis	oído
oigan	hayan	oído
Pretérito imperfecto	**Pretérito pluscuamperfecto**	
oyera	hubiera	oído
oyeras	hubieras	oído
oyera	hubiéra	oído
oyéramos	hubiéramos	oído
oyerais	hubierais	oído
oyeran	hubieran	oído
oyese	hubiese	oído
oyeses	hubieses	oído
oyese	hubiese	oído
oyésemos	hubiésemos	oído
oyeseis	hubieseis	oído
oyesen	hubiesen	oído
Futuro	**Futuro perfecto**	
oyere	hubiere	oído
oyeres	hubieres	oído
oyere	hubiere	oído
oyéremos	hubiéremos	oído
oyereis	hubiereis	oído
oyeren	hubieren	oído

MODO IMPERATIVO

	oigamos (nosotros/-as)
oye (tú)	oíd (vosotros/-as)
oiga (él/ella/ud)	oigan (ellos/-as/uds)

FORMES IMPERSONNELLES

Infinitivo	Infinitivo compuesto
oír	haber oído
Gerundio	**Gerundio compuesto**
oyendo	habiendo oído
Participio	
oído	

Introduction de **g** devant **o** ou **a**, à la 1re pers. du sing. du Présent de l'Indicatif, à toutes les pers. du Présent du Subjonctif, aux formes dérivées et **d** devant **o** au Participe passé. La voyelle atone **i > y** devant **e** ou **o**, à la 2e et 3e pers. du sing., à la 3e du plur. du Présent de l'Indicatif, aux 3e du sing. et du plur. du Passé simple et temps dérivés ; à la 2e pers. du sing. de l'Impératif et au Gérondif.

* Terminaisons irrég. à la 1re pers. du plur. du Présent de l'Ind. (-**ímos**) ; aux 2e du sing., 1re et 2e du plur. du Passé simple (-**íste**, -**ímos**, -**ísteis**) ; à la 2e du plur. de l'Impératif (-**íd**) et au Participe passé (-**ído**).

FORMES PERSONNELLES

MODO INDICATIVO		MODO SUBJUNTIVO	
Temps simples	Temps composés	Temps simples	Temps composés

Presente	Pretérito perfecto compuesto		Presente	Pretérito perfecto	
huelo	he	olido	huela	haya	olido
hueles	has	olido	huelas	hayas	olido
huele	ha	olido	huela	haya	olido
olemos	hemos	olido	olamos	hayamos	olido
oléis	habéis	olido	oláis	hayáis	olido
huelen	han	olido	huelan	hayan	olido

Pretérito imperfecto	Pretérito pluscuamperfecto		Pretérito imperfecto	Pretérito pluscuamperfecto	
olía	había	olido	oliera	hubiera	olido
olías	habías	olido	olieras	hubieras	olido
olía	había	olido	oliera	hubiera	olido
olíamos	habíamos	olido	oliéramos	hubiéramos	olido
olíais	habíais	olido	olierais	hubierais	olido
olían	habían	olido	olieran	hubieran	olido
			oliese	hubiese	olido
			olieses	hubieses	olido
			oliese	hubiese	olido
Pretérito perfecto simple	Pretérito anterior		oliésemos	hubiésemos	olido
olí	hube	olido	olieseis	hubieseis	olido
oliste	hubiste	olido	oliesen	hubiesen	olido
olió	hubo	olido			
olimos	hubimos	olido	Futuro	Futuro perfecto	
olisteis	hubisteis	olido	oliere	hubiere	olido
olieron	hubieron	olido	olieres	hubieres	olido
			oliere	hubiere	olido
			oliéremos	hubiéremos	olido
Futuro	Futuro perfecto		oliereis	hubiereis	olido
oleré	habré	olido	olieren	hubieren	olido
olerás	habrás	olido			
olerá	habrá	olido	**MODO IMPERATIVO**		
oleremos	habremos	olido		olamos (nosotros/-as)	
oleréis	habréis	olido	huele (tú)	oled (vosotros/-as)	
olerán	habrán	olido	huela (él/ella/ud)	huelan (ellos/-as/uds)	

Condicional	Condicional perfecto	
olería	habría	olido
olerías	habrías	olido
olería	habría	olido
oleríamos	habríamos	olido
oleríais	habríais	olido
olerían	habrían	olido

FORMES IMPERSONNELLES

Infinitivo	Infinitivo compuesto
oler	haber olido
Gerundio	Gerundio compuesto
oliendo	habiendo olido
Participio	
olido	

L'accent tonique diphtongue la voyelle du radical, **o** > **ue**. Introduction de **h**, simple signe graphique pour conserver le son vocalique, devant **ue**, aux trois pers. du sing. et à la 3e pers. du plur. des Présents de l'Indicatif et du Subjonctif et aux formes de l'Impératif qui en dérivent.

FORMES PERSONNELLES

MODO INDICATIVO

Temps simples	Temps composés	
Presente	**Pretérito perfecto compuesto**	
pago	he	pagado
pagas	has	pagado
paga	ha	pagado
pagamos	hemos	pagado
pagáis	habéis	pagado
pagan	han	pagado
Pretérito imperfecto	**Pretérito pluscuamperfecto**	
pagaba	había	pagado
pagabas	habías	pagado
pagaba	había	pagado
pagábamos	habíamos	pagado
pagabais	habíais	pagado
pagaban	habían	pagado
Pretérito perfecto simple	**Pretérito anterior**	
pagué	hube	pagado
pagaste	hubiste	pagado
pagó	hubo	pagado
pagamos	hubimos	pagado
pagasteis	hubisteis	pagado
pagaron	hubieron	pagado
Futuro	**Futuro perfecto**	
pagaré	habré	pagado
pagarás	habrás	pagado
pagará	habrá	pagado
pagaremos	habremos	pagado
pagaréis	habréis	pagado
pagarán	habrán	pagado
Condicional	**Condicional perfecto**	
pagaría	habría	pagado
pagarías	habrías	pagado
pagaría	habría	pagado
pagaríamos	habríamos	pagado
pagaríais	habríais	pagado
pagarían	habrían	pagado

MODO SUBJUNTIVO

Temps simples	Temps composés	
Presente	**Pretérito perfecto**	
pague	haya	pagado
pagues	hayas	pagado
pague	haya	pagado
paguemos	hayamos	pagado
paguéis	hayáis	pagado
paguen	hayan	pagado
Pretérito imperfecto	**Pretérito pluscuamperfecto**	
pagara	hubiera	pagado
pagaras	hubieras	pagado
pagara	hubiera	pagado
pagáramos	hubiéramos	pagado
pagarais	hubierais	pagado
pagaran	hubieran	pagado
pagase	hubiese	pagado
pagases	hubieses	pagado
pagase	hubiese	pagado
pagásemos	hubiésemos	pagado
pagaseis	hubieseis	pagado
pagasen	hubiesen	pagado
Futuro	**Futuro perfecto**	
pagare	hubiere	pagado
pagares	hubieres	pagado
pagare	hubiere	pagado
pagáremos	hubiéremos	pagado
pagareis	hubiereis	pagado
pagaren	hubieren	pagado

MODO IMPERATIVO

	paguemos (nosotros/-as)
paga (tú)	pagad (vosotros/-as)
pague (él/ella/ud)	paguen (ellos/-as/uds)

FORMES IMPERSONNELLES

Infinitivo	**Infinitivo compuesto**
pagar	haber pagado
Gerundio	**Gerundio compuesto**
pagando	habiendo pagado
Participio	
pagado	

Ainsi se conjuguent la plupart des verbes se terminant par **-gar** sauf ceux qui suivent les modèles de **colgar** (tb. 24), **jugar** (tb. 47), **regar** (tb. 66).

★ garuar et pringar sont utilisés comme verbes impersonnels (voir p. 27).

★ enjugar a un double Participe passé (voir p. 30).

Verbes réguliers de la première conjugaison. Pour conserver la prononciation **g > gu** devant **e**, à la 1re pers. du sing. du Passé simple, à toutes les pers. du Présent du Subjonctif et aux formes de l'Impératif qui en dérivent.

FORMES PERSONNELLES

MODO INDICATIVO		MODO SUBJUNTIVO	
Temps simples	Temps composés	Temps simples	Temps composés

Presente	Pretérito perfecto compuesto	Presente	Pretérito perfecto
parezco	he parecido	parezca	haya parecido
pareces	has parecido	parezcas	hayas parecido
parece	ha parecido	parezca	haya parecido
parecemos	hemos parecido	parezcamos	hayamos parecido
parecéis	habéis parecido	parezcáis	hayáis parecido
parecen	han parecido	parezcan	hayan parecido

		Pretérito imperfecto	Pretérito pluscuamperfecto
Pretérito imperfecto	Pretérito pluscuamperfecto	pareciera	hubiera parecido
parecía	había parecido	parecieras	hubieras parecido
parecías	habías parecido	pareciera	hubiera parecido
parecía	había parecido	pareciéramos	hubiéramos parecido
parecíamos	habíamos parecido	parecierais	hubierais parecido
parecíais	habíais parecido	parecieran	hubieran parecido
parecían	habían parecido		
		pareciese	hubiese parecido
		parecieses	hubieses parecido
		pareciese	hubiese parecido
		pareciésemos	hubiésemos parecido
Pretérito perfecto simple	Pretérito anterior	parecieseis	hubieseis parecido
parecí	hube parecido	pareciesen	hubiesen parecido
pareciste	hubiste parecido		
pareció	hubo parecido	Futuro	Futuro perfecto
parecimos	hubimos parecido	pareciere	hubiere parecido
parecisteis	hubisteis parecido	parecieres	hubieres parecido
parecieron	hubieron parecido	pareciere	hubiere parecido
		pareciéremos	hubiéremos parecido
		pareciereis	hubiereis parecido
Futuro	Futuro perfecto	parecieren	hubieren parecido
pareceré	habré parecido		
parecerás	habrás parecido		

MODO IMPERATIVO

pareceré	habré parecido	
parecerás	habrás parecido	
parecerá	habrá parecido	**parezcamos** (nosotros/-as)
pareceremos	habremos parecido	parece (tú) **pareced** (vosotros/-as)
pareceréis	habréis parecido	parezca (él/ella/ud) **parezcan** (ellos/-as/uds)
parecerán	habrán parecido	

FORMES IMPERSONNELLES

Condicional	Condicional perfecto	Infinitivo	Infinitivo compuesto
parecería	habría parecido	parecer	haber parecido
parecerías	habrías parecido		
parecería	habría parecido	Gerundio	Gerundio compuesto
pareceríamos	habríamos parecido	pareciendo	habiendo parecido
pareceríais	habríais parecido		
parecerían	habrían parecido	Participio	
		parecido	

Ainsi se conjuguent la plupart des verbes se terminant par **-ecer** sauf ceux qui suivent le modèle de **mecer** (tb. 49).
* nacer a un double participe passé (voir p. 30) ; acaecer, acontecer et empecer sont des verbes défectifs (voir p. 28) ; acaecer, acontecer, amanecer, anochecer, atardecer, lobreguecer, obscurecer, parecer et tardecer sont utilisés comme verbes impersonnels (voir p. 27).
Introduction d'une consonne **c > zc** devant **o** ou **a**, à la 1re pers. du sing. du Présent de l'Ind., à toutes les pers. du Présent du Subj. et aux formes dérivées.

55 PEDIR / DEMANDER

verbe irrégulier   e > i

FORMES PERSONNELLES

MODO INDICATIVO

Temps simples	Temps composés	
Presente	**Pretérito perfecto compuesto**	
pido	he	pedido
pides	has	pedido
pide	ha	pedido
pedimos	hemos	pedido
pedís	habéis	pedido
piden	han	pedido

Pretérito imperfecto	Pretérito pluscuamperfecto	
pedía	había	pedido
pedías	habías	pedido
pedía	había	pedido
pedíamos	habíamos	pedido
pedíais	habíais	pedido
pedían	habían	pedido

Pretérito perfecto simple	Pretérito anterior	
pedí	hube	pedido
pediste	hubiste	pedido
pidió	hubo	pedido
pedimos	hubimos	pedido
pedisteis	hubisteis	pedido
pidieron	hubieron	pedido

Futuro	Futuro perfecto	
pediré	habré	pedido
pedirás	habrás	pedido
pedirá	habrá	pedido
pediremos	habremos	pedido
pediréis	habréis	pedido
pedirán	habrán	pedido

Condicional	Condicional perfecto	
pediría	habría	pedido
pedirías	habrías	pedido
pediría	habría	pedido
pediríamos	habríamos	pedido
pediríais	habríais	pedido
pedirían	habrían	pedido

MODO SUBJUNTIVO

Temps simples	Temps composés	
Presente	**Pretérito perfecto**	
pida	haya	pedido
pidas	hayas	pedido
pida	haya	pedido
pidamos	hayamos	pedido
pidáis	hayáis	pedido
pidan	hayan	pedido

Pretérito imperfecto	Pretérito pluscuamperfecto	
pidiera	hubiera	pedido
pidieras	hubieras	pedido
pidiera	hubiera	pedido
pidiéramos	hubiéramos	pedido
pidierais	hubierais	pedido
pidieran	hubieran	pedido
pidiese	hubiese	pedido
pidieses	hubieses	pedido
pidiese	hubiese	pedido
pidiésemos	hubiésemos	pedido
pidieseis	hubieseis	pedido
pidiesen	hubiesen	pedido

Futuro	Futuro perfecto	
pidiere	hubiere	pedido
pidieres	hubieres	pedido
pidiere	hubiere	pedido
pidiéremos	hubiéremos	pedido
pidiereis	hubiereis	pedido
pidieren	hubieren	pedido

MODO IMPERATIVO

pide (tú)
pida (él/ella/ud)
pidamos (nosotros/-as)
pedid (vosotros/-as)
pidan (ellos/-as/uds)

FORMES IMPERSONNELLES

Infinitivo	Infinitivo compuesto
pedir	haber pedido
Gerundio	Gerundio compuesto
pidiendo	habiendo pedido
Participio	
pedido	

Ainsi se conjuguent : acomedirse, comedirse, concebir, derretir, descomedirse, deservir, desmedirse, despedir, desvestir, embestir, expedir, gemir, henchir, impedir, investir, medir, preconcebir, reexpedir, rendir, repetir, revestir, servir et vestir.
Affaiblissement de la voyelle du radical, **e** > **i**, aux trois pers. du sing. et à la 3e pers. du plur. du Présent de l'Indicatif, aux 3e pers. du sing. et du plur. du Passé simple, et de ses temps dérivés (Imparfait, Futur du Subjonctif) et Gérondif ainsi qu'à toutes les pers. du Présent du Subjonctif et formes dérivées.

verbe irrégulier   e > ie   **PENSAR** / PENSER   **56**

FORMES PERSONNELLES

MODO INDICATIVO

Temps simples	Temps composés
Presente	**Pretérito perfecto compuesto**
pienso	he pensado
piensas	has pensado
piensa	ha pensado
pensamos	hemos pensado
pensáis	habéis pensado
piensan	han pensado
Pretérito imperfecto	**Pretérito pluscuamperfecto**
pensaba	había pensado
pensabas	habías pensado
pensaba	había pensado
pensábamos	habíamos pensado
pensabais	habíais pensado
pensaban	habían pensado
Pretérito perfecto simple	**Pretérito anterior**
pensé	hube pensado
pensaste	hubiste pensado
pensó	hubo pensado
pensamos	hubimos pensado
pensasteis	hubisteis pensado
pensaron	hubieron pensado
Futuro	**Futuro perfecto**
pensaré	habré pensado
pensarás	habrás pensado
pensará	habrá pensado
pensaremos	habremos pensado
pensaréis	habréis pensado
pensarán	habrán pensado
Condicional	**Condicional perfecto**
pensaría	habría pensado
pensarías	habrías pensado
pensaría	habría pensado
pensaríamos	habríamos pensado
pensaríais	habríais pensado
pensarían	habrían pensado

MODO SUBJUNTIVO

Temps simples	Temps composés
Presente	**Pretérito perfecto**
piense	haya pensado
pienses	hayas pensado
piense	haya pensado
pensemos	hayamos pensado
penséis	hayáis pensado
piensen	hayan pensado
Pretérito imperfecto	**Pretérito pluscuamperfecto**
pensara	hubiera pensado
pensaras	hubieras pensado
pensara	hubiera pensado
pensáramos	hubiéramos pensado
pensarais	hubierais pensado
pensaran	hubieran pensado
pensase	hubiese pensado
pensases	hubieses pensado
pensase	hubiese pensado
pensásemos	hubiésemos pensado
pensaseis	hubieseis pensado
pensasen	hubiesen pensado
Futuro	**Futuro perfecto**
pensare	hubiere pensado
pensares	hubieres pensado
pensare	hubiere pensado
pensáremos	hubiéremos pensado
pensareis	hubiereis pensado
pensaren	hubieren pensado

MODO IMPERATIVO

pensemos (nosotros/-as)
piensa (tú)   pensad (vosotros/-as)
piense (él/ella/ud)   piensen (ellos/-as/uds)

FORMES IMPERSONNELLES

Infinitivo	Infinitivo compuesto
pensar	haber pensado
Gerundio	**Gerundio compuesto**
pensando	habiendo pensado
Participio	
pensado	

Ainsi se conjuguent tous les verbes de la 1re conjugaison (**-ar**) ayant la voyelle **e** dans la dernière syllabe du radical.
* deshelar, helar et nevar sont utilisés comme verbes impersonnels (voir p. 27).
* manifestar a un double Participe passé (voir p. 30).
Diphtongaison de la voyelle du radical, **e > ie**, aux trois pers. du sing. et à la 3e pers. du plur. des Présents de l'Indicatif et du Subjonctif et formes dérivées.

FORMES PERSONNELLES

MODO INDICATIVO

Temps simples	Tempo composés
Presente	**Pretérito perfecto compuesto**
plazco	he placido
places	has placido
place	ha placido
placemos	hemos placido
placéis	habéis placido
placen	han placido
Pretérito imperfecto	**Pretérito pluscuamperfecto**
placía	había placido
placías	habías placido
placía	había placido
placíamos	habíamos placido
placíais	habíais placido
placían	habían placido
Pretérito perfecto simple	**Pretérito anterior**
plací	hube placido
placiste	hubiste placido
plació; plugo	hubo placido
placimos	hubimos placido
placisteis	hubisteis placido
placieron; pluguieron	hubieron placido
Futuro	**Futuro perfecto**
placeré	habré placido
placerás	habrás placido
placerá	habrá placido
placeremos	habremos placido
placeréis	habréis placido
placerán	habrán placido
Condicional	**Condicional perfecto**
placería	habría placido
placerías	habrías placido
placería	habría placido
placeríamos	habríamos placido
placeríais	habríais placido
placerían	habrían placido

MODO SUBJUNTIVO

Temps simples	Temps composés
Presente	**Pretérito perfecto**
plazca	haya placido
plazcas	hayas placido
plazca; plegue; plega	haya placido
plazcamos	hayamos placido
plazcáis	hayáis placido
plazcan	hayan placido
Pretérito imperfecto	**Pretérito pluscuamperfecto**
placiera	hubiera placido
placieras	hubieras placido
placiera; pluguiera	hubiera placido
placiéramos	hubiéramos placido
placierais	hubierais placido
placieran	hubieran placido
placiese	hubiese placido
placieses	hubieses placido
placiese; pluguiese	hubiese placido
placiésemos	hubiésemos placido
placieseis	hubieseis placido
placiesen	hubiesen placido
Futuro	**Futuro perfecto**
placiere	hubiere placido
placieres	hubieres placido
placiere; pluguiere	hubiere placido
placiéremos	hubiéremos placido
placiereis	hubiereis placido
placieren	hubieren placido

MODO IMPERATIVO

	plazcamos (nosotros/-as)
place (tú)	placed (vosotros/-as)
plazca (él/ella/ud)	plazcan (ellos/-as/uds)

FORMES IMPERSONNELLES

Infinitivo	Infinitivo compuesto
placer	haber placido
Gerundio	**Gerundio compuesto**
placiendo	habiendo placido
Participio	
placido	

Introduction d'une consonne, c > zc devant o ou a, à la 1re pers. du sing. du Présent de l'Indicatif, à toutes les pers. du Présent du Subjonctif et formes dérivées. Affaiblissement de la voyelle du radical, a > u, introduction de g devant o ou a, et pour faciliter la prononciation, g > gu devant e ou i, aux 3e du sing. et du plur. du Passé simple ; aux 3e du sing. et du plur. de l'Imparfait et du Futur du Subjonctif. * placer n'est plus employé qu'à la 3e pers. du sing. du Présent de l'Indicatif. Toutes les autres formes sont désuètes et théoriques sauf dans les expressions : plega / pluguiera a Dios, *plaise / plût à Dieu*.

verbe irrégulier   o > ue / u   **PODER** / POUVOIR **58**

FORMES PERSONNELLES

MODO INDICATIVO

Temps simples | **Temps composés**

Presente	Pretérito perfecto compuesto
puedo	he podido
puedes	has podido
puede	ha podido
podemos	hemos podido
podéis	habéis podido
pueden	han podido

Pretérito imperfecto	Pretérito pluscuamperfecto
podía	había podido
podías	habías podido
podía	había podido
podíamos	habíamos podido
podíais	habíais podido
podían	habían podido

Pretérito perfecto simple	Pretérito anterior
pude	hube podido
pudiste	hubiste podido
pudo	hubo podido
pudimos	hubimos podido
pudisteis	hubisteis podido
pudieron	hubieron podido

Futuro	Futuro perfecto
podré	habré podido
podrás	habrás podido
podrá	habrá podido
podremos	habremos podido
podréis	habréis podido
podrán	habrán podido

Condicional	Condicional perfecto
podría	habría podido
podrías	habrías podido
podría	habría podido
podríamos	habríamos podido
podríais	habríais podido
podrían	habrían podido

MODO SUBJUNTIVO

Temps simples | **Temps composés**

Presente	Pretérito perfecto
pueda	haya podido
puedas	hayas podido
pueda	haya podido
podamos	hayamos podido
podáis	hayáis podido
puedan	hayan podido

Pretérito imperfecto	Pretérito pluscuamperfecto
pudiera	hubiera podido
pudieras	hubieras podido
pudiera	hubiera podido
pudiéramos	hubiéramos podido
pudierais	hubierais podido
pudieran	hubieran podido
pudiese	hubiese podido
pudieses	hubieses podido
pudiese	hubiese podido
pudiésemos	hubiésemos podido
pudieseis	hubieseis podido
pudiesen	hubiesen podido

Futuro	Futuro perfecto
pudiere	hubiere podido
pudieres	hubieres podido
pudiere	hubiere podido
pudiéremos	hubiéremos podido
pudiereis	hubiereis podido
pudieren	hubieren podido

MODO IMPERATIVO

podamos (nosotros/-as)
puede (tú) | poded (vosotros/-as)
pueda (él/ella/ud) | puedan (ellos/-as/uds)

FORMES IMPERSONNELLES

Infinitivo	Infinitivo compuesto
poder	haber podido
Gerundio	Gerundio compuesto
pudiendo	habiendo podido
Participio
podido

La voyelle du radical o > ue, aux trois pers. du sing. et à la 3e du plur. des Présents de l'Ind. et du Subj. et formes dérivées.
La voyelle du radical o > u, à toutes les pers. du Passé simple, à ses temps dérivés et au Gérondif.
Pour faciliter la prononciation et éviter la confusion avec l'Imparfait de l'Indicatif, contraction de l'infinitif et chute de la voyelle thématique « e » à toutes les pers. du Futur de l'Indicatif et du Conditionnel.
* poder est utilisé comme verbe impersonnel (voir p. 27).

FORMES PERSONNELLES

MODO INDICATIVO		MODO SUBJUNTIVO	
Temps simples	Temps composés	Temps simples	Temps composés

Presente	Pretérito perfecto compuesto	Presente	Pretérito perfecto
pudro	he podrido	pudra	haya podrido
pudres	has podrido	pudras	hayas podrido
pudre	ha podrido	pudra	haya podrido
pudrimos	hemos podrido	pudramos	hayamos podrido
pudrís	habéis podrido	pudráis	hayáis podrido
pudren	han podrido	pudran	hayan podrido

		Pretérito imperfecto	Pretérito pluscuamperfecto
Pretérito imperfecto	Pretérito pluscuamperfecto	pudriera	hubiera podrido
pudría	había podrido	pudrieras	hubieras podrido
pudrías	habías podrido	pudriera	hubiera podrido
pudría	había podrido	pudriéramos	hubiéramos podrido
pudríamos	habíamos podrido	pudrierais	hubierais podrido
pudríais	habíais podrido	pudrieran	hubieran podrido
pudrían	habían podrido		
		pudriese	hubiese podrido
		pudrieses	hubieses podrido
		pudriese	hubiese podrido
Pretérito perfecto simple	Pretérito anterior	pudriésemos	hubiésemos podrido
pudrí; podrí	hube podrido	pudrieseis	hubieseis podrido
pudriste	hubiste podrido	pudriesen	hubiesen podrido
pudrió	hubo podrido		
pudrimos	hubimos podrido	Futuro	Futuro perfecto
pudristeis	hubisteis podrido	pudriere	hubiere podrido
pudrieron	hubieron podrido	pudrieres	hubieres podrido
		pudriere	hubiere podrido
		pudriéremos	hubiéremos podrido
		pudriereis	hubiereis podrido
Futuro	Futuro perfecto	pudrieren	hubieren podrido
pudriré; podriré	habré podrido		
pudrirás	habrás podrido		
pudrirá	habrá podrido		

MODO IMPERATIVO

	pudramos (nosotros/-as)
pudre (tú)	pudrid (vosotros/-as)
pudra (él/ella/ud)	pudran (ellos/-as/uds)

Futuro	Futuro perfecto
pudriré; podriré	habré podrido
pudrirás	habrás podrido
pudrirá	habrá podrido
pudriremos	habremos podrido
pudriréis	habréis podrido
pudrirán	habrán podrido

FORMES IMPERSONNELLES

Infinitivo	Infinitivo compuesto
pudrir ou podrir	haber podrido
Gerundio	Gerundio compuesto
pudriendo	habiendo podrido
Participio	
podrido	

Condicional	Condicional perfecto
pudriría	habría podrido
pudrirías	habrías podrido
pudriría	habría podrido
pudriríamos	habríamos podrido
pudriríais	habríais podrido
pudrirían	habrían podrido

■ Ainsi se conjugue : repudrir.

Affaiblissement de la voyelle du radical, **o > u**.

* podrir présentait autrefois les mêmes irrégularités que pedir. *La Real Academia* tend à utiliser à toutes les formes le radical **pudr-**, avec **pudrir** comme Infinitif et **podrido** comme Participe passé.

FORMES PERSONNELLES

MODO INDICATIVO

Temps simples	Temps composés	
Presente	**Pretérito perfecto compuesto**	
pongo	he	puesto
pones	has	puesto
pone	ha	puesto
ponemos	hemos	puesto
ponéis	habéis	puesto
ponen	han	puesto
Pretérito imperfecto	**Pretérito pluscuamperfecto**	
ponía	había	puesto
ponías	habías	puesto
ponía	había	puesto
poníamos	habíamos	puesto
poníais	habíais	puesto
ponían	habían	puesto
Pretérito perfecto simple	**Pretérito anterior**	
puse	hube	puesto
pusiste	hubiste	puesto
puso	hubo	puesto
pusimos	hubimos	puesto
pusisteis	hubisteis	puesto
pusieron	hubieron	puesto
Futuro	**Futuro perfecto**	
pondré	habré	puesto
pondrás	habrás	puesto
pondrá	habrá	puesto
pondremos	habremos	puesto
pondréis	habréis	puesto
pondrán	habrán	puesto
Condicional	**Condicional perfecto**	
pondría	habría	puesto
pondrías	habrías	puesto
pondría	habría	puesto
pondríamos	habríamos	puesto
pondríais	habríais	puesto
pondrían	habrían	puesto

MODO SUBJUNTIVO

Temps simples	Temps composés	
Presente	**Pretérito perfecto**	
ponga	haya	puesto
pongas	hayas	puesto
ponga	haya	puesto
pongamos	hayamos	puesto
pongáis	hayáis	puesto
pongan	hayan	puesto
Pretérito imperfecto	**Pretérito pluscuamperfecto**	
pusiera	hubiera	puesto
pusieras	hubieras	puesto
pusiera	hubiera	puesto
pusiéramos	hubiéramos	puesto
pusierais	hubierais	puesto
pusieran	hubieran	puesto
pusiese	hubiese	puesto
pusieses	hubieses	puesto
pusiese	hubiese	puesto
pusiésemos	hubiésemos	puesto
pusieseis	hubieseis	puesto
pusiesen	hubiesen	puesto
Futuro	**Futuro perfecto**	
pusiere	hubiere	puesto
pusieres	hubieres	puesto
pusiere	hubiere	puesto
pusiéremos	hubiéremos	puesto
pusiereis	hubiereis	puesto
pusieren	hubieren	puesto

MODO IMPERATIVO

	pongamos (nosotros/-as)
pon (tú)	poned (vosotros/-as)
ponga (él/ella/ud)	pongan (ellos/-as/uds)

FORMES IMPERSONNELLES

Infinitivo	Infinitivo compuesto
poner	haber puesto
Gerundio	Gerundio compuesto
poniendo	habiendo puesto
Participio	
puesto	

∎ Ainsi se conjuguent tous les composés de **poner** : componer, disponer, etc.
∎ Introduction de **g** devant **o** ou **a**, à la 1re pers. du sing. du Présent de l'Indicatif, à toutes les pers. du Présent du Subjonctif et formes dérivées. La voyelle **o > u**, à toutes les pers. du Passé simple et temps dérivés. Pour faciliter la prononciation et éviter la confusion avec l'Imparfait de l'Indicatif, remplacement de la voyelle thématique, **e > d**, à toutes les pers. du Futur de l'Indicatif et du Conditionnel.
∎ La voyelle du radical, **o > ue**, au Participe passé. * Apocope de la 2e pers. du sing. de l'Impératif.

FORMES PERSONNELLES

MODO INDICATIVO		MODO SUBJUNTIVO	
Tempo simples	**Temps composés**	**Temps simples**	**Temps composés**

Presente	Pretérito perfecto compuesto	Presente	Pretérito perfecto
predigo	he predicho	prediga	haya predicho
predices	has predicho	predigas	hayas predicho
predice	ha predicho	prediga	haya predicho
predecimos	hemos predicho	predigamos	hayamos predicho
predecís	habéis predicho	predigáis	hayáis predicho
predicen	han predicho	predigan	hayan predicho

Pretérito imperfecto	Pretérito pluscuamperfecto	Pretérito imperfecto	Pretérito pluscuamperfecto
predecía	había predicho	predijera	hubiera predicho
predecías	habías predicho	predijeras	hubieras predicho
predecía	había predicho	predijera	hubiera predicho
predecíamos	habíamos predicho	predijéramos	hubiéramos predicho
predecíais	habíais predicho	predijerais	hubierais predicho
predecían	habían predicho	predijeran	hubieran predicho
		predijese	hubiese predicho
		predijeses	hubieses predicho
		predijese	hubiese predicho
Pretérito perfecto simple	Pretérito anterior	predijésemos	hubiésemos predicho
predije	hube predicho	predijeseis	hubieseis predicho
predijiste	hubiste predicho	predijesen	hubiesen predicho
predijo	hubo predicho		
predijimos	hubimos predicho	Futuro	Futuro perfecto
predijisteis	hubisteis predicho	predijere	hubiere predicho
predijeron	hubieron predicho	predijeres	hubieres predicho
		predijere	hubiere predicho
		predijéremos	hubiéremos predicho
		predijereis	hubiereis predicho
Futuro	Futuro perfecto	predijeren	hubieren predicho
predeciré	habré predicho		
predecirás	habrás predicho		
predecirá	habrá predicho	**MODO IMPERATIVO**	
predeciremos	habremos predicho		predigamos (nosotros/-as)
predeciréis	habréis predicho	predice (tú)	predecid (vosotros/-as)
predecirán	habrán predicho	prediga (él/ella/ud)	predigan (ellos/-as/uds)

FORMES IMPERSONNELLES

Condicional	Condicional perfecto		
predeciría	habría predicho	Infinitivo	Infinitivo compuesto
predecirías	habrías predicho	predecir	haber predicho
predeciría	habría predicho	Gerundio	Gerundio compuesto
predeciríamos	habríamos predicho	prediciendo	habiendo predicho
predeciríais	habríais predicho	Participio	
predecirían	habrían predicho	predicho	

* bendecir et maldecir ont un double Participe passé (voir p. 30) ; Particularités des composés de **decir** : 2ᵉ pers. du sing. de l'Impératif (predice), Futur de l'Ind. et Conditionnel réguliers, Participe passé de contradecir régulier (contradecido).
La voyelle du radical, **e > i**, aux trois pers. du sing. et à la 3ᵉ du plur. du Présent de l'Indicatif, à toutes les pers. du Présent du Subjonctif, aux formes dérivées, au Gérondif et au Participe passé. **g** devant **o** ou **a**, à la 1ʳᵉ pers. du sing. du Présent de l'Ind., à toutes les pers. du Présent du Subj., et dérivés.
Au Passé simple et temps dérivés la voyelle du radical **e > i** et introduction de **j**, à toutes les pers.

FORMES PERSONNELLES

MODO INDICATIVO

Temps simples	Temps composés

Presente — Pretérito perfecto compuesto

produzco	he	producido
produces	has	producido
produce	ha	producido
producimos	hemos	producido
producís	habéis	producido
producen	han	producido

Pretérito imperfecto — Pretérito pluscuamperfecto

producía	había	producido
producías	habías	producido
producía	había	producido
producíamos	habíamos	producido
producíais	habíais	producido
producían	habían	producido

Pretérito perfecto simple — Pretérito anterior

produje	hube	producido
produjiste	hubiste	producido
produjo	hubo	producido
produjimos	hubimos	producido
produjisteis	hubisteis	producido
produjeron*	hubieron	producido

Futuro — Futuro perfecto

produciré	habré	producido
producirás	habrás	producido
producirá	habrá	producido
produciremos	habremos	producido
produciréis	habréis	producido
producirán	habrán	producido

Condicional — Condicional perfecto

produciría	habría	producido
producirías	habrías	producido
produciría	habría	producido
produciríamos	habríamos	producido
produciríais	habríais	producido
producirían	habrían	producido

MODO SUBJUNTIVO

Temps simples	Temps composés

Presente — Pretérito perfecto

produzca	haya	producido
produzcas	hayas	producido
produzca	haya	producido
produzcamos	hayamos	producido
produzcáis	hayáis	producido
produzcan	hayan	producido

Pretérito imperfecto — Pretérito pluscuamperfecto

produjera	hubiera	producido
produjeras	hubieras	producido
produjera	hubiera	producido
produjéramos	hubiéramos	producido
produjerais	hubierais	producido
produjeran	hubieran	producido
produjese	hubiese	producido
produjeses	hubieses	producido
produjese	hubiese	producido
produjésemos	hubiésemos	producido
produjeseis	hubieseis	producido
produjesen	hubiesen	producido

Futuro — Futuro perfecto

produjere	hubiere	producido
produjeres	hubieres	producido
produjere	hubiere	producido
produjéremos	hubiéremos	producido
produjereis	hubiereis	producido
produjeren	hubieren	producido

MODO IMPERATIVO

	produzcamos (nosotros/-as)
produce (tú)	producid (vosotros/-as)
produzca (él/ella/ud)	produzcan (ellos/-as/uds)

FORMES IMPERSONNELLES

Infinitivo	Infinitivo compuesto
producir	haber producido

Gerundio	Gerundio compuesto
produciendo	habiendo producido

Participio	
producido	

■ Ainsi se conjuguent : aducir, conducir, deducir, inducir, introducir, reducir, reproducir, seducir et traducir.
Modification du radical, introduction d'une consonne, **c > zc** devant **o** ou **a**, à 1re pers. du sing. du Présent de l'Indicatif, à toutes les pers. du Présent du Subjonctif et formes dérivées.
Introduction de **j**, à toutes les pers. du Passé simple et temps dérivés.
* Terminaison irrégulière de la 3e pers. du plur. du Passé simple (**- eron**) et temps dérivés. Elle n'est pas conforme à celle des verbes de la troisième conjugaison (**-ieron**).

FORMES PERSONNELLES

MODO INDICATIVO		MODO SUBJUNTIVO	
Tomps simples	**Temps composés**	**Temps simples**	**Temps composés**

Presente	Pretérito perfecto compuesto	Presente	Pretérito perfecto
prohíbo	he prohibido	prohíba	haya prohibido
prohíbes	has prohibido	prohíbas	hayas prohibido
prohíbe	ha prohibido	prohíba	haya prohibido
prohibimos	hemos prohibido	prohibamos	hayamos prohibido
prohibís	habéis prohibido	prohibáis	hayáis prohibido
prohíben	han prohibido	prohíban	hayan prohibido

		Pretérito imperfecto	Pretérito pluscuamperfecto
Pretérito imperfecto	Pretérito pluscuamperfecto	prohibiera	hubiera prohibido
prohibía	había prohibido	prohibieras	hubieras prohibido
prohibías	habías prohibido	prohibiera	hubiera prohibido
prohibía	había prohibido	prohibiéramos	hubiéramos prohibido
prohibíamos	habíamos prohibido	prohibierais	hubierais prohibido
prohibíais	habíais prohibido	prohibieran	hubieran prohibido
prohibían	habían prohibido		
		prohibiese	hubiese prohibido
		prohibieses	hubieses prohibido
		prohibiese	hubiese prohibido
Pretérito perfecto simple	Pretérito anterior	prohibiésemos	hubiésemos prohibido
prohibí	hube prohibido	prohibieseis	hubieseis prohibido
prohibiste	hubiste prohibido	prohibiesen	hubiesen prohibido
prohibió	hubo prohibido		
prohibimos	hubimos prohibido	Futuro	Futuro perfecto
prohibisteis	hubisteis prohibido	prohibiere	hubiere prohibido
prohibieron	hubieron prohibido	prohibieres	hubieres prohibido
		prohibiere	hubiere prohibido
		prohibiéremos	hubiéremos prohibido
Futuro	Futuro perfecto	prohibiereis	hubiereis prohibido
prohibiré	habré prohibido	prohibieren	hubieren prohibido
prohibirás	habrás prohibido		
prohibirá	habrá prohibido		

MODO IMPERATIVO

prohibiremos	habremos prohibido		prohibamos (nosotros/-as)
prohibiréis	habréis prohibido	prohíbe (tú)	prohibid (vosotros/-as)
prohibirán	habrán prohibido	prohíba (él/ella/ud)	prohíban (ellos/-as/uds)

FORMES IMPERSONNELLES

Condicional	Condicional perfecto	Infinitivo	Infinitivo compuesto
prohibiría	habría prohibido	prohibir	haber prohibido
prohibirías	habrías prohibido	Gerundio	Gerundio compuesto
prohibiría	habría prohibido	prohibiendo	habiendo prohibido
prohibiríamos	habríamos prohibido	Participio	
prohibiríais	habríais prohibido	prohibido	
prohibirían	habrían prohibido		

■ Ainsi se conjugue : cohibir.
Verbes réguliers de la troisième conjugaison, accentués sur la dernière voyelle du radical, i > í, aux trois pers. du sing. et à la 3e pers. du plur. du Présent de l'Indicatif, à toutes les pers. du Présent du Subjonctif et aux formes de l'Impératif qui en dérivent.

FORMES PERSONNELLES

MODO INDICATIVO

Temps simples	Temps composés	
Presente	**Pretérito perfecto compuesto**	
quiero	he	querido
quieres	has	querido
quiere	ha	querido
queremos	hemos	querido
queréis	habéis	querido
quieren	han	querido
Pretérito imperfecto	**Pretérito pluscuamperfecto**	
quería	había	querido
querías	habías	querido
quería	había	querido
queríamos	habíamos	querido
queríais	habíais	querido
querían	habían	querido
Pretérito perfecto simple	**Pretérito anterior**	
quise	hube	querido
quisiste	hubiste	querido
quiso	hubo	querido
quisimos	hubimos	querido
quisisteis	hubisteis	querido
quisieron	hubieron	querido
Futuro	**Futuro perfecto**	
querré	habré	querido
querrás	habrás	querido
querrá	habrá	querido
querremos	habremos	querido
querréis	habréis	querido
querrán	habrán	querido
Condicional	**Condicional perfecto**	
querría	habría	querido
querrías	habrías	querido
querría	habría	querido
querríamos	habríamos	querido
querríais	habríais	querido
querrían	habrían	querido

MODO SUBJUNTIVO

Temps simples	Temps composés	
Presente	**Pretérito perfecto**	
quiera	haya	querido
quieras	hayas	querido
quiera	haya	querido
queramos	hayamos	querido
queráis	hayáis	querido
quieran	hayan	querido
Pretérito imperfecto	**Pretérito pluscuamperfecto**	
quisiera	hubiera	querido
quisieras	hubieras	querido
quisiera	hubiera	querido
quisiéramos	hubiéramos	querido
quisierais	hubierais	querido
quisieran	hubieran	querido
quisiese	hubiese	querido
quisieses	hubieses	querido
quisiese	hubiese	querido
quisiésemos	hubiésemos	querido
quisieseis	hubieseis	querido
quisiesen	hubiesen	querido
Futuro	**Futuro perfecto**	
quisiere	hubiere	querido
quisieres	hubieres	querido
quisiere	hubiere	querido
quisiéremos	hubiéremos	querido
quisiereis	hubiereis	querido
quisieren	hubieren	querido

MODO IMPERATIVO

queramos (nosotros/-as)
quiere (tú)   quered (vosotros/-as)
quiera (él/ella/ud)   quieran (ellos/-as/uds)

FORMES IMPERSONNELLES

Infinitivo	Infinitivo compuesto
querer	haber querido
Gerundio	**Gerundio compuesto**
queriendo	habiendo querido
Participio	
querido	

* bienquerer et malquerer ont un double Participe passé (voir p. 30).
La voyelle du radical, i > ie, aux trois pers. du sing., à la 3e du plur. des Présents de l'Indicatif et du Subjonctif et formes dérivées.
Le *prétérit fort* altère le radical, e > i, à toutes les pers. du Passé simple et temps dérivés.
Pour faciliter la prononciation et éviter la confusion avec l'Imparfait de l'Indicatif, chute de la voyelle thématique « e » à toutes les pers. du Futur de l'Indicatif et du Conditionnel.

FORMES PERSONNELLES

MODO INDICATIVO		MODO SUBJUNTIVO	
Temps simples	**Temps composés**	**Temps simples**	**Temps composés**

Presente	Pretérito perfecto compuesto	Presente	Pretérito perfecto
rao; **raigo**	he raído	**raiga**	haya raído
raes	has raído	**raigas**	hayas raído
rae	ha raído	**raiga**	haya raído
raemos	hemos raído	**raigamos**	hayamos raído
raéis	habéis raído	**raigáis**	hayáis raído
raen	han raído	**raigan**	hayan raído

Pretérito imperfecto	Pretérito pluscuamperfecto	Pretérito imperfecto	Pretérito pluscuamperfecto
raía	había raído	**rayera**	hubiera raído
raías	habías raído	**rayeras**	hubieras raído
raía	había raído	**rayera**	hubiera raído
raíamos	habíamos raído	**rayéramos**	hubiéramos raído
raíais	habíais raído	**rayerais**	hubierais raído
raían	habían raído	**rayeran**	hubieran raído
		rayese	hubiese raído
		rayeses	hubieses raído
		rayese	hubiese raído
		rayésemos	hubiésemos raído
Pretérito perfecto simple	Pretérito anterior	**rayeseis**	hubieseis raído
raí	hube raído	**rayesen**	hubiesen raído
raíste	hubiste raído		
rayó	hubo raído	Futuro	Futuro perfecto
raímos	hubimos raído	**rayere**	hubiere raído
raísteis	hubisteis raído	**rayeres**	hubieres raído
rayeron	hubieron raído	**rayere**	hubiere raído
		rayéremos	hubiéremos raído
		rayereis	hubiereis raído
Futuro	Futuro perfecto	**rayeren**	hubieren raído
raeré	habré raído		

MODO IMPERATIVO

Futuro	Futuro perfecto
raeré	habré raído
raerás	habrás raído
raerá	habrá raído
raeremos	habremos raído
raeréis	habréis raído
raerán	habrán raído

raigamos (nosotros/-as)
rae (tú)   **raed** (vosotros/-as)
raiga (él/ella/ud)   **raigan** (ellos/-as/uds)

FORMES IMPERSONNELLES

Condicional	Condicional perfecto
raería	habría raído
raerías	habrías raído
raería	habría raído
raeríamos	habríamos raído
raeríais	habríais raído
raerían	habrían raído

Infinitivo	Infinitivo compuesto
raer	haber raído
Gerundio	Gerundio compuesto
rayendo	habiendo raído
Participio	
raído	

La voyelle du radical **e > i**, introduction de **g** devant **o** ou **a**, à la 1re pers. du sing. du Présent de l'Indicatif, à toutes les pers. du Présent du Subjonctif et formes dérivées. La voyelle atone **i > y** devant **e** ou **o**, (voir p. 21) ; aux 3e du sing. et du plur. du Passé simple, et temps dérivés (voir p. 15) et au Gérondif.
* Terminaisons irrégulières à la 2e pers. du sing., la 1re et 2e pers. du plur. du Passé simple, (**- íste**, **- ímos** et **- ísteis**) et au Participe passé (**- ído**).

| verbe irrégulier | e > ie | **REGAR** / ARROSER, IRRIGUER | **66** |

FORMES PERSONNELLES

MODO INDICATIVO

Temps simples	Temps composés
Presente	**Pretérito perfecto compuesto**
riego	he regado
riegas	has regado
riega	ha regado
regamos	hemos regado
regáis	habéis regado
riegan	han regado
Pretérito imperfecto	**Pretérito pluscuamperfecto**
regaba	había regado
regabas	habías regado
regaba	había regado
regábamos	habíamos regado
regabais	habíais regado
regaban	habían regado
Pretérito perfecto simple	**Pretérito anterior**
regué	hube regado
regaste	hubiste regado
regó	hubo regado
regamos	hubimos regado
regasteis	hubisteis regado
regaron	hubieron regado
Futuro	**Futuro perfecto**
regaré	habré regado
regarás	habrás regado
regará	habrá regado
regaremos	habremos regado
regaréis	habréis regado
regarán	habrán regado
Condicional	**Condicional perfecto**
regaría	habría regado
regarías	habrías regado
regaría	habría regado
regaríamos	habríamos regado
regaríais	habríais regado
regarían	habrían regado

MODO SUBJUNTIVO

Temps simples	Temps composés
Presente	**Pretérito perfecto**
riegue	haya regado
riegues	hayas regado
riegue	haya regado
reguemos	hayamos regado
reguéis	hayáis regado
rieguen	hayan regado
Pretérito imperfecto	**Pretérito pluscuamperfecto**
regara	hubiera regado
regaras	hubieras regado
regara	hubiera regado
regáramos	hubiéramos regado
regarais	hubierais regado
regaran	hubieran regado
regase	hubiese regado
regases	hubieses regado
regase	hubiese regado
regásemos	hubiésemos regado
regaseis	hubieseis regado
regasen	hubiesen regado
Futuro	**Futuro perfecto**
regare	hubiere regado
regares	hubieres regado
regare	hubiere regado
regáremos	hubiéremos regado
regareis	hubiereis regado
regaren	hubieren regado

MODO IMPERATIVO

	reguemos (nosotros/-as)
riega (tú)	regad (vosotros/-as)
riegue (él/ella/ud)	rieguen (ellos/-as/uds)

FORMES IMPERSONNELLES

Infinitivo	Infinitivo compuesto
regar	haber regado
Gerundio	**Gerundio compuesto**
regando	habiendo regado
Participio	
regado	

Ainsi se conjuguent : abnegar, cegar, denegar, derrengar, desasosegar, desplegar, estregar, fregar, negar, plegar, refregar, renegar, replegar, restregar, segar, sosegar et trasegar.

L'accent tonique diphtongue la voyelle du radical, i > ie, aux trois pers. du sing., à la 3ᵉ pers. du plur. des Présents de l'Indicatif et du Subjonctif et aux formes de l'Impératif qui en dérivent.

Pour conserver la prononciation g > gu devant e, à la 1ʳᵉ pers. du sing. du Passé simple ; à toutes les pers. du Présent du Subjonctif et aux formes de l'Impératif qui en dérivent.

67 REÍR / RIRE

verbe irrégulier   e > i

FORMES PERSONNELLES

MODO INDICATIVO

Temps simples	Temps composés		
Presente	**Pretérito perfecto compuesto**		
río	he	reído	
ríes	has	reído	
ríe	ha	reído	
reímos	hemos	reído	
reís	habéis	reído	
ríen	han	reído	
Pretérito imperfecto	**Pretérito pluscuamperfecto**		
reía	había	reído	
reías	habías	reído	
reía	había	reído	
reíamos	habíamos	reído	
reíais	habíais	reído	
reían	habían	reído	
Pretérito perfecto simple	**Pretérito anterior**		
reí	hube	reído	
reíste	hubiste	reído	
rió	hubo	reído	
reímos	hubimos	reído	
reísteis	hubisteis	reído	
rieron	hubieron	reído	
Futuro	**Futuro perfecto**		
reiré	habré	reído	
reirás	habrás	reído	
reirá	habrá	reído	
reiremos	habremos	reído	
reiréis	habréis	reído	
reirán	habrán	reído	
Condicional	**Condicional perfecto**		
reiría	habría	reído	
reirías	habrías	reído	
reiría	habría	reído	
reiríamos	habríamos	reído	
reiríais	habríais	reído	
reirían	habrían	reído	

MODO SUBJUNTIVO

Temps simples	Temps composés	
Presente	**Pretérito perfecto**	
ría	haya	reído
rías	hayas	reído
ría	haya	reído
riamos	hayamos	reído
riáis	hayáis	reído
rían	hayan	reído
Pretérito imperfecto	**Pretérito pluscuamperfecto**	
riera	hubiera	reído
rieras	hubieras	reído
riera	hubiera	reído
riéramos	hubiéramos	reído
rierais	hubierais	reído
rieran	hubieran	reído
riese	hubiese	reído
rieses	hubieses	reído
riese	hubiese	reído
riésemos	hubiésemos	reído
rieseis	hubieseis	reído
riesen	hubiesen	reído
Futuro	**Futuro perfecto**	
riere	hubiere	reído
rieres	hubieres	reído
riere	hubiere	reído
riéremos	hubiéremos	reído
riereis	hubiereis	reído
rieren	hubieren	reído

MODO IMPERATIVO

	riamos (nosotros/-as)
ríe (tú)	reíd (vosotros/-as)
ría (él/ella/ud)	rían (ellos/-as/uds)

FORMES IMPERSONNELLES

Infinitivo	Infinitivo compuesto
reír	haber reído
Gerundio	Gerundio compuesto
riendo	habiendo reído
Participio	
reído	

Ainsi se conjuguent : desleír, engreír, sofreír et sonreír.
* freír et refreír ont un double Participe passé (voir p. 30).
La voyelle du radical **e > i**, aux trois pers. du sing. et à la 3ᵉ du plur. du Présent de l'Ind., aux 3ᵉ du sing. et du plur. du Passé simple et temps dérivés, au Gérondif, à toutes les pers. du Présent du Subj. et dérivés.
* Terminaisons irrégulières à la 1ʳᵉ pers. du plur. du Présent (- **ímos**) ; à la 2ᵉ du sing., aux 1ʳᵉ et 2ᵉ du plur. du Passé simple (- **íste**, - **ímos**, - **ísteis**) ; à la 2ᵉ du plur. de l'Impératif (- **íd**) et au Participe passé (- **ído**).

FORMES PERSONNELLES

MODO INDICATIVO		MODO SUBJUNTIVO	
Temps simples	Temps composés	Temps simples	Temps composés

Presente	Pretérito perfecto compuesto	Presente	Pretérito perfecto
riño	he reñido	riña	haya reñido
riñes	has reñido	riñas	hayas reñido
riñe	ha reñido	riña	haya reñido
reñimos	hemos reñido	riñamos	hayamos reñido
reñís	habéis reñido	riñáis	hayáis reñido
riñen	han reñido	riñan	hayan reñido

		Pretérito imperfecto	Pretérito pluscuamperfecto
Pretérito imperfecto	Pretérito pluscuamperfecto	riñera	hubiera reñido
reñía	había reñido	riñeras	hubieras reñido
reñías	habías reñido	riñera	hubiera reñido
reñía	había reñido	riñéramos	hubiéramos reñido
reñíamos	habíamos reñido	riñerais	hubierais reñido
reñíais	habíais reñido	riñeran	hubieran reñido
reñían	habían reñido		
		riñese	hubiese reñido
		riñeses	hubieses reñido
		riñese	hubiese reñido
Pretérito perfecto simple	Pretérito anterior	riñésemos	hubiésemos reñido
reñí	hube reñido	riñeseis	hubieseis reñido
reñiste	hubiste reñido	riñesen	hubiesen reñido
riñó	hubo reñido		
reñimos	hubimos reñido	Futuro	Futuro perfecto
reñisteis	hubisteis reñido	riñere	hubiere reñido
riñeron	hubieron reñido	riñeres	hubieres reñido
		riñere	hubiere reñido
		riñéremos	hubiéremos reñido
Futuro	Futuro perfecto	riñereis	hubiereis reñido
reñiré	habré reñido	riñeren	hubieren reñido
reñirás	habrás reñido		

MODO IMPERATIVO

reñirá	habrá reñido		
reñiremos	habremos reñido		riñamos (nosotros/-as)
reñiréis	habréis reñido	riñe (tú)	reñid (vosotros/-as)
reñirán	habrán reñido	riña (él/ella/ud)	riñan (ellos/-as/uds)

FORMES IMPERSONNELLES

Condicional	Condicional perfecto	
reñiría	habría reñido	Infinitivo	Infinitivo compuesto
reñirías	habrías reñido	reñir	haber reñido
reñiría	habría reñido	Gerundio	Gerundio compuesto
reñiríamos	habríamos reñido	riñendo	habiendo reñido
reñiríais	habríais reñido	Participio	
reñirían	habrían reñido	reñido	

Ainsi se conjuguent : astreñir, ceñir, constreñir, desceñir, desteñir, estreñir, heñir et teñir.
* teñir a un double Participe passé (voir p. 30).
Affaiblissement de la voyelle, e > i, aux trois pers. du sing. et à la 3ᵉ pers. du plur. du Présent de l'Indicatif, aux 3ᵉ pers. du sing. et du plur. du Passé simple et temps dérivés (Imparfait et Futur du Subjonctif), au Gérondif ; à toutes les pers. du Présent du Subjonctif et aux formes de l'Impératif qui en dérivent.

FORMES PERSONNELLES

MODO INDICATIVO

Temps simples	Temps composés	
Presente	**Pretérito perfecto compuesto**	
reúno	he	reunido
reúnes	has	reunido
reúne	ha	reunido
reunimos	hemos	reunido
reunís	habéis	reunido
reúnen	han	reunido
Pretérito imperfecto	**Pretérito pluscuamperfecto**	
reunía	había	reunido
reunías	habías	reunido
reunía	había	reunido
reuníamos	habíamos	reunido
reuníais	habíais	reunido
reunían	habían	reunido
Pretérito perfecto simple	**Pretérito anterior**	
reuní	hube	reunido
reuniste	hubiste	reunido
reunió	hubo	reunido
reunimos	hubimos	reunido
reunisteis	hubisteis	reunido
reunieron	hubieron	reunido
Futuro	**Futuro perfecto**	
reuniré	habré	reunido
reunirás	habrás	reunido
reunirá	habrá	reunido
reuniremos	habremos	reunido
reuniréis	habréis	reunido
reunirán	habrán	reunido
Condicional	**Condicional perfecto**	
reuniría	habría	reunido
reunirías	habrías	reunido
reuniría	habría	reunido
reuniríamos	habríamos	reunido
reuniríais	habríais	reunido
reunirían	habrían	reunido

MODO SUBJUNTIVO

Temps simples	Temps composés	
Presente	**Pretérito perfecto**	
reúna	haya	reunido
reúnas	hayas	reunido
reúna	haya	reunido
reunamos	hayamos	reunido
reunáis	hayáis	reunido
reúnan	hayan	reunido
Pretérito imperfecto	**Pretérito pluscuamperfecto**	
reuniera	hubiera	reunido
reunieras	hubieras	reunido
reuniera	hubiera	reunido
reuniéramos	hubiéramos	reunido
reunierais	hubierais	reunido
reunieran	hubieran	reunido
reuniese	hubiese	reunido
reunieses	hubieses	reunido
reuniese	hubiese	reunido
reuniésemos	hubiésemos	reunido
reunieseis	hubieseis	reunido
reuniesen	hubiesen	reunido
Futuro	**Futuro perfecto**	
reuniere	hubiere	reunido
reunieres	hubieres	reunido
reuniere	hubiere	reunido
reuniéremos	hubiéremos	reunido
reuniereis	hubiereis	reunido
reunieren	hubieren	reunido

MODO IMPERATIVO

	reunamos (nosotros/-as)
reúne (tú)	reunid (vosotros/-as)
reúna (él/ella/ud)	reúnan (ellos/-as/uds)

FORMES IMPERSONNELLES

Infinitivo	Infinitivo compuesto
reunir	haber reunido
Gerundio	Gerundio compuesto
reuniendo	habiendo reunido
Participio	
reunido	

Verbes réguliers de la troisième conjugaison, accentués sur la voyelle du radical, u > ú, aux trois pers. du sing. et à la 3e pers. du plur. des Présents de l'Indicatif et du Subjonctif et aux formes de l'Impératif qui en dérivent.

FORMES PERSONNELLES

MODO INDICATIVO		MODO SUBJUNTIVO	
Temps simples	Temps composés	Temps simples	Temps composés

Presente	Pretérito perfecto compuesto	Presente	Pretérito perfecto
roo; roigo	he roído	roa	haya roído
roes	has roído	roas	hayas roído
roe	ha roído	roa	haya roído
roemos	hemos roído	roamos	hayamos roído
roéis	habéis roído	roáis	hayáis roído
roen	han roído	roan	hayan roído

Pretérito imperfecto	Pretérito pluscuamperfecto	Pretérito imperfecto	Pretérito pluscuamperfecto
roía	había roído	royera	hubiera roído
roías	habías roído	royeras	hubieras roído
roía	había roído	royera	hubiera roído
roíamos	habíamos roído	royéramos	hubiéramos roído
roíais	habíais roído	royerais	hubierais roído
roían	habían roído	royeran	hubieran roído
		royese	hubiese roído
		royeses	hubieses roído
		royese	hubiese roído
Pretérito perfecto simple	Pretérito anterior	royésemos	hubiésemos roído
roí	hube roído	royeseis	hubieseis roído
roíste	hubiste roído	royesen	hubiesen roído
royó	hubo roído		
roímos	hubimos roído	Futuro	Futuro perfecto
roísteis	hubisteis roído	royere	hubiere roído
royeron	hubieron roído	royeres	hubieres roído
		royere	hubiere roído
		royéremos	hubiéremos roído
Futuro	Futuro perfecto	royereis	hubiereis roído
roeré	habré roído	royeren	hubieren roído
roerás	habrás roído		
roerá	habrá roído	**MODO IMPERATIVO**	
roeremos	habremos roído		roamos (nosotros/-as)
roeréis	habréis roído	roe (tú)	roed (vosotros/-as)
roerán	habrán roído	roa (él/ella/ud)	roan (ellos/-as/uds)

Condicional	Condicional perfecto
roería	habría roído
roerías	habrías roído
roería	habría roído
roeríamos	habríamos roído
roeríais	habríais roído
roerían	habrían roído

FORMES IMPERSONNELLES

Infinitivo	Infinitivo compuesto
roer	haber roído
Gerundio	Gerundio compuesto
royendo	habiendo roído
Participio	
roído	

Affaiblissement e > i ; introduction de g devant o ou a, à la 1ʳᵉ pers. du sing. du Présent de l'Indicatif, et d devant o au Participe passé.
La voyelle atone i > y devant e ou o aux 3ᵉ pers. du sing. et du plur. du Passé simple, et temps dérivés, et au Gérondif.
* Terminaisons irrégulières à la 2ᵉ pers. du sing., la 1ʳᵉ et 2ᵉ du plur. du Passé simple (-íste, -ímos, -ísteis) et au Participe passé (-ído).

FORMES PERSONNELLES

MODO INDICATIVO

Temps simples	Temps composés	
Presente	**Pretérito perfecto compuesto**	
sé	he	sabido
sabes	has	sabido
sabe	ha	sabido
sabemos	hemos	sabido
sabéis	habéis	sabido
saben	han	sabido
Pretérito imperfecto	**Pretérito pluscuamperfecto**	
sabía	había	sabido
sabías	habías	sabido
sabía	había	sabido
sabíamos	habíamos	sabido
sabíais	habíais	sabido
sabían	habían	sabido
Pretérito perfecto simple	**Pretérito anterior**	
supe	hube	sabido
supiste	hubiste	sabido
supo	hubo	sabido
supimos	hubimos	sabido
supisteis	hubisteis	sabido
supieron	hubieron	sabido
Futuro	**Futuro perfecto**	
sabré	habré	sabido
sabrás	habrás	sabido
sabrá	habrá	sabido
sabremos	habremos	sabido
sabréis	habréis	sabido
sabrán	habrán	sabido
Condicional	**Condicional perfecto**	
sabría	habría	sabido
sabrías	habrías	sabido
sabría	habría	sabido
sabríamos	habríamos	sabido
sabríais	habríais	sabido
sabrían	habrían	sabido

MODO SUBJUNTIVO

Temps simples	Temps composés	
Presente	**Pretérito perfecto**	
sepa	haya	sabido
sepas	hayas	sabido
sepa	haya	sabido
sepamos	hayamos	sabido
sepáis	hayáis	sabido
sepan	hayan	sabido
Pretérito imperfecto	**Pretérito pluscuamperfecto**	
supiera	hubiera	sabido
supieras	hubieras	sabido
supiera	hubiera	sabido
supiéramos	hubiéramos	sabido
supierais	hubierais	sabido
supieran	hubieran	sabido
supiese	hubiese	sabido
supieses	hubieses	sabido
supiese	hubiese	sabido
supiésemos	hubiésemos	sabido
supieseis	hubieseis	sabido
supiesen	hubiesen	sabido
Futuro	**Futuro perfecto**	
supiere	hubiere	sabido
supieres	hubieres	sabido
supiere	hubiere	sabido
supiéremos	hubiéremos	sabido
supiereis	hubiereis	sabido
supieren	hubieren	sabido

MODO IMPERATIVO

	sepamos (nosotros/-as)
sabe (tú)	**sabed** (vosotros/-as)
sepa (él/ella/ud)	**sepan** (ellos/-as/uds)

FORMES IMPERSONNELLES

Infinitivo	Infinitivo compuesto
saber	haber sabido
Gerundio	Gerundio compuesto
sabiendo	habiendo sabido
Participio	
sabido	

La voyelle **a** > **e**, à la 1re pers. du sing. du Présent de l'Ind., à toutes les pers. du Présent du Subj. et formes dérivées.
Le *prétérit fort* altère le radical, **ab** > **up**, à toutes les pers. du Passé simple et temps dérivés.
Modification de la dernière consonne du radical, **b** > **p** devant **a**, à toutes les pers. du Présent du Subj. et formes dérivées. Pour faciliter la prononciation et éviter la confusion avec l'Imparfait de l'Ind., chute de la voyelle thématique **e** à toutes les pers. du Futur de l'Ind. et du Conditionnel.

FORMES PERSONNELLES

MODO INDICATIVO

Temps simples — Temps composés

Presente / **Pretérito perfecto compuesto**

saco	he	sacado
sacas	has	sacado
saca	ha	sacado
sacamos	hemos	sacado
sacáis	habéis	sacado
sacan	han	sacado

Pretérito imperfecto / **Pretérito pluscuamperfecto**

sacaba	había	sacado
sacabas	habías	sacado
sacaba	había	sacado
sacábamos	habíamos	sacado
sacabais	habíais	sacado
sacaban	habían	sacado

Pretérito perfecto simple / **Pretérito anterior**

saqué	hube	sacado
sacaste	hubiste	sacado
sacó	hubo	sacado
sacamos	hubimos	sacado
sacasteis	hubisteis	sacado
sacaron	hubieron	sacado

Futuro / **Futuro perfecto**

sacaré	habré	sacado
sacarás	habrás	sacado
sacará	habrá	sacado
sacaremos	habremos	sacado
sacaréis	habréis	sacado
sacarán	habrán	sacado

Condicional / **Condicional perfecto**

sacaría	habría	sacado
sacarías	habrías	sacado
sacaría	habría	sacado
sacaríamos	habríamos	sacado
sacaríais	habríais	sacado
sacarían	habrían	sacado

MODO SUBJUNTIVO

Temps simples — Temps composés

Presente / **Pretérito perfecto**

saque	haya	sacado
saques	hayas	sacado
saque	haya	sacado
saquemos	hayamos	sacado
saquéis	hayáis	sacado
saquen	hayan	sacado

Pretérito imperfecto / **Pretérito pluscuamperfecto**

sacara	hubiera	sacado
sacaras	hubieras	sacado
sacara	hubiera	sacado
sacáramos	hubiéramos	sacado
sacarais	hubierais	sacado
sacaran	hubieran	sacado
sacase	hubiese	sacado
sacases	hubieses	sacado
sacase	hubiese	sacado
sacásemos	hubiésemos	sacado
sacaseis	hubieseis	sacado
sacasen	hubiesen	sacado

Futuro / **Futuro perfecto**

sacare	hubiere	sacado
sacares	hubieres	sacado
sacare	hubiere	sacado
sacáremos	hubiéremos	sacado
sacareis	hubiereis	sacado
sacaren	hubieren	sacado

MODO IMPERATIVO

	saquemos (nosotros/-as)
saca (tú)	sacad (vosotros/-as)
saque (él/ella/ud)	saquen (ellos/-as/uds)

FORMES IMPERSONNELLES

Infinitivo / **Infinitivo compuesto**
sacar / haber sacado

Gerundio / **Gerundio compuesto**
sacando / habiendo sacado

Participio
sacado

Ainsi se conjuguent tous les verbes se terminant par -car sauf ceux qui suivent les modèles de **ahincar** (tb. 11) et trocar (tb. 80).

* neviscar et ventiscar sont utilisés comme verbes impersonnels (voir p. 27).

Pour conserver la prononciation c > qu devant e, à la 1re pers. du sing. du Passé simple ; à toutes les pers. du Présent du Subjonctif et aux formes de l'Impératif qui en dérivent.

FORMES PERSONNELLES

MODO INDICATIVO		MODO SUBJUNTIVO	
Tempe simples	Temps composés	Temps simples	Temps composés

Presente / **Pretérito perfecto compuesto** — **Presente** / **Pretérito perfecto**

salgo	he salido	salga	haya salido
sales	has salido	salgas	hayas salido
sale	ha salido	salga	haya salido
salimos	hemos salido	salgamos	hayamos salido
salís	habéis salido	salgáis	hayáis salido
salen	han salido	salgan	hayan salido

Pretérito imperfecto / **Pretérito pluscuamperfecto** — **Pretérito imperfecto** / **Pretérito pluscuamperfecto**

salía	había salido	saliera	hubiera salido
salías	habías salido	salieras	hubieras salido
salía	había salido	saliera	hubiera salido
salíamos	habíamos salido	saliéramos	hubiéramos salido
salíais	habíais salido	salierais	hubierais salido
salían	habían salido	salieran	hubieran salido
		saliese	hubiese salido
		salieses	hubieses salido
		saliese	hubiese salido
		saliésemos	hubiésemos salido
		salieseis	hubieseis salido
		saliesen	hubiesen salido

Pretérito perfecto simple / **Pretérito anterior**

salí	hube salido
saliste	hubiste salido
salió	hubo salido
salimos	hubimos salido
salisteis	hubisteis salido
salieron	hubieron salido

Futuro / **Futuro perfecto** (subj.)

saliere	hubiere salido
salieres	hubieres salido
saliere	hubiere salido
saliéremos	hubiéremos salido
saliereis	hubiereis salido
salieren	hubieren salido

Futuro / **Futuro perfecto** (ind.)

saldré	habré salido
saldrás	habrás salido
saldrá	habrá salido
saldremos	habremos salido
saldréis	habréis salido
saldrán	habrán salido

MODO IMPERATIVO

	salgamos (nosotros/-as)
sal (tú)	salid (vosotros/-as)
salga (él/ella/ud)	salgan (ellos/-as/uds)

Condicional / **Condicional perfecto**

saldría	habría salido
saldrías	habrías salido
saldría	habría salido
saldríamos	habríamos salido
saldríais	habríais salido
saldrían	habrían salido

FORMES IMPERSONNELLES

Infinitivo	Infinitivo compuesto
salir	haber salido
Gerundio	Gerundio compuesto
saliendo	habiendo salido
Participio	
salido	

Introduction de **g** devant **o** ou **a**, à la 1re pers. du sing. du Présent de l'Indicatif, à toutes les pers. du Présent du Subjonctif et formes dérivées.

Pour faciliter la prononciation et éviter la confusion avec l'Imparfait de l'Indicatif, remplacement de la voyelle thématique **e** > **d** à toutes les pers. du Futur de l'Indicatif et du Conditionnel.

Apocope de la 2e pers. du sing. de l'Impératif.

FORMES PERSONNELLES

MODO INDICATIVO

Temps simples	Temps composés	
Presente	Pretérito perfecto compuesto	
satisfago	he	satisfecho
satisfaces	has	satisfecho
satisface	ha	satisfecho
satisfacemos	hemos	satisfecho
satisfacéis	habéis	satisfecho
satisfacen	han	satisfecho
Pretérito imperfecto	Pretérito pluscuamperfecto	
satisfacía	había	satisfecho
satisfacías	habías	satisfecho
satisfacía	había	satisfecho
satisfacíamos	habíamos	satisfecho
satisfacíais	habíais	satisfecho
satisfacían	habían	satisfecho
Pretérito perfecto simple	Pretérito anterior	
satisfice	hube	satisfecho
satisficiste	hubiste	satisfecho
satisfizo	hubo	satisfecho
satisficimos	hubimos	satisfecho
satisficisteis	hubisteis	satisfecho
satisficieron	hubieron	satisfecho
Futuro	Futuro perfecto	
satisfaré	habré	satisfecho
satisfarás	habrás	satisfecho
satisfará	habrá	satisfecho
satisfaremos	habremos	satisfecho
satisfaréis	habréis	satisfecho
satisfarán	habrán	satisfecho
Condicional	Condicional perfecto	
satisfaría	habría	satisfecho
satisfarías	habrías	satisfecho
satisfaría	habría	satisfecho
satisfaríamos	habríamos	satisfecho
satisfaríais	habríais	satisfecho
satisfarían	habrían	satisfecho

MODO SUBJUNTIVO

Temps simples	Temps composés	
Presente	Pretérito perfecto	
satisfaga	haya	satisfecho
satisfagas	hayas	satisfecho
satisfaga	haya	satisfecho
satisfagamos	hayamos	satisfecho
satisfagáis	hayáis	satisfecho
satisfagan	hayan	satisfecho
Pretérito imperfecto	Pretérito pluscuamperfecto	
satisficiera	hubiera	satisfecho
satisficieras	hubieras	satisfecho
satisficiera	hubiera	satisfecho
satisficiéramos	hubiéramos	satisfecho
satisficierais	hubierais	satisfecho
satisficieran	hubieran	satisfecho
satisficiese	hubiese	satisfecho
satisficieses	hubieses	satisfecho
satisficiese	hubiese	satisfecho
satisficiésemos	hubiésemos	satisfecho
satisficieseis	hubieseis	satisfecho
satisficiesen	hubiesen	satisfecho
Futuro	Futuro perfecto	
satisficiere	hubiere	satisfecho
satisficieres	hubieres	satisfecho
satisficiere	hubiere	satisfecho
satisficiéremos	hubiéremos	satisfecho
satisficiereis	hubiereis	satisfecho
satisficieren	hubieren	satisfecho

MODO IMPERATIVO

	satisfagamos (nosotros/-as)
satisfaz; satisface (tú)	satisfaced (vosotros/-as)
satisfaga (él/ella/ud)	satisfagan (ellos/-as/uds)

FORMES IMPERSONNELLES

Infinitivo	Infinitivo compuesto
satisfacer	haber satisfecho
Gerundio	Gerundio compuesto
satisfaciendo	habiendo satisfecho
Participio	
satisfecho	

Introduction de **g** devant **o** ou **a**, à la 1re pers. du sing. du Présent de l'Indicatif, à toutes les pers. du Présent du Subjonctif et formes dérivées.

Pour conserver la prononciation **c** > **z** devant **o**, à la 3e pers. du sing. du Passé simple et à la 2e pers. du sing. de l'Impératif. Contraction de l'infinitif au Futur de l'Indicatif et au Conditionnel.

La voyelle du radical **a** > **i**, à toutes les pers. du Passé simple et temps dérivés.

* Apocope de la 2e pers. du sing. de l'Impératif.

FORMES PERSONNELLES

MODO INDICATIVO

Temps simples	Temps composés
Presente	**Pretérito perfecto compuesto**
sigo	he seguido
sigues	has seguido
sigue	ha seguido
seguimos	hemos seguido
seguís	habéis seguido
siguen	han seguido
Pretérito imperfecto	**Pretérito pluscuamperfecto**
seguía	había seguido
seguías	habías seguido
seguía	había seguido
seguíamos	habíamos seguido
seguíais	habíais seguido
seguían	habían seguido
Pretérito perfecto simple	**Pretérito anterior**
seguí	hube seguido
seguiste	hubiste seguido
siguió	hubo seguido
seguimos	hubimos seguido
seguisteis	hubisteis seguido
siguieron	hubieron seguido
Futuro	**Futuro perfecto**
seguiré	habré seguido
seguirás	habrás seguido
seguirá	habrá seguido
seguiremos	habremos seguido
seguiréis	habréis seguido
seguirán	habrán seguido
Condicional	**Condicional perfecto**
seguiría	habría seguido
seguirías	habrías seguido
seguiría	habría seguido
seguiríamos	habríamos seguido
seguiríais	habríais seguido
seguirían	habrían seguido

MODO SUBJUNTIVO

Temps simples	Temps composés
Presente	**Pretérito perfecto**
siga	haya seguido
sigas	hayas seguido
siga	haya seguido
sigamos	hayamos seguido
sigáis	hayáis seguido
sigan	hayan seguido
Pretérito imperfecto	**Pretérito pluscuamperfecto**
siguiera	hubiera seguido
siguieras	hubieras seguido
siguiera	hubiera seguido
siguiéramos	hubiéramos seguido
siguierais	hubierais seguido
siguieran	hubieran seguido
siguiese	hubiese seguido
siguieses	hubieses seguido
siguiese	hubiese seguido
siguiésemos	hubiésemos seguido
siguieseis	hubieseis seguido
siguiesen	hubiesen seguido
Futuro	**Futuro perfecto**
siguiere	hubiere seguido
siguieres	hubieres seguido
siguiere	hubiere seguido
siguiéremos	hubiéremos seguido
siguiereis	hubiereis seguido
siguieren	hubieren seguido

MODO IMPERATIVO

sigue (tú)   **sigamos** (nosotros/-as)
siga (él/ella/ud)   **seguid** (vosotros/-as)
   sigan (ellos/-as/uds)

FORMES IMPERSONNELLES

Infinitivo	Infinitivo compuesto
seguir	haber seguido
Gerundio	**Gerundio compuesto**
siguiendo	habiendo seguido
Participio	
seguido	

La voyelle du radical e > i, aux trois pers. du sing. et à la 3e pers. du plur. du Présent de l'Indicatif, aux 3e pers. du sing. et du plur. du Passé simple et temps dérivés et au Gérondif ; à toutes les pers. du Présent du Subjonctif et formes dérivées.
Pour conserver la prononciation gu > g devant o et a, à la 1re pers. du sing. du Présent de l'Indicatif, à toutes les pers. du Présent du Subjonctif et formes dérivées.

FORMES PERSONNELLES

MODO INDICATIVO

Temps simples — Temps composés

Presente — **Pretérito perfecto compuesto**

siento	he	sentido
sientes	has	sentido
siente	ha	sentido
sentimos	hemos	sentido
sentís	habéis	sentido
sienten	han	sentido

Pretérito imperfecto — **Pretérito pluscuamperfecto**

sentía	había	sentido
sentías	habías	sentido
sentía	había	sentido
sentíamos	habíamos	sentido
sentíais	habíais	sentido
sentían	habían	sentido

Pretérito perfecto simple — **Pretérito anterior**

sentí	hube	sentido
sentiste	hubiste	sentido
sintió	hubo	sentido
sentimos	hubimos	sentido
sentisteis	hubisteis	sentido
sintieron	hubieron	sentido

Futuro — **Futuro perfecto**

sentiré	habré	sentido
sentirás	habrás	sentido
sentirá	habrá	sentido
sentiremos	habremos	sentido
sentiréis	habréis	sentido
sentirán	habrán	sentido

Condicional — **Condicional perfecto**

sentiría	habría	sentido
sentirías	habrías	sentido
sentiría	habría	sentido
sentiríamos	habríamos	sentido
sentiríais	habríais	sentido
sentirían	habrían	sentido

MODO SUBJUNTIVO

Temps simples — Temps composés

Presente — **Pretérito perfecto**

sienta	haya	sentido
sientas	hayas	sentido
sienta	haya	sentido
sintamos	hayamos	sentido
sintáis	hayáis	sentido
sientan	hayan	sentido

Pretérito imperfecto — **Pretérito pluscuamperfecto**

sintiera	hubiera	sentido
sintieras	hubieras	sentido
sintiera	hubiera	sentido
sintiéramos	hubiéramos	sentido
sintierais	hubierais	sentido
sintieran	hubieran	sentido
sintiese	hubiese	sentido
sintieses	hubieses	sentido
sintiese	hubiese	sentido
sintiésemos	hubiésemos	sentido
sintieseis	hubieseis	sentido
sintiesen	hubiesen	sentido

Futuro — **Futuro perfecto**

sintiere	hubiere	sentido
sintieres	hubieres	sentido
sintiere	hubiere	sentido
sintiéremos	hubiéremos	sentido
sintiereis	hubiereis	sentido
sintieren	hubieren	sentido

MODO IMPERATIVO

	sintamos (nosotros/-as)
siente (tú)	sentid (vosotros/-as)
sienta (él/ella/ud)	sientan (ellos/-as/uds)

FORMES IMPERSONNELLES

Infinitivo — **Infinitivo compuesto**
sentir — haber sentido

Gerundio — **Gerundio compuesto**
sintiendo — habiendo sentido

Participio
sentido

Ainsi se conjuguent : adherir, advertir, arrepentirse, conferir, consentir, controvertir, convertir, diferir, digerir, divertir, herir, hervir, inferir, injerir, interferir, mentir, pervertir, preferir, proferir, referir, requerir, resentirse, revertir, subvertir, sugerir, transferir et zaherir ; ingerir et invertir ont un double Participe passé (voir p. 30).
La voyelle du radical e > ie, aux trois pers. du sing. et à la 3ᵉ du plur. des Présents de l'Ind. et du Subj. et dérivés. La voyelle du radical e > i, à la 1ʳᵉ et 2ᵉ pers. du plur. du Présent du Subj. ; aux 3ᵉ du sing. et du plur. du Passé simple et temps dérivés et au Gérondif.

FORMES PERSONNELLES

MODO INDICATIVO

Temps simples	Temps composés
Presente	**Pretérito perfecto compuesto**
suelo	—
sueles	—
suele	—
solemos	—
soléis	—
suelen	—
Pretérito imperfecto	**Pretérito pluscuamperfecto**
solía	—
solías	—
solía	—
solíamos	—
solíais	—
solían	—
Pretérito perfecto simple	**Pretérito anterior**
solí	—
soliste	—
solió	—
solimos	—
solisteis	—
solieron	—
Futuro	**Futuro perfecto**
—	—
—	—
—	—
—	—
—	—
Condicional	**Condicional perfecto**
—	—
—	—
—	—
—	—
—	—

MODO SUBJUNTIVO

Temps simples	Temps composés
Presente	**Pretérito perfecto**
suela	—
suelas	—
suela	—
solamos	—
soláis	—
suelan	—
Pretérito imperfecto	**Pretérito pluscuamperfecto**
soliera	—
solieras	—
soliera	—
soliéramos	—
solierais	—
solieran	—
soliese	—
solieses	—
soliese	—
soliésemos	—
solieseis	—
soliesen	—
Futuro	**Futuro perfecto**
—	—
—	—
—	—
—	—
—	—

MODO IMPERATIVO

—	—
—	—

FORMES IMPERSONNELLES

Infinitivo	Infinitivo compuesto
soler	—
Gerundio	Gerundio compuesto
—	—
Participio	
—	

L'accent tonique diphtongue la voyelle du radical, o > ue, aux trois pers. du sing. et à la 3e pers. du plur. des Présents de l'Indicatif et du Subjonctif.
* Ce verbe est défectif (voir p. 28).

FORMES PERSONNELLES

MODO INDICATIVO		MODO SUBJUNTIVO	
Temps simples	**Temps composés**	**Temps simples**	**Temps composés**

Presente	Pretérito perfecto compuesto	Presente	Pretérito perfecto
taño	he tañido	taña	haya tañido
tañes	has tañido	tañas	hayas tañido
tañe	ha tañido	taña	haya tañido
tañemos	hemos tañido	tañamos	hayamos tañido
tañéis	habéis tañido	tañáis	hayáis tañido
tañen	han tañido	tañan	hayan tañido

Pretérito imperfecto	Pretérito pluscuamperfecto	Pretérito imperfecto	Pretérito pluscuamperfecto
tañía	había tañido	tañera	hubiera tañido
tañías	habías tañido	tañeras	hubieras tañido
tañía	había tañido	tañera	hubiera tañido
tañíamos	habíamos tañido	tañéramos	hubiéramos tañido
tañíais	habíais tañido	tañerais	hubierais tañido
tañían	habían tañido	tañeran	hubieran tañido
		tañese	hubiese tañido
		tañeses	hubieses tañido
		tañese	hubiese tañido
Pretérito perfecto simple	Pretérito anterior	tañésemos	hubiésemos tañido
tañí	hube tañido	tañeseis	hubieseis tañido
tañiste	hubiste tañido	tañesen	hubiesen tañido
tañó	hubo tañido		
tañimos	hubimos tañido	Futuro	Futuro perfecto
tañisteis	hubisteis tañido	tañere	hubiere tañido
tañeron	hubieron tañido	tañeres	hubieres tañido
		tañere	hubiere tañido
		tañéremos	hubiéremos tañido
Futuro	Futuro perfecto	tañereis	hubiereis tañido
tañeré	habré tañido	tañeren	hubieren tañido
tañerás	habrás tañido		
tañerá	habrá tañido		
tañeremos	habremos tañido	**MODO IMPERATIVO**	
tañeréis	habréis tañido		tañamos (nosotros/-as)
tañerán	habrán tañido	tañe (tú)	tañed (vosotros/-as)
		taña (él/ella/ud)	tañan (ellos/-as/uds)

Condicional	Condicional perfecto
tañería	habría tañido
tañerías	habrías tañido
tañería	habría tañido
tañeríamos	habríamos tañido
tañeríais	habríais tañido
tañerían	habrían tañido

FORMES IMPERSONNELLES

Infinitivo	Infinitivo compuesto
tañer	haber tañido
Gerundio	**Gerundio compuesto**
tañendo	habiendo tañido
Participio	
tañido	

Ainsi se conjuguent : atañer et empeller.
* atañer est un verbe défectif (voir p. 28).
Modification orthographique, le i atone disparaît placé entre les consonnes ll ou ñ et une voyelle, aux 3e pers. du sing. et du plur. du Passé simple et à ses temps dérivés (Imparfait et Futur du Subjonctif), et au Gérondif.

FORMES PERSONNELLES

MODO INDICATIVO

Temps simples	Temps composés	
Presente	**Pretérito perfecto compuesto**	
traigo	he	traído
traes	has	traído
trae	ha	traído
traemos	hemos	traído
traéis	habéis	traído
traen	han	traído
Pretérito imperfecto	**Pretérito pluscuamperfecto**	
traía	había	traído
traías	habías	traído
traía	había	traído
traíamos	habíamos	traído
traíais	habíais	traído
traían	habían	traído
Pretérito perfecto simple	**Pretérito anterior**	
traje	hube	traído
trajiste	hubiste	traído
trajo	hubo	traído
trajimos	hubimos	traído
trajisteis	hubisteis	traído
trajeron	hubieron	traído
Futuro	**Futuro perfecto**	
traeré	habré	traído
traerás	habrás	traído
traerá	habrá	traído
traeremos	habremos	traído
traeréis	habréis	traído
traerán	habrán	traído
Condicional	**Condicional perfecto**	
traería	habría	traído
traerías	habrías	traído
traería	habría	traído
traeríamos	habríamos	traído
traeríais	habríais	traído
traerían	habrían	traído

MODO SUBJUNTIVO

Temps simples	Temps composés	
Presente	**Pretérito perfecto**	
traiga	haya	traído
traigas	hayas	traído
traiga	haya	traído
traigamos	hayamos	traído
traigáis	hayáis	traído
traigan	hayan	traído
Pretérito imperfecto	**Pretérito pluscuamperfecto**	
trajera	hubiera	traído
trajeras	hubieras	traído
trajera	hubiera	traído
trajéramos	hubiéramos	traído
trajerais	hubierais	traído
trajeran	hubieran	traído
trajese	hubiese	traído
trajeses	hubieses	traído
trajese	hubiese	traído
trajésemos	hubiésemos	traído
trajeseis	hubieseis	traído
trajesen	hubiesen	traído
Futuro	**Futuro perfecto**	
trajere	hubiere	traído
trajeres	hubieres	traído
trajere	hubiere	traído
trajéremos	hubiéremos	traído
trajereis	hubiereis	traído
trajeren	hubieren	traído

MODO IMPERATIVO

	traigamos (nosotros/-as)
trae (tú)	traed (vosotros/-as)
traiga (él/ella/ud)	traigan (ellos/-as/uds)

FORMES IMPERSONNELLES

Infinitivo	Infinitivo compuesto
traer	haber traído
Gerundio	Gerundio compuesto
trayendo	habiendo traído
Participio	
traído	

■ * abstraer a un double Participe passé (voir p. 30).
La voyelle a > ai et introduction de g devant o ou a, à la 1re pers. du sing. du Présent de l'Indicatif, à toutes les pers. du Présent du Subjonctif et formes dérivées.
Introduction de j, à toutes les pers. du Passé simple et temps dérivés.
La voyelle atone i > y devant e, au Gérondif.
■ * La terminaison du Participe passé (-ído) est irrégulière.

verbe irrégulier   o > ue   **TROCAR** / TROQUER **80**

FORMES PERSONNELLES

MODO INDICATIVO

Temps simples	Temps composés		
Presente	Pretérito perfecto compuesto		
trueco	he	trocado	
truecas	has	trocado	
trueca	ha	trocado	
trocamos	hemos	trocado	
trocáis	habéis	trocado	
truecan	han	trocado	
Pretérito imperfecto	Pretérito pluscuamperfecto		
trocaba	había	trocado	
trocabas	habías	trocado	
trocaba	había	trocado	
trocábamos	habíamos	trocado	
trocabais	habíais	trocado	
trocaban	habían	trocado	
Pretérito perfecto simple	Pretérito anterior		
troqué	hube	trocado	
trocaste	hubiste	trocado	
trocó	hubo	trocado	
trocamos	hubimos	trocado	
trocasteis	hubisteis	trocado	
trocaron	hubieron	trocado	
Futuro	Futuro perfecto		
trocaré	habré	trocado	
trocarás	habrás	trocado	
trocará	habrá	trocado	
trocaremos	habremos	trocado	
trocaréis	habréis	trocado	
trocarán	habrán	trocado	
Condicional	Condicional perfecto		
trocaría	habría	trocado	
trocarías	habrías	trocado	
trocaría	habría	trocado	
trocaríamos	habríamos	trocado	
trocaríais	habríais	trocado	
trocarían	habrían	trocado	

MODO SUBJUNTIVO

Temps simples	Temps composés	
Presente	Pretérito perfecto	
trueque	haya	trocado
trueques	hayas	trocado
trueque	haya	trocado
troquemos	hayamos	trocado
troquéis	hayáis	trocado
truequen	hayan	trocado
Pretérito imperfecto	Pretérito pluscuamperfecto	
trocara	hubiera	trocado
trocaras	hubieras	trocado
trocara	hubiera	trocado
trocáramos	hubiéramos	trocado
trocarais	hubierais	trocado
trocaran	hubieran	trocado
trocase	hubiese	trocado
trocases	hubieses	trocado
trocase	hubiese	trocado
trocásemos	hubiésemos	trocado
trocaseis	hubieseis	trocado
trocasen	hubiesen	trocado
Futuro	Futuro perfecto	
trocare	hubiere	trocado
trocares	hubieres	trocado
trocare	hubiere	trocado
trocáremos	hubiéremos	trocado
trocareis	hubiereis	trocado
trocaren	hubieren	trocado

MODO IMPERATIVO

	troquemos (nosotros/-as)
trueca (tú)	trocad (vosotros/-as)
trueque (él/ella/ud)	truequen (ellos/-as/uds)

FORMES IMPERSONNELLES

Infinitivo	Infinitivo compuesto
trocar	haber trocado
Gerundio	Gerundio compuesto
trocando	habiendo trocado
Participio	
trocado	

▮ Ainsi se conjuguent : alocar, clocar, emporcar, enclocar, enrocar, revolcar, trastrocar et volcar.
L'accent tonique diphtongue la voyelle du radical, **o** > **ue**, aux trois pers. du sing. et à la 3e pers. du plur. des Présents de l'Indicatif et du Subjonctif et aux formes de l'Impératif qui en dérivent.
Pour conserver la prononciation **c** > **qu** devant **e**, à la 1re pers. du sing. du Passé simple et à toutes les pers. du Présent du Subjonctif et aux formes de l'Impératif qui en dérivent.

FORMES PERSONNELLES

MODO INDICATIVO		MODO SUBJUNTIVO	
Temps simples	Temps composés	Temps simples	Temps composés

Presente	Pretérito perfecto compuesto	Presente	Pretérito perfecto
valgo	he valido	valga	haya valido
vales	has valido	valgas	hayas valido
vale	ha valido	valga	haya valido
valemos	hemos valido	valgamos	hayamos valido
valéis	habéis valido	valgáis	hayáis valido
valen	han valido	valgan	hayan valido

Pretérito imperfecto	Pretérito pluscuamperfecto
valiera	hubiera valido
valieras	hubieras valido
valiera	hubiera valido
valiéramos	hubiéramos valido
valierais	hubierais valido
valieran	hubieran valido
valiese	hubiese valido
valieses	hubieses valido
valiese	hubiese valido
valiésemos	hubiésemos valido
valieseis	hubieseis valido
valiesen	hubiesen valido

Pretérito imperfecto	Pretérito pluscuamperfecto
valía	había valido
valías	habías valido
valía	había valido
valíamos	habíamos valido
valíais	habíais valido
valían	habían valido

Pretérito perfecto simple	Pretérito anterior
valí	hube valido
valiste	hubiste valido
valió	hubo valido
valimos	hubimos valido
valisteis	hubisteis valido
valieron	hubieron valido

Futuro	Futuro perfecto
valiere	hubiere valido
valieres	hubieres valido
valiere	hubiere valido
valiéremos	hubiéremos valido
valiereis	hubiereis valido
valieren	hubieren valido

MODO IMPERATIVO

	valgamos (nosotros/-as)
vale (tú)	valed (vosotros/-as)
valga (él/ella/ud)	valgan (ellos/-as/uds)

Futuro	Futuro perfecto
valdré	habré valido
valdrás	habrás valido
valdrá	habrá valido
valdremos	habremos valido
valdréis	habréis valido
valdrán	habrán valido

FORMES IMPERSONNELLES

Infinitivo	Infinitivo compuesto
valer	haber valido
Gerundio	Gerundio compuesto
valiendo	habiendo valido
Participio	
valido	

Condicional	Condicional perfecto
valdría	habría valido
valdrías	habrías valido
valdría	habría valido
valdríamos	habríamos valido
valdríais	habríais valido
valdrían	habrían valido

▌ Ainsi se conjuguent : equivaler et prevaler.
Introduction de **g** devant **o** ou **a**, à la 1re pers. du sing. du Présent de l'Indicatif, à toutes les pers. du Présent du Subjonctif et aux formes de l'Impératif qui en dérivent.
Pour faciliter la prononciation et éviter la confusion entre le Conditionnel et l'Imparfait de l'Indicatif, introduction de **dr**, à toutes les pers. du Futur et du Conditionnel.

FORMES PERSONNELLES

MODO INDICATIVO

Temps simples	Temps composés
Presente	Pretérito perfecto compuesto
vengo	he venido
vienes	has venido
viene	ha venido
venimos	hemos venido
venís	habéis venido
vienen	han venido

Pretérito imperfecto	Pretérito pluscuamperfecto
venía	había venido
venías	habías venido
venía	había venido
veníamos	habíamos venido
veníais	habíais venido
venían	habían venido

Pretérito perfecto simple	Pretérito anterior
vine	hube venido
viniste	hubiste venido
vino	hubo venido
vinimos	hubimos venido
vinisteis	hubisteis venido
vinieron	hubieron venido

Futuro	Futuro perfecto
vendré	habré venido
vendrás	habrás venido
vendrá	habrá venido
vendremos	habremos venido
vendréis	habréis venido
vendrán	habrán venido

Condicional	Condicional perfecto
vendría	habría venido
vendrías	habrías venido
vendría	habría venido
vendríamos	habríamos venido
vendríais	habríais venido
vendrían	habrían venido

MODO SUBJUNTIVO

Temps simples	Temps composés
Presente	Pretérito perfecto
venga	haya venido
vengas	hayas venido
venga	haya venido
vengamos	hayamos venido
vengáis	hayáis venido
vengan	hayan venido

Pretérito imperfecto	Pretérito pluscuamperfecto
viniera	hubiera venido
vinieras	hubieras venido
viniera	hubiera venido
viniéramos	hubiéramos venido
vinierais	hubierais venido
vinieran	hubieran venido
viniese	hubiese venido
vinieses	hubieses venido
viniese	hubiese venido
viniésemos	hubiésemos venido
vinieseis	hubieseis venido
viniesen	hubiesen venido

Futuro	Futuro perfecto
viniere	hubiere venido
vinieres	hubieres venido
viniere	hubiere venido
viniéremos	hubiéremos venido
viniereis	hubiereis venido
vinieren	hubieren venido

MODO IMPERATIVO

	vengamos (nosotros/-as)
ven (tú)	venid (vosotros/-as)
venga (él/ella/ud)	vengan (ellos/-as/uds)

FORMES IMPERSONNELLES

Infinitivo	Infinitivo compuesto
venir	haber venido
Gerundio	Gerundio compuesto
viniendo	habiendo venido
Participio	
venido	

La voyelle du radical **e > ie**, à la 2e et 3e pers. du sing. et à la 3e du plur. du Présent de l'Indicatif.
La voyelle du radical **e > i**, à toutes les pers. du Passé simple et temps dérivés.
Introduction de **g** devant **o** ou **a**, à la 1re pers. du sing. du Présent de l'Ind., à toutes les pers. du Présent du Subj., et dérivés. Pour faciliter la prononciation et éviter la confusion avec l'Imparfait de l'Indicatif, remplacement de la voyelle thématique **e > d** à toutes les pers. du Futur de l'Indicatif et du Conditionnel.
* Apocope de la 2e pers. du sing. de l'Impératif.

FORMES PERSONNELLES

MODO INDICATIVO		MODO SUBJUNTIVO	
Tempo oimploc	**Tempo composóe**	**Tomps simples**	**Tempo compooóo**

Presente	Pretérito perfecto compuesto	Presente	Pretérito perfecto	
veo	he	visto	vea	haya	visto
ves	has	visto	veas	hayas	visto
ve	ha	visto	vea	haya	visto
vemos	hemos	visto	veamos	hayamos	visto
veis	habéis	visto	veáis	hayáis	visto
ven	han	visto	vean	hayan	visto

Pretérito imperfecto	Pretérito pluscuamperfecto	Pretérito imperfecto	Pretérito pluscuamperfecto	
veía	había	visto	viera	hubiera	visto
veías	habías	visto	vieras	hubieras	visto
veía	había	visto	viera	hubiera	visto
veíamos	habíamos	visto	viéramos	hubiéramos	visto
veíais	habíais	visto	vierais	hubierais	visto
veían	habían	visto	vieran	hubieran	visto
			viese	hubiese	visto
			vieses	hubieses	visto
			viese	hubiese	visto
Pretérito perfecto simple	Pretérito anterior	viésemos	hubiésemos	visto
vi	hube	visto	vieseis	hubieseis	visto
viste	hubiste	visto	viesen	hubiesen	visto
vio	hubo	visto			
vimos	hubimos	visto	Futuro	Futuro perfecto	
visteis	hubisteis	visto	viere	hubiere	visto
vieron	hubieron	visto	vieres	hubieres	visto
			viere	hubiere	visto
			viéremos	hubiéremos	visto
Futuro	Futuro perfecto	viereis	hubiereis	visto
veré	habré	visto	vieren	hubieren	visto
verás	habrás	visto			
verá	habrá	visto	**MODO IMPERATIVO**		
veremos	habremos	visto		veamos (nosotros/-as)	
veréis	habréis	visto	ve (tú)	ved (vosotros/-as)	
verán	habrán	visto	vea (él/ella/ud)	vean (ellos/-as/uds)	

Condicional	Condicional perfecto		FORMES IMPERSONNELLES	
vería	habría	visto	Infinitivo	Infinitivo compuesto
verías	habrías	visto	ver	haber visto
vería	habría	visto	Gerundio	Gerundio compuesto
veríamos	habríamos	visto	viendo	habiendo visto
veríais	habríais	visto	Participio	
verían	habrían	visto	visto	

Contraction du radical, **ve** > **v**, à la 2ᵉ et 3ᵉ pers. du sing., aux trois pers. du plur. du Présent de l'Indicatif et à la 2ᵉ pers. du plur. de l'Impératif.

La voyelle du radical, **e** > **ie**, à la 3ᵉ pers. du Passé simple et temps dérivés et au Gérondif.

Affaiblissement de la voyelle du radical, **e** > **i**, à toutes les pers. du sing., à la 1ʳᵉ et à la 2ᵉ pers. du plur. du Passé simple et au Participe passé.

* Apocope de la 2ᵉ pers. du sing. de l'Impératif.

FORMES PERSONNELLES

MODO INDICATIVO		**MODO SUBJUNTIVO**	
Temps simples	Temps composés	Temps simples	Temps composés

Presente	Pretérito perfecto compuesto	Presente	Pretérito perfecto
vuelvo	he vuelto	vuelva	haya vuelto
vuelves	has vuelto	vuelvas	hayas vuelto
vuelve	ha vuelto	vuelva	haya vuelto
volvemos	hemos vuelto	volvamos	hayamos vuelto
volvéis	habéis vuelto	volváis	hayáis vuelto
vuelven	han vuelto	vuelvan	hayan vuelto

		Pretérito imperfecto	Pretérito pluscuamperfecto
Pretérito imperfecto	Pretérito pluscuamperfecto	volviera	hubiera vuelto
volvía	había vuelto	volvieras	hubieras vuelto
volvías	habías vuelto	volviera	hubiera vuelto
volvía	había vuelto	volviéramos	hubiéramos vuelto
volvíamos	habíamos vuelto	volvierais	hubierais vuelto
volvíais	habíais vuelto	volvieran	hubieran vuelto
volvían	habían vuelto		
		volviese	hubiese vuelto
		volvieses	hubieses vuelto
		volviese	hubiese vuelto
Pretérito perfecto simple	Pretérito anterior	volviésemos	hubiésemos vuelto
volví	hube vuelto	volvieseis	hubieseis vuelto
volviste	hubiste vuelto	volviesen	hubiesen vuelto
volvió	hubo vuelto		
volvimos	hubimos vuelto	Futuro	Futuro perfecto
volvisteis	hubisteis vuelto	volviere	hubiere vuelto
volvieron	hubieron vuelto	volvieres	hubieres vuelto
		volviere	hubiere vuelto
		volviéremos	hubiéremos vuelto
Futuro	Futuro perfecto	volviereis	hubiereis vuelto
volveré	habré vuelto	volvieren	hubieren vuelto
volverás	habrás vuelto		
volverá	habrá vuelto		**MODO IMPERATIVO**
volveremos	habremos vuelto		volvamos (nosotros/-as)
volveréis	habréis vuelto	vuelve (tú)	volved (vosotros/-as)
volverán	habrán vuelto	vuelva (él/ella/ud)	vuelvan (ellos/-as/uds)

Condicional	Condicional perfecto
volvería	habría vuelto
volverías	habrías vuelto
volvería	habría vuelto
volveríamos	habríamos vuelto
volveríais	habríais vuelto
volverían	habrían vuelto

FORMES IMPERSONNELLES

Infinitivo	Infinitivo compuesto
volver	haber vuelto
Gerundio	Gerundio compuesto
volviendo	habiendo vuelto
Participio	
vuelto	

▌ Ainsi se conjuguent : absolver, desenvolver, devolver, disolver, ensolver, envolver, resolver et revolver.
▌ L'accent tonique diphtongue la voyelle du radical, **o > ue**, aux trois pers. du sing. et à la 3e pers. du plur. des Présents de l'Indicatif et du Subjonctif, aux formes de l'Impératif qui en dérivent et au Participe passé.

FORMES PERSONNELLES

MODO INDICATIVO		MODO SUBJUNTIVO	
Temps simples	Temps composés	Temps simples	Temps composés

MODO INDICATIVO

Presente	Pretérito perfecto compuesto		Presente	Pretérito perfecto	
yazgo	he	yacido	yazga	haya	yacido
yaces	has	yacido	yazgas	hayas	yacido
yace	ha	yacido	yazga	haya	yacido
yacemos	hemos	yacido	yazgamos	hayamos	yacido
yacéis	habéis	yacido	yazgáis	hayáis	yacido
yacen	han	yacido	yazgan	hayan	yacido

Pretérito imperfecto	Pretérito pluscuamperfecto		Pretérito imperfecto	Pretérito pluscuamperfecto	
yacía	había	yacido	yaciera	hubiera	yacido
yacías	habías	yacido	yacieras	hubieras	yacido
yacía	había	yacido	yaciera	hubiera	yacido
yacíamos	habíamos	yacido	yaciéramos	hubiéramos	yacido
yacíais	habíais	yacido	yacierais	hubierais	yacido
yacían	habían	yacido	yacieran	hubieran	yacido
			yaciese	hubiese	yacido
			yacieses	hubieses	yacido
			yaciese	hubiese	yacido
			yaciésemos	hubiésemos	yacido
			yacieseis	hubieseis	yacido
			yaciesen	hubiesen	yacido

Pretérito perfecto simple	Pretérito anterior		Futuro	Futuro perfecto	
yací	hube	yacido	yaciere	hubiere	yacido
yaciste	hubiste	yacido	yacieres	hubieres	yacido
yació	hubo	yacido	yaciere	hubiere	yacido
yacimos	hubimos	yacido	yaciéremos	hubiéremos	yacido
yacisteis	hubisteis	yacido	yaciereis	hubiereis	yacido
yacieron	hubieron	yacido	yacieren	hubieren	yacido

Futuro	Futuro perfecto	
yaceré	habré	yacido
yacerás	habrás	yacido
yacerá	habrá	yacido
yaceremos	habremos	yacido
yaceréis	habréis	yacido
yacerán	habrán	yacido

MODO IMPERATIVO

	yazgamos (nosotros/-as)
yace (tú)	yaced (vosotros/-as)
yazga (él/ella/ud)	yazgan (ellos/-as/uds)

Condicional	Condicional perfecto	
yacería	habría	yacido
yacerías	habrías	yacido
yacería	habría	yacido
yaceríamos	habríamos	yacido
yaceríais	habríais	yacido
yacerían	habrían	yacido

FORMES IMPERSONNELLES

Infinitivo	Infinitivo compuesto
yacer	haber yacido
Gerundio	Gerundio compuesto
yaciendo	habiendo yacido
Participio	
yacido	

Modification du radical, variation consonantique c > zg devant o ou a à la 1re pers. du sing. du Présent de l'Indicatif, à toutes les pers. du Présent du Subjonctif et aux formes de l'Impératif qui en dérivent.
* yacer est employé aux mêmes formes que son correspondant français gésir, aux 3e pers. du sing. et du plur. du Présent de l'Indicatif : yace, il gît ; yacen, ils gisent ; à l'Imparfait : yacía, il gisait ; yacían, ils gisaient ; au Gérondif : yaciendo, gisant ; aquí yace, ci-gît. Toutes les autres formes sont inusitées.

FORMES PERSONNELLES

MODO INDICATIVO

Temps simples	Temps composés
Presente	**Pretérito perfecto compuesto**
zurzo	he zurcido
zurces	has zurcido
zurce	ha zurcido
zurcimos	hemos zurcido
zurcís	habéis zurcido
zurcen	han zurcido
Pretérito imperfecto	**Pretérito pluscuamperfecto**
zurcía	había zurcido
zurcías	habías zurcido
zurcía	había zurcido
zurcíamos	habíamos zurcido
zurcíais	habíais zurcido
zurcían	habían zurcido
Pretérito perfecto simple	**Pretérito anterior**
zurcí	hube zurcido
zurciste	hubiste zurcido
zurció	hubo zurcido
zurcimos	hubimos zurcido
zurcisteis	hubisteis zurcido
zurcieron	hubieron zurcido
Futuro	**Futuro perfecto**
zurciré	habré zurcido
zurcirás	habrás zurcido
zurcirá	habrá zurcido
zurciremos	habremos zurcido
zurciréis	habréis zurcido
zurcirán	habrán zurcido
Condicional	**Condicional perfecto**
zurciría	habría zurcido
zurcirías	habrías zurcido
zurciría	habría zurcido
zurciríamos	habríamos zurcido
zurciríais	habríais zurcido
zurcirían	habrían zurcido

MODO SUBJUNTIVO

Temps simples	Temps composés
Presente	**Pretérito perfecto**
zurza	haya zurcido
zurzas	hayas zurcido
zurza	haya zurcido
zurzamos	hayamos zurcido
zurzáis	hayáis zurcido
zurzan	hayan zurcido
Pretérito imperfecto	**Pretérito pluscuamperfecto**
zurciera	hubiera zurcido
zurcieras	hubieras zurcido
zurciera	hubiera zurcido
zurciéramos	hubiéramos zurcido
zurcierais	hubierais zurcido
zurcieran	hubieran zurcido
zurciese	hubiese zurcido
zurcieses	hubieses zurcido
zurciese	hubiese zurcido
zurciésemos	hubiésemos zurcido
zurcieseis	hubieseis zurcido
zurciesen	hubiesen zurcido
Futuro	**Futuro perfecto**
zurciere	hubiere zurcido
zurcieres	hubieres zurcido
zurciere	hubiere zurcido
zurciéremos	hubiéremos zurcido
zurciereis	hubiereis zurcido
zurcieren	hubieren zurcido

MODO IMPERATIVO

	zurzamos (nosotros/-as)
zurce (tú)	zurcid (vosotros/-as)
zurza (él/ella/ud)	zurzan (ellos/-as/uds)

FORMES IMPERSONNELLES

Infinitivo	Infinitivo compuesto
zurcir	haber zurcido
Gerundio	Gerundio compuesto
zurciendo	habiendo zurcido
Participio	
zurcido	

■ Ainsi se conjuguent : desfruncir, estarcir, fruncir, resarcir et uncir.

Verbes réguliers de la troisième conjugaison. Pour conserver la prononciation, **c > z** devant **o** ou **a**, à la 1re pers. du sing. du Présent de l'Indicatif, à toutes les pers. du Présent du Subjonctif et aux formes de l'Impératif qui en dérivent.

FORMES PERSONNELLES

MODO INDICATIVO

Temps simples		Temps composés			
Presente		**Pretérito perfecto compuesto**			
soy	amado	he	sido	amado	
eres	amado	has	sido	amado	
es	amado	ha	sido	amado	
somos	amados	hemos	sido	amados	
sois	amados	habéis	sido	amados	
son	amados	han	sido	amados	
Pretérito imperfecto		**Pretérito pluscuamperfecto**			
era	amado	había	sido	amado	
eras	amado	habías	sido	amado	
era	amado	había	sido	amado	
éramos	amados	habíamos	sido	amados	
erais	amados	habíais	sido	amados	
eran	amados	habían	sido	amados	
Pretérito perfecto simple		**Pretérito anterior**			
fui	amado	hube	sido	amado	
fuiste	amado	hubiste	sido	amado	
fue	amado	hubo	sido	amado	
fuimos	amados	hubimos	sido	amados	
fuisteis	amados	hubisteis	sido	amados	
fueron	amados	hubieron	sido	amados	
Futuro		**Futuro perfecto**			
seré	amado	habré	sido	amado	
serás	amado	habrás	sido	amado	
será	amado	habrá	sido	amado	
seremos	amados	habremos	sido	amados	
seréis	amados	habréis	sido	amados	
serán	amados	habrán	sido	amados	
Condicional		**Condicional perfecto**			
sería	amado	habría	sido	amado	
serías	amado	habrías	sido	amado	
sería	amado	habría	sido	amado	
seríamos	amados	habríamos	sido	amados	
seríais	amados	habríais	sido	amados	
serían	amados	habrían	sido	amados	

MODO SUBJUNTIVO

Temps simples		Temps composés			
Presente		**Pretérito perfecto**			
sea	amado	haya	sido	amado	
seas	amado	hayas	sido	amado	
sea	amado	haya	sido	amado	
seamos	amados	hayamos	sido	amados	
seáis	amados	hayáis	sido	amados	
sean	amados	hayan	sido	amados	
Pretérito imperfecto		**Pretérito pluscuamperfecto**			
fuera	amado	hubiera	sido	amado	
fueras	amado	hubieras	sido	amado	
fuera	amado	hubiera	sido	amado	
fuéramos	amados	hubiéramos	sido	amados	
fuerais	amados	hubierais	sido	amados	
fueran	amados	hubieran	sido	amados	
fuese	amado	hubiese	sido	amado	
fueses	amado	hubieses	sido	amado	
fuese	amado	hubiese	sido	amado	
fuésemos	amados	hubiésemos	sido	amados	
fueseis	amados	hubieseis	sido	amados	
fuesen	amados	hubiesen	sido	amados	
Futuro		**Futuro perfecto**			
fuere	amado	hubiere	sido	amado	
fueres	amado	hubieres	sido	amado	
fuere	amado	hubiere	sido	amado	
fuéremos	amados	hubiéremos	sido	amados	
fuereis	amados	hubiereis	sido	amados	
fueren	amados	hubieren	sido	amados	

MODO IMPERATIVO

	seamos amados (nosotros/-as)
sé amado (tú)	sed amados (vosotros/-as)
sea amado (él/ella/ud)	sean amados (ellos/-as/uds)

FORMES IMPERSONNELLES

Infinitivo	Infinitivo compuesto
ser amado	haber sido amado
Gerundio	**Gerundio compuesto**
siendo amado	habiendo sido amado
Participio	
sido amado	

La conjugaison passive se forme avec l'auxiliaire **ser** suivi du Participe passé qui s'accorde avec le sujet.

Conjugaison type de la forme pronominale **88**

FORMES PERSONNELLES

MODO INDICATIVO

Temps simples — **Temps composés**

Presente	Pretérito perfecto compuesto
me levanto	me he levantado
te levantas	te has levantado
se levanta	se ha levantado
nos levantamos	nos hemos levantado
os levantáis	os habéis levantado
se levantan	se han levantado

Pretérito imperfecto	Pretérito pluscuamperfecto
me levantaba	me había levantado
te levantabas	te habías levantado
se levantaba	se había levantado
nos levantábamos	nos habíamos levantado
os levantabais	os habíais levantado
se levantaban	se habían levantado

Pretérito perfecto simple	Pretérito anterior
me levanté	me hube levantado
te levantaste	te hubiste levantado
se levantó	se hubo levantado
nos levantamos	nos hubimos levantado
os levantasteis	os hubisteis levantado
se levantaron	se hubieron levantado

Futuro	Futuro perfecto
me levantaré	me habré levantado
te levantarás	te habrás levantado
se levantará	se habrá levantado
nos levantaremos	nos habremos levantado
os levantaréis	os habréis levantado
se levantarán	se habrán levantado

Condicional	Condicional perfecto
me levantaría	me habría levantado
te levantarías	te habrías levantado
se levantaría	se habría levantado
nos levantaríamos	nos habríamos levantado
os levantaríais	os habríais levantado
se levantarían	se habrían levantado

MODO SUBJUNTIVO

Temps simples — **Temps composés**

Presente	Pretérito perfecto
me levante	me haya levantado
te levantes	te hayas levantado
se levante	se haya levantado
nos levantemos	nos hayamos levantado
os levantéis	os hayáis levantado
se levanten	se hayan levantado

Pretérito imperfecto	Pretérito pluscuamperfecto
me levantara	me hubiera levantado
te levantaras	te hubieras levantado
se levantara	se hubiera levantado
nos levantáramos	nos hubiéramos levantado
os levantarais	os hubierais levantado
se levantaran	se hubieran levantado
me levantase	me hubiese levantado
te levantases	te hubieses levantado
se levantase	se hubiese levantado
nos levantásemos	nos hubiésemos levantado
os levantaseis	os hubieseis levantado
se levantasen	se hubiesen levantado

Futuro	Futuro perfecto
me levantare	me hubiere levantado
te levantares	te hubieres levantado
se levantare	se hubiere levantado
nos levantáremos	nos hubiéremos levantado
os levantareis	os hubiereis levantado
se levantaren	se hubieren levantado

MODO IMPERATIVO

levántate (tú) — levantémonos (nosotros/-as)
levántese (él/ella/ud) — levantaos (vosotros/-as)
— levántense (ellos/-as/uds)

FORMES IMPERSONNELLES

Infinitivo	Infinitivo compuesto
levantarse	haberse levantado
Gerundio	Gerundio compuesto
levantándose	habiéndose levantado
Participio	—

La conjugaison pronominale se forme avec les pronoms compléments, me, te, se,... Ils se placent : dans les temps simples, *avant* le verbe ; dans les temps composés *avant* l'auxiliaire. À l'Infinitif, à l'Impératif et au Gérondif, ils se placent *après* le verbe et se soudent à lui : c'est **l'enclise**.

129

FORMES PERSONNELLES

MODO INDICATIVO		MODO SUBJUNTIVO	
Temps simples — **Temps composés**		**Temps simples** — **Temps composés**	
Presente	Pretérito perfecto compuesto	Presente	Pretérito perfecto
—	—	—	—
—	—	—	—
llueve	ha llovido	llueva	haya llovido
—	—	—	—
—	—	—	—
		Pretérito imperfecto	Pretérito pluscuamperfecto
		—	—
Pretérito imperfecto	Pretérito pluscuamperfecto	lloviera	hubiera llovido
—	—	—	—
llovía	había llovido	—	—
—	—		
—	—	—	—
		lloviese	hubiese llovido
Pretérito perfecto simple	Pretérito anterior	—	—
—	—	—	—
llovió	hubo llovido	Futuro	Futuro perfecto
—	—		
—	—	lloviere	hubiere llovido
Futuro	Futuro perfecto	—	—
—	—	—	—
lloverá	habrá llovido	**MODO IMPERATIVO**	
—	—		
—	—	—	—
Condicional	Condicional perfecto		
—	—		
llovería	habría llovido		
—	—		
—	—		

FORMES IMPERSONNELLES

Infinitivo	Infinitivo compuesto
llover	haber llovido
Gerundio	Gerundio compuesto
lloviendo	habiendo llovido
Participio	
llovido	

---

* Les verbes impersonnels sont presque toujours relatifs aux phénomènes atmosphériques. Ils s'emploient aux 3ᵉ pers. du sing. des formes personnelles et des formes impersonnelles.

Quelquefois, certains verbes impersonnels sont employés avec un sujet : **amanece el día**, *le jour se lève*. Amanecer et anochecer peuvent être employés comme des verbes personnels, et signifier : *se trouver quelque part le matin ou le soir* : **amanecí en Granada y anochecí en París**, *le matin j'étais à Grenade et, le soir, j'étais à Paris.*

Régime usuel des verbes prépositionnels

Les prépositions sont des mots invariables qui introduisent les compléments des verbes, des adjectifs, des noms et des pronoms. En espagnol, l'emploi des prépositions est régi, en général, par le verbe qui les précède. Par conséquent, bien que proches par leur sens des prépositions françaises équivalentes, les prépositions espagnoles diffèrent souvent de celles-ci dans leur emploi. Compte tenu de la complexité de ce système, les règles énoncées ci-dessous ne sauraient-être, en aucun cas, exhaustives.

Les prépositions simples

a	à	hacia	vers
ante	devant	hasta	jusqu'à
bajo	sous	mediante	moyennant
cabe	près de	para	pour
con	avec	por	par
contra	contre	pro	en faveur de
de	de	salvo	sauf
desde	depuis	según	selon
durante	pendant	sin	sans
en	en, dans	so	sous
entre	entre	sobre	sur
excepto	excepté	tras	derrière

Les principales locutions prépositives

1

además de	en plus de	detrás de	derrière
alrededor de	autour de	encima de	au-dessus de
antes de	avant de	enfrente de	en face de
cerca de	près de	fuera de	hors de
conforme a	selon, d'après	junto a	près de
debajo de	au-dessous de	lejos de	loin de
delante de	devant	tocante a	au sujet de, quant à
dentro de	dans	respecto a	à l'égard de, par rapport à
después de	après	respecto de	à propos de

Ces locutions sont composées d'un adverbe et d'une préposition.

2

a beneficio de	au profit de	a favor de	à la faveur de
a cargo de	à la charge de	a fuerza de	à force de
a causa de	à cause de	a instancias de	à la demande de
a costa de	aux dépens de	a pesar de	malgré, en dépit de
a despecho de	malgré, en dépit de	acerca de	au sujet de

al cabo de	*au bout de (temps)*	en favor de	*en faveur de*
al frente de	*à la tête de*	en torno a	*autour de*
al lado de	*à côté de*	frente a	*en face de*
con cargo a	*au compte de*	pese a	*malgré*
de por sí	*de lui même*	por medio de	*au moyen de*
en calidad de	*en qualité de*		

La préposition « a »

1 La préposition **a** introduit **un complément d'objet direct**, lorsqu'il s'agit d'un **être animé**.
Veo a Pedro. *Je vois Pierre.*   **Quiero a mi gato.** *J'aime mon chat.*

2 La préposition **a** est employée pour introduire l'idée de :

- **Mouvement vers un lieu clairement désigné.**

Asomarse a la ventana	*Se pencher à la fenêtre*
Me caí al suelo.	*Je suis tombé par terre.*
Subió al cielo.	*Il est monté au ciel.*
Girar a la izquierda	*Tourner à gauche*
Iremos a la montaña.	*Nous irons à la montagne.*
Voy a París.	*Je vais à Paris.*
Bajó al sótano.	*Il est descendu à la cave.*

- **Mouvement traduit par un verbe d'approche.**

Acercarse a Madrid	*Approcher de Madrid*
Arrímate al fuego.	*Approche-toi du feu.*

- **Mouvement figuré.**

Vamos a tomar una decisión.	*Nous allons prendre une décision.*
Adelantó a su época.	*Il a devancé son temps.*
Le salió a su padre.	*Il ressemble à son père.*

- **Mouvement intérieur :** vers une personne, une activité, une chose.

Aficionarse a los toros	*Se passionner pour les corridas*
Se apegó a su familia.	*Il s'est attaché à sa famille.*
Temo a mis enemigos.	*J'ai peur de mes ennemis.*
Tiene miedo a las arañas.	*Il a peur des araignées.*
Es aficionado a las antigüedades.	*Il est amateur d'antiquités.*
Amor al prójimo.	*Amour du prochain.*

- **Mouvement** accompagné de **l'idée de but.**

Vengo a pedirte un favor.	*Je viens te demander un service.*
Salió a comprar pan.	*Il est sorti acheter du pain.*
Corrieron a esconderse.	*Ils ont couru se cacher.*

Les verbes **detenerse, pasearse, sentarse** ne sont suivis de la préposition **a**, pour introduire le but, que lorsqu'ils expriment **un mouvement qui s'achève.**

Es hora de sentarse a descansar.   *Il est temps de s'asseoir pour se reposer.*
Se detuvo a contemplar la Alhambra.   *Il s'est arrêté pour contempler l'Alhambra.*

- Mouvement accompagné de **l'idée de dépassement.**

Adelantar a otro coche.   *Dépasser une autre voiture.*
Superar a un rival.   *Surpasser un rival.*

3 La préposition **a** est aussi employée après certains verbes qui introduisent **les notions de commencement, répétition** ou **d'obligation.**

La niña se echó a llorar.   *La petite fille s'est mise à pleurer.*
Volvió a sus ocupaciones habituales.   *Il a repris ses tâches habituelles.*
Lo forzaron a marcharse.   *Ils l'ont obligé à partir.*

4 La préposition **a** sert aussi à indiquer **la situation.**

- Dans l'espace.

Estaba a la izquierda de la ventana.   *Il/Elle était à gauche de la fenêtre.*
Está a diez kilómetros de Buenos Aires.   *Il/Elle est à dix kilomètres de Buenos Aires.*
Sentarse a orillas del mar.   *S'asseoir au bord de la mer.*

- Dans le temps.

a las cinco de la tarde   *à cinq heures de l'après-midi*
mañana a las siete   *demain à sept heures*
a los tres meses de llegado   *trois mois après son arrivée*

5 La préposition **a** introduit **le complément de manière.**

Reía a carcajadas.   *Il riait à gorge déployée.*
Llueve a cántaros.   *Il pleut à verse.*
Lo echó a puntapiés.   *Il l'a chassé à coups de pied.*

6 La préposition **a** introduit **des locutions adverbiales de manière.**

a todo correr   *à toutes jambes*
a toda costa   *coûte que coûte*
a bulto   *au jugé*
a oscuras   *dans le noir*
a regañadientes   *en maugréant*
a sangre fría   *de sang-froid*

➤ Le **moyen de locomotion** est introduit par a : a **pie** *(à pied)* ; a **caballo** *(à cheval)*...
Dans tous les **autres cas** on emploie la préposition **en**.

7 La préposition a introduit le complément de certains noms et certains verbes pour **préciser une sensation.**

Tiene sabor a miel.	*Cela a un goût de miel.*
Tenía olor a azufre.	*Cela avait l'odeur du soufre.*
Huele a tabaco.	*Ça sent le tabac.*

8 La préposition a introduit **la notion de prix.**

A veinte francos.	*À vingt francs.*

9 La préposition a sert à exprimer **la condition, le doute**, placée devant un verbe à l'infinitif.

A saber que había de venir...	*Si j'avais su qu'il allait venir...*
A saber si tiene dinero.	*Va savoir s'il a de l'argent.*

10 La préposition a introduit un **complément d'attribution.**

Doy limosna a los menesterosos.	*Je fais l'aumône aux nécessiteux.*
Relatar un cuento a los niños.	*Raconter une histoire aux enfants.*
Le hará un regalo a su novia.	*Il fera un cadeau à sa fiancée.*

La préposition « con »

1 La préposition con sert à exprimer **l'accompagnement et la rencontre.**

María vino a casa con su hermana.	*Marie est venue à la maison avec sa sœur*
Comía pescado con arroz.	*Il mangeait du poisson avec du riz.*
Se reunieron con sus amigos.	*Ils se sont réunis avec leurs amis.*
Se encontró con mi madre.	*Il a rencontré ma mère.*
Tengo cita con el director.	*J'ai rendez-vous avec le directeur.*

➤ Pour les nourritures, l'accompagnement peut devenir **mélange.**

Tomó un café con leche.	*Il a pris un café au lait.*

2 La préposition con sert à exprimer **la manière, le moyen, l'instrument.**

Lo recordaba con alegría.	*Il s'en souvenait avec joie.*
Le hice una seña con la mano.	*Je lui fis signe de la main.*
Comían con las manos.	*Ils mangeaient avec les mains.*

3 La préposition con sert à introduire **un complément de nom à valeur descriptive** (momentanée).

Una mujer con cabello rubio.   *Une femme aux cheveux blonds.*
Un hombre con un sombrero negro.   *Un homme avec un chapeau noir.*

4 La préposition con sert à introduire **un complément à valeur causale**.

Con esta nieve no se puede caminar.   *Avec toute cette neige on ne peut pas marcher*
Con este tiempo nos vamos a la playa.   *Avec ce temps, nous allons à la plage*

5 La préposition con sert à introduire **l'idée d'opposition, de restriction ou de concession**.

Estar en guerra con todo el mundo.   *Être en guerre avec tout le monde*
Con ser el mejor no lo han promovido.   *Bien qu'il soit le meilleur, il n'a pas été promu.*
Con llorar no se arregla nada.   -   *En pleurant on n'arrange rien.*

6 La préposition con sert à exprimer **les notions d'accord, de conformité, de comparaison**.

compararse con los mejores   *se comparer aux meilleurs*
contentarse con su suerte   *se contenter de son sort*
conformar su opinión con la ajena   *conformer ses idées à celles des autres*

La préposition « de »

1 La préposition de sert à exprimer **le lieu d'où sont originaires, d'où viennent, d'où sortent les personnes ou les choses**.

Paco es de Granada.   *Paco est de Grenade.*
El mármol es de Carrara.   *Le marbre est de Carrare.*
Viene de Andalucía.   *Il vient d'Andalousie.*
El tren salía de la estación.   *Le train quittait la gare.*
Iba de Madrid a Toledo.   *Il allait de Madrid à Tolède.*
Se alejaron de la ciudad.   *Ils se sont éloignés de la ville.*
No salgo de casa.   *Je ne sors pas de chez moi.*

2 La préposition de sert à introduire :

a/ **un complément de nom** pour indiquer **la matière** dont est faite une chose, **l'appartenance**, **une caractéristique essentielle** telle que la fonction, l'habillement ou le contenu.

el sombrero de paja   *le chapeau de paille*
el sombrero de Juan   *le chapeau de jean*
la máquina de escribir   *la machine à écrire*

una casa de ladrillos   *une maison en briques*
un vaso de agua   *un verre d'eau*
vestirse de verano   *s'habiller légèrement*

b/ le complément de l'adjectif, pour exprimer **un trait physique ou de caractère**.

Era ancho de espaldas.   *Il/Elle était large d'épaules.*
Es duro de corazón.   *Il/Elle a le cœur dur.*
Es morena de tez.   *Il/Elle a le teint mat.*

Précédée d'un adjectif qualificatif et suivie d'un nom de personne, la préposition de **renforce le sens de l'adjectif qualificatif.**

El tonto de Manuel se irá temprano.   *Ce bêta de Manuel partira tôt.*
El pícaro de su hermano...   *Son coquin de frère...*

Le complément de l'adjectif prend une **valeur intransitive** dans des constructions telles que :

vino del bueno   *du bon vin*
de lo peor   *ce qu'il y a de pire*

3

La préposition de sert à introduire un complément circonstanciel de temps, de manière et certains compléments de cause.

- **Complément circonstanciel de temps.**

  Se levantaba de madrugada.   *Il se levait à l'aube.*
  De momento, no puedo atenderte. *Pour le moment, je ne peux m'occuper de toi.*

- **Complément circonstanciel de manière.**

  Tienen que viajar de pie todo el trayecto. *Ils doivent faire tout le trajet debout.*
  Se cayó de bruces.   *Il/Elle tomba à plat ventre.*
  Se colocará de cocinera en este hotel. *Elle se placera comme cuisinière dans cet hôtel.*
  Estaba de médico en un pueblo.   *Il était médecin dans un village.*

- **Complément circonstanciel de cause.**

  Se morían de hambre.   *Ils mouraient de faim.*
  Los niños se reían de la broma.   *Les enfants riaient de la plaisanterie.*
  Lo hago de miedo.   *Je le fais par peur.*

4

La préposition de sert à introduire des « **phrases toutes faites** » qui peuvent exprimer aussi bien **la manière** que **le but.**

Se va de viaje.   *Il part en voyage.*
Salían de compras.   *Ils sortaient faire des courses.*

5 Pour indiquer **la fraction d'un tout défini.**

Quiero de esa carne.	*Je veux de cette viande-là.*
Bebe de tu vino.	*Bois de ton vin.*

6 La préposition de suivie de l'infinitif sert à exprimer **la condition.**

De haberlo sabido, no habría venido.   *Si je l'avais su, je ne serais pas venu.*

7 La préposition de sert à introduire **le terme de la comparaison.**

más de lo necesario	*plus qu'il n'est besoin*
peor de lo que pensaba	*pire que je ne le pensais*

On retrouve cette construction dans des formules telles que :

mayor de edad	*majeur*
menor de edad	*mineur*

La préposition « desde »

La préposition desde sert à souligner **le point d'origine, réel ou figuré.**

- Dans l'espace.

Vengo enfermo desde París.	*Je suis malade depuis Paris.*
Desde ese punto de vista,	*De ce point de vue,*
no estoy de acuerdo contigo.	*je ne suis pas d'accord avec toi.*

- Dans le temps.

Desde la infancia...	*Depuis l'enfance...*
He trabajado desde las 8 de la mañana.	*J'ai travaillé depuis 8 heures.*

La préposition « en »

1 La préposition en sert à exprimer **la localisation dans l'espace,** quand il n'y a a **pas de mouvement** ou que **le mouvement se fait sur place** ou **vers l'intérieur d'un volume.** Ce mouvement peut-être **réel ou figuré.**

a/ Mouvement réel.

Vivo en España, en Málaga.	*J'habite en Espagne, à Málaga.*
Está en mi casa, en la planta baja.	*Il/Elle est chez moi, au rez-de-chaussée.*
Se sienta en la silla.	*Il s'assied sur la chaise.*
Nos apeamos en el andén.	*Nous sommes descendus sur le quai.*
Puso la ropa en la maleta.	*Il/Elle mit les vêtements dans la valise.*

Entrar en una tienda.	Entrer dans un magasin.
Se zambullía en la piscina.	Il plongeait dans la piscine.
Hundo la cabeza en el agua.	Je plonge la tête dans l'eau.
Viajar en tren.	Voyager en train.

On emploie **en** avec les verbes qui expriment un choc. Mais seulement **si le choc a lieu à la surface**. Autrement on emploie **contra**.

Se estrellaron en el suelo.	Ils s'écrasèrent sur le sol.
La pelota rebotaba en la pared.	La balle rebondissait sur le mur.

b/ Mouvement figuré.

Estamos metidos en un negocio.	Nous sommes engagés dans une affaire.
Hundido en sus pensamientos.	Plongé dans ses pensées.

Le **mouvement figuré** apparaît aussi avec les verbes **pensar**, **creer**, **confiar**, **fijarse** ...

Pienso en él.	Je pense à lui.
Cree en Dios.	Il croit en Dieu.

2 La préposition **en** sert à introduire **le complément circonstanciel de temps**.

• **À l'intérieur d'une période donnée**, notamment lorsqu'il s'agit d'un mois, d'une année, d'une saison, d'un siècle.

Nació en 1939.	Il/Elle est né(e) en 1939.
En primavera, el jardín está florido.	Au printemps, le jardin est fleuri.

• Pour exprimer **la durée**.

Terminarán el trabajo en pocas horas.	Ils finiront le travail en quelques heures.
En pocos meses aumentará de peso.	En quelques mois il/elle prendra du poids.
En mi vida oí tal cosa.	De ma vie je n'ai entendu pareille chose.

3 La préposition **en** sert à introduire **un complément de manière**.

Le hablaba en voz baja.	Il lui parlait à voix basse.
Los niños rompieron en llanto.	Les enfants éclatèrent en sanglots.
Estaban en bañador.	Ils étaient en maillot de bain.
Llega en mangas de camisa.	Il arrive en bras de chemise.
Viajamós en tren.	Nous voyageons en train.
Voy en avión.	Je vais en avion.

4 La préposition **en** sert à introduire une notion de compétence, une activité intellectuelle ou physique.

versado en arquitectura	versé en architecture
perito en leyes	expert en lois
doctor en medicina	docteur en médecine

5 La préposition en sert à introduire la **notion de quantité**.

Fue evaluado en 50.000 pesetas. *Il a été évalué à 50.000 pesetas.*
Los sueldos serán aumentados
en un dos por ciento. *Les salaires seront augmentés de deux pour cent.*

La préposition « entre »

1 La préposition entre sert à exprimer **un état, une situation intermédiaire, une localisation dans l'espace et le temps dont les limites sont précisées.**

entre **Sevilla y Granada** *entre Séville et Grenade*
entre **mar y cielo** *entre la mer et le ciel*
entre **las 8 y las 10** *entre 8 heures et 10 heures*
entre **fines de abril y principios de mayo** *entre la fin avril et début mai*
entre **dulce y agrio** *aigre-doux*
entre **satisfecho y sorprendido** *mi-satisfait, mi-étonné*

2 La préposition entre sert à exprimer **l'intériorité**.

Lo pensábamos entre **nosotros.** *Nous le pensions entre nous.*

3 La préposition entre sert à introduire **l'idée de coopération ou de réciprocité**.

La traen entre **los dos.** *Ils l'apportent à eux deux.*
Hablaban entre **ellos.** *Ils parlaient entre eux.*

4 La préposition entre sert à introduire **la notion de groupe** considéré comme un ensemble, en général, pour exprimer une habitude.

entre **los médicos** *chez les médecins*
entre **los romanos** *chez les romains*
entre **la gente** *parmi la foule*

5 La préposition entre sert à exprimer **le choix, l'hésitation**.

Vacilaba entre **marcharse o quedarse.** *Il/Elle hésitait entre partir ou rester.*

La préposition « para »

1 La préposition para sert à introduire **le complément circonstanciel de but**.

Compro flores para **mi madre.** *J'achète des fleurs pour ma mère.*
Es bueno para **el dolor de cabeza.** *C'est bon pour le mal de tête.*

2 La préposition **para** sert à introduire **le complément circonstanciel de temps**. Dans ce cas, elle indique **une direction ou un terme**.

No dejes para mañana lo que puedes hacer hoy.   *Ne remets pas à demain ce que tu peux faire aujourd'hui.*

Llegará para las fiestas.   *Il arrivera pour les fêtes.*

3 La préposition **para** sert à introduire **le complément circonstanciel de lieu** en soulignant l'idée de direction.

Salimos para la escuela.   *Nous partons pour l'école.*

Vuelvo para casa.   *Je rentre chez moi.*

Dans ce sens, **para** peut exprimer de façon figurée **un mouvement vers l'intériorité**.

decir para sí   *se dire à soi-même*

tengo para mí...   *personnellement, je pense que...*

4 La préposition **para** sert à introduire une relation ou une comparaison.

Es poco para lo que vales.   *C'est peu pour ce que tu vaux.*

Hace buen tiempo para la estación.   *Il fait beau pour la saison.*

La préposition « por »

1 La préposition **por** introduit une notion de **trajectoire**.

- **Dans l'espace.**

  El sol aparece por el este.   *Le soleil se lève à l'est.*

  Iremos a Valencia por Barcelona.   *Nous irons à Valence en passant par Barcelone.*

  Pasearse por el jardín.   *Se promener dans le jardin.*

  Subir por la escalera.   *Monter par l'escalier.*

  Lo encontraremos por Madrid.   *Nous le rencontrerons près de Madrid*

- **Dans le temps.**

  Nos veremos por Navidad.   *Nous nous verrons à Noël.*

  Por la mañana, leo; por la tarde escribo; por la noche, sueño.   *Le matin, je lis ; l'après-midi, j'écris ; la nuit, je rêve*

2 La préposition **por** introduit **un complément d'agent**.

La ciudad ha sido destruída por el bombardeo.   *La ville a été détruite par le bombardement.*

El Presidente será recibido por el Rey.   *Le Président sera reçu par le Roi.*

3 La préposition **por** sert à introduire **un complément circonstantiel de cause**.

    Cerrado por defunción.   *Fermé pour cause de deuil.*

    Lo desprecian por cobarde.   *On le méprise parce qu'il est lâche.*

4 La préposition **por** sert à introduire **un complément circonstantiel de but**.

    Por divertirse, haría cualquier cosa.   *Pour s'amuser, il ferait n'importe quoi.*

    Hablar por hablar   *Parler pour ne rien dire*

    Ir por pan   *Aller chercher du pain*

5 La préposition **por** sert à exprimer **la joie, la qualité ou l'opinion**.

    Por suerte le tocó el gordo.   *Il a eu la chance de gagner le gros lot.*

    Tomar por esposa   *Prendre pour épouse*

    Lo tengo por bueno.   *Je pense qu'il est bon.*

6 La préposition **por** sert à exprimer **l'échange**.

    Lo comprará por pocas pesetas.   *Il l'achètera pour quelques pesetas.*

    Te cambio mi libro por el tuyo.   *Je te donne mon livre en échange du tien.*

7 La préposition **por** sert à exprimer **la multiplication et la proportion**.

    tres por cuatro   *trois fois quatre*

    diez por ciento   *dix pour cent*

    a mil pesetas por persona   *à mille pesetas par personne*

a

abalanzarse al peligro, -contra una pared, -hacia el recién llegado, -sobre el centinela, -tras alguien.

abandonarse a la suerte, -al dolor, -en manos del cirujano.

abarrotarse de gente.

abastecer con pan y carne, -de agua, -desde tierra, -en verano, -hasta Navidad, -sin tregua.

abatirse al suelo, -ante los ruegos, -con dificultad, -de espíritu, -en la desgracia, -hacia la proa, -hasta el borde, -por los reveses.

abdicar de las viejas ideas, -en el Príncipe, -en contra de sus deseos, -por la fuerza, -tras la derrota.

abismarse en el estudio.

abjurar al error, -ante el concilio, -bajo pena de excomunión, -de la equivocación, -en Toledo.

abocar a una solución.

abocarse con alguno.

abochornarse de algo, -por alguno, -sin razón.

abogar a favor de, en favor de alguien, -ante el tribunal, -contra algo, -por alguno.

abominar de su suerte, -del vicio, -sin dudarlo.

abonar en una cuenta.

abonarse al teatro, -desde el lindero, -en profundidad, -hacia abajo, -hasta la carretera, -sin parar.

abordar (una nave) a, con otra, -contra las rocas, -en una isla.

aborrecer a alguien, -con fuerza, -de muerte.

abrasarse de amor, -en deseos.

abrazar contra su corazón.

abrazarse a alguien, -con el enemigo.

abrevar con agua, -de maldad, -en la charca.

abreviar con la partida, -de razones, -en tiempo, -por la selva.

abrigarse a la fortaleza, -bajo techado, -con ropa, -contra el frío, , -de la lluvia, -en el portal, -entre los árboles, -para dormir, -por precaución, -tras el parapeto.

abrir al público, -con fuerza, -de arriba abajo, -desde la torre, -en canal, -hacia afuera, -sin precaución.

abrirse a las amistades, -con los amigos, -de piernas, -hacia dentro, -hasta la cintura, -sobre la ciudad, -tras la epidemia.

abrumar con caricias, -de atenciones.

absolver al penitente, -ante la comunidad, -del cargo, -sin pérdida, -tras la confesión.

abstenerse de beber.

abstraerse ante el espectáculo, -con la música, -de lo que rodea.

abundar ante el Rey, -de, en riqueza.

aburrirse con alguien, -de esperar, -en casa, -por todo, -sin motivo.

abusar con los amigos, -de la amistad, -en el precio.

acabar a tiempo, -bajo el agua, -con su fortuna, -contra un árbol, -de venir, -en el manicomio, -entre flores, -para octubre, -por negarse, -sin dinero.

acaecer (algo) a alguno, -bajo Carlos V, -en tiempos de los árabes.

acalorarse con el gentío, -de correr, -en la multitud, -por poco, -sin motivos, -tras la carrera.

acarrear a lomo, -con barcazas, -desde Jávea, -en ruedas, -entre todos, -hasta León, -para el amo, -sin tregua.

acceder a la petición.

acelerarse a partir, -desde media cuesta, -por la urgencia.

aceptar (algo) de alguien, -en prueba, -para otro, -por marido, -sin pestañear.

acercarse a la villa, -desde tierra, -hacia el enemigo, -hasta el río, -por el norte.

acertar a la lotería, -con la casa, -desde el comienzo, -en las quinielas, -hacia la mitad, -hasta el final, -sin dudar.

achicarse ante el jefe.

achicharrarse al, bajo el sol, -de calor, -por el bochorno.

achuchar a alguien, -(una persona) contra algo, -por los lados.

aclamar al Presidente, -con aplausos, -contra sus enemigos, -desde el aeropuerto, -hasta la ciudad, -por Rey, -sin descansar.

aclimatarse a un país, -en España, -entre nosotros, -sin problemas.

acobardarse ante el adversario, -frente al contrario, -con el frío, -de verse solo, -en la pelea, -por la enfermedad.

acodarse a la ventana, -en el alféizar, -sobre la baranda.

acoger a los amigos, -bajo techo, -en casa, -entre los nuestros.

acogerse a, bajo sagrado, -de la guerra, -en el templo, -hasta la primavera, -sobre medianoche, -tras la frontera.

acometer al contrario, -contra el adversario, -hacia el enemigo, -de cara, -hasta la caída del sol, -(a alguien) por la espalda, -según lo pactado, -sin tregua.

acomodarse a, con otra opinión, -de criado, -en una casa, -por poco tiempo, -para viajar, -sobre la cubierta, -tras la derrota.

acompañar a palacio, -con ejemplos, -de pruebas, -en el sentimiento, -hasta la iglesia.

acompañarse al piano, -con, de buenos.

acomplejar con sus éxitos.

acondicionar con sal y pimienta, -(la fruta) en cajas, -para el transporte, -según la receta.

aconsejar contra su enemigo, -(a alguien) de algo, -en algún asunto, -sobre la elección.

aconsejarse con, de sabios, -en el negocio.

acontecer a, con todos, -bajo la República, -por el verano, -según lo concluido.

acoplar (el remolque) al tractor, -(el instrumento) en la caja, -entre los dos, -tras el camión.

acoplarse con otra persona.

acorazarse contra la maledicencia, -de indiferencia, -para la pelea.

acordar (la voz) al instrumento, -con un instrumento, -entre los socios.

acordarse con los contrarios, -de lo pasado, -en hacer algo, -sobre algo.

acortar con el atajo, -de palabras, -desde el principio, -en diez kilómetros, -por la vereda.

acosar a un deudor, -con preguntas.

acostarse con alguien, -contra la pared, -de noche, -en pijama, -entre las peñas, -hacia medianoche, -hasta las cinco, -por la mañana, -sobre el césped.

acostumbrarse a los trabajos, -con los demás, -según la tradición, -sin dificultad.

acreditarse con alguien, -de necio, -en su oficio, -para alguno.

acribillar a tiros, -con clavos.

actuar bajo la amenaza, -con otro, -contra alguien, -de comparsa, -en los negocios, -para sí, -por lo civil, -según la ley.

acudir a, con la solución, -ante la autoridad, -de todas partes, -desde muy lejos, -en su ayuda, -sin pérdida de tiempo, -tras la caballería.

acumular (los intereses) al capital, -(riquezas) sobre riquezas.

acusar (a alguno) ante el juez, -con insistencia, -de un delito.

acusarse con arrepentimiento, -de las culpas.

adaptar o adaptarse al uso, -con algo.

adelantar en la carrera, -(no) nada con enfadarse, -(la silla) hacia la mesa, -por la izquierda.

adelantarse a otros, -en los estudios, -hasta el Tajo, -por el lado izquierdo, -según lo convenido, -sin avisar.

adentrarse con la infantería, -en el bosque, -desde la orilla del mar, -hasta el bosque, -para descansar.

adherir a un dictamen.

adiestrar(se) a esgrimir, -con la espada, -en la lucha, -entre campeones, -para el juego.

admirarse ante, de un exceso, -en el espejo, -por el éxito.

admitir a alguien, -bajo juramento, -en sociedad, -por jefe, -sin reservas.

adobar con vinagre.

adolecer de alguna enfermedad.

adoptar a alguien, -por hijo, -para la batalla.

adorar a Dios, -con el alma, -de todo corazón.

adormecerse en un vicio.

adormilar(se) en un sillón.

adornar con florones, -de carteles, -por fuera.

adueñarse con dádivas, -de la fortuna, -en tres semanas, -por tierra y mar, -sin resistencia.

advertir a alguien, -del peligro, -en secreto, -sin reservas.

afanarse al trabajo, -bajo el sol, -hasta la caída del sol, -en ganar, -por la recompensa, -sobre el arado, -tras la yunta.

aferrarse a, con, en su opinión.

afianzar a alguien, -bajo techo, -con sus bienes, -entre dos troncos, -sobre el fondo del agua, -tras la pared.

afianzarse ante el jefe, -con un consejo, -en la fe, -para el paso, -sobre el apoyo.

aficionarse a, de alguna cosa.

afilar con el cuchillo, -en la piedra.

afiliarse a un partido.

afinar (un instrumento) con otro.

afinarse en el trato.

afincarse en París.

afirmarse en lo dicho.

afligirse ante, de, por la situación actual.

aflojar en el estudio.

aflorar a la superficie.

afluir (el público) al estadio.

afrentar con denuestos.

afrentarse a, de su estado.

afrontar al enemigo, -con la conducta.

agarrar de, por el pelo.

agarrarse al pasamanos, -de la barandilla.

agarrotarse de frío.

agazaparse bajo una rampa, -tras el matorral.

agobiarse con, de, por los años.

agonizar por salir.

agraciar con una gran cruz.

agradar al gusto, -con cada cual, -para todos.

agraviarse de alguno, -por una chanza.

agregar (leche) al café.

agregarse de, con todos.

agriarse con los reveses de la vida.

aguantarse con la bronca.

aguardar a otro día, -en casa.

ahitarse de manjares.

ahogarse de calor, -en poca agua, -entre una cosa y otra.

ahondar con pico y pala, -en el tema.

ahorcajarse en los hombros de alguno.

ahorcarse con una soga, -de, en un árbol.

airarse con alguien, -contra alguno, -de lo dicho, -por lo que dijeron.

ahorrarse (aclaraciones) -con alguien.

aislarse de la gente.

ajetrearse de un lado a otro, -de un lado para otro.

ajustar(se) (una cosa) a otra, -con el amo, -(un trabajo) en mil pesetas.

alabar a alguien, -de discreto, -(algo) en otro, -(a alguien) por su prudencia.

alabarse de valiente.

alampar por beber.

alardear de inteligente.

alargarse a la ciudad, -en la narración, -hasta el pueblo.

alarmarse por poca cosa.

albergarse en un hotel.

alborotarse por poca cosa.

alcanzar al techo, -con ruegos del Rey, -en días, -(la paga) hasta fin de mes, -para todos.

alear con cobre.

aleccionar a un hijo, -en el modo de conducirse.

alegar de, con pruebas, -en defensa.

alegrarse con la noticia, -del acontecimiento, -por lo sucedido.

A/A

alejarse de su tierra, -en el mar, -por los aires.
alentar con la esperanza, -en vano.
aliarse (uno) a, con, contra, otro.
alimentarse a base de frutas, -con huevos, -de hierbas.
aliñar con vinagre.
alinear(se) bajo las órdenes del entrenador, -con el Real Madrid, -de portero, -en el equipo titular, -(un jugador) en lugar de, en vez de otro.
alistarse -en la Armada, -por socio.
aliviar del dolor, -con medicinas, -en el trabajo.
allanar hasta el suelo.
allanarse a lo justo.
alocarse por poca cosa.
alojarse en un hotel.
alquilar (un piso) en, por mil pesetas.
alternar con los sabios, -en el servicio, -entre unos y otros.
alternarse en la tarea.
alucinar(se) con sofismas, -en el examen, -por lo observado.
aludir a, en algo.
alumbrarse con la linterna, -en la oscuridad.
alzar (los ojos) al cielo, -(algo) del suelo, -por caudillo.
alzarse a mayores, -con el reino, -contra el gobierno, -de la silla, -en rebelión.
amagar con un ataque.
amainar en sus pretensiones.
amanecer con fiebre, -en Alicante, -entre Pinto y Valdemoro, -por la sierra, -sobre las cinco.
amañarse a escribir, -con cualquiera, -para hacer un trabajo.
amar de corazón.
amargar con hiel.
amarrar a un tronco, -con cuerdas.
amedrentarse ante el profesor, -por cualquier cosa.
amenazar (a alguien) al pecho, -con la espada, -de muerte.
amparar (a uno) de la persecución, -en la posesión.
ampararse bajo un árbol, -con algo, -contra el viento, -de la lluvia, -en el portal.

amueblar con lujo.
añadir a lo expuesto.
andar a gatas, -con el tiempo, -de puntillas, -detrás de alguien, -en pleitos, -entre mala gente, -por conseguir algo, -sobre el césped, -tras un negocio.
andarse en flores, -por las ramas.
anegar en sangre, -de tierra.
anhelar a más, -por mayor fortuna.
animar al certamen, -con aplausos.
anochecer en Valencia.
anteponer (la obligación) al gusto.
anticipar (diez mil pesetas) sobre el sueldo.
anticiparse a otro.
anunciar(se) en la prensa, -por la radio.
añadir a lo dicho.
apabullar con argumentos.
apacentarse con, de memorias.
apalabrar a un criado, -(un negocio) con alguien.
apañarse con mil pesetas.
aparar con, en la mano.
aparcar en una calle.
aparecer en el fondo, -con alguien, -entre las nubes, -por el horizonte.
aparecerse a, ante alguien, -en casa, -entre sueños.
aparejarse al, para trabajo.
apartar a un lado, -de sí.
apartarse a un lado, -de la ocasión.
apasionarse con, de, en, por alguno.
apearse a merendar, -del autobús, -en marcha, -para hacer compras, -por la puerta delantera.
apechugar con las secuelas.
apegarse a un empleo.
apelar a otro medio, -ante la Audiencia, -contra la condena, -de la sentencia, -para, ante el Tribunal Superior, -por algo.
apelotonarse a la entrada.
apencar con las consecuencias.
apercibirse a la contienda, -para la batalla, -contra el enemigo, -de armas.
apesadumbrarse con, de la noticia, -por niñerías.

apestar a, perfume barato, -(el mercado) de géneros, -**con** sus amigos.

apiadarse de los pobres.

apiñarse ante los escaparates.

aplastar contra la pared.

aplicar(se) a los estudios, -**en** clase.

apoderarse de la hacienda.

aporrear a alguien, -**en** la puerta.

aportar a la ciudad, -**en** dinero.

aposentarse en un hotel.

apostar a correr, -**con** un amigo, -**por** lo mejor.

apostatar de la fe.

apoyar con citas, -**en** autoridades.

apoyarse en la pared, -**sobre** la columna.

apreciar en mucho, -**en**, por su verdadero valor, -**por** sus prendas.

aprender a escribir, -**con** la lectura, -**de** su padre, -**por** sus principios.

aprestarse a la lucha, -**para** salir.

apresurarse a venir, -**con** réplica, -**por** llegar a tiempo.

apretar a llover, -**con** las manos, -**contra** sí, -**entre** los brazos, -**sobre** la tapadera.

aprisionar bajo el agua, -**con** una trampa, -**del** cuello, -**en** la calle, -**entre** la escalera, -**por** los brazos, -**tras** la puerta.

aprobar en latín, -**por** unanimidad.

apropiar para sí.

apropiarse de lo ajeno.

aprovechar en el estudio, -**para** copiar.

aprovecharse de la ocasión.

aprovisionar con víveres, -**de** mercancías.

aproximar (una cosa) a, de otra.

aproximarse al altar.

apuntar a alguien, -**con** la pistola, -**en** mi haber, -**hacia** la solución.

apurarse con un percance, -**en** los reveses, -**por** poco.

aquietarse con la explicación.

arder a fuego lento, -(la casa) con llamas, -**en** deseos, -**por** ir al cine.

arderse de cólera, -**en** deseos.

argüir a favor del acusado, -**con** pruebas, -**contra** la sentencia, -**en favor** de lo dicho,

-**de** falso, -**en** contra de la argumentación.

argumentar para la defensa.

armar con lanzas, -**de** carabinas, -**hasta** los dientes.

armarse de paciencia.

armonizar (una cosa) con otra.

arraigarse en Castilla.

arramblar con todo.

arrancar (la broza) al, del suelo, -**de** raíz.

arrancarse a cantar, -**con** mil pesetas, -**de** raíces, -(el toro) contra el picador, -**hacia** el torero, -**por** peteneras.

arrasarse (los ojos) de, en lágrimas.

arrastrar desde tiempo, -**en** su caída, -**hasta** la puerta, -**por** tierra.

arrastrarse a los pies, -**por** tierra.

arrebatar de las manos.

arrebatarse de, en cólera.

arrebozarse con, en la capa.

arrecirse de frío.

arreglarse a la razón, -**con** el acreedor, -**para** salir, -**por** las buenas.

arregostarse a los cambios, -**de** nuevo.

arrellanarse en la butaca.

arremeter al, con, contra el bandido.

arremolinarse a la salida, -**alrededor del** auto, -**en** la puerta.

arrepentirse de sus actos.

arrestarse a todo.

arribar a Cádiz.

arriesgarse a salir, -**en** la empresa.

arrimarse al sol que más calienta.

arrinconarse en una esquina.

arrojar a, en la calle, -**de** sí, -**por** la ventana.

arrojarse a pelear, -**contra** el bandido, -**del** balcón, -**desde** la terraza, -**en** el estanque, -**por** la ventana, -**sobre** el enemigo.

arroparse con, en la manta.

arrostrarse con los peligros.

asaetear a, con las súplicas.

asar a la lumbre, -**en** la parrilla.

asarse de calor.

ascender a coronel, -**de** categoría, -**en** la carrera, -**por** los aires.

asediar de solicitudes, -**con** preguntas.

asegurar(se) contra el pedrisco, -de los incendios.

asemejarse a algo, -en, por el color.

asentarse (el pueblo) a orillas del río, -en el trono.

asentir a un dictamen.

asesorarse con juristas, -de letrados, -en cuestiones económicas.

asimilar (una cosa) a otra.

asir a la niña, -con una tenaza, -de la ropa, -por los cabellos.

asirse a las ramas, -con el contrario, -de las cuerdas.

asistir a los enfermos, -de oyente, -en la necesidad.

asociarse a, con uno.

asomarse a la calle, -por el balcón.

asombrarse con el empeño, -de, por algo.

asonantar (una palabra) con otra.

asparse a gritos, -por algo.

aspirar a mayor fortuna.

asquearse de la falsedad.

asustarse de todo, -con el rumor, -por un ruido.

atacar a raíz.

atajar por los campos.

atar (el caballo) a un tronco, -con cuerdas, -de pies y manos, -por la cintura.

atarearse a escribir, -con los asuntos, -en los negocios.

atarse a una sola opinión, -en las dificultades.

atascarse con el coche, -en el barro.

ataviarse de, con lo ajeno.

atemorizarse con, de, por la tempestad.

atenazar al banco.

atender a la conversación.

atenerse a lo seguro.

atentar a la vida, -contra la propiedad.

aterirse de frío, -en la calle, -contra un árbol.

aterrarse por la noticia.

aterrizar a ciegas, -en el aeropuerto, -sin visibilidad.

aterrorizarse por lo visto.

atestar con muebles.

atestiguar con otra, -de oídas, -sobre el robo.

atiborrarse de comida.

atinar al blanco, -con la solución, -desde arriba, -en la respuesta.

atollarse en el lodo.

atormentarse con recuerdos, -(no) por nada.

atracarse a uvas, -de comida.

atraer a su bando, -con promesas.

atragantarse con una espina.

atrancarse en el vado.

atravesar (el río) con, en la barca, -de parte a parte, -por el vado.

atravesarse en el camino.

atreverse a cosas grandes, -con todos.

atribuir a todo.

atribularse con las tareas, -en la faena, -por los trabajos.

atrincherarse con una tapia, -en un repecho, -tras su silencio.

atropellar con el auto, -por una precipitación.

atropellarse en las acciones.

atufar(se) con el perfume, -de, por poco.

aturullarse con tanto lío, -por el tráfico.

aumentar de, en peso.

aunarse con otro.

ausentarse de casa.

autorizar a firmar, -con su firma, -para algún acto, -por escrito.

avanzar a primera fila, -en edad, -hacia el frente, -hasta las líneas enemigas, -por el campo, -sobre el enemigo.

avecindarse en Segovia.

avenirse a, con todo, -entre sí.

aventajar en sabiduría.

aventurarse a ciegas, -con riesgo, -por casualidad.

avergonzar al abuelo, -por las faltas.

avergonzarse de su conducta, -con alguno.

averiguarse con alguno.

avezarse a la vagancia.

aviarse de ropa, -para salir.

avisar a alguien, -de algo.
avocar a sí.
ayudar a triunfar, -con armas, -en la dificultad.
ayudarse con apoyos, -de la recomendación.
azotar con la correa, -(la lluvia) en los cristales.
azulear con añil.

b

bailar al compás, -ante un buen público, -de puntas, -con Isabel, -en la cuerda floja, -por sevillanas.
bajar a la cueva, -de la torre, -en el ascensor, -hacia el valle, -por las escaleras.
balancear a alguien, -en la cuerda.
balar (las ovejas) de miedo.
baldarse con la humedad, -de frío.
bambolearse en la soga.
bañar(se) con agua fría, -de lágrimas, -en el mar, -por higiene.
barajar con la vecina.
barbear con la pared.
basarse en la fuerza militar, -sobre buenos principios.
bastar a, con el dinero, -para enriquecerse.
bastardear de su naturaleza, -en sus acciones.
batallar con el adversario, -contra los enemigos, -por los hijos.
batirse en duelo.
beber a, por la salud de alguien, -con ganas, -de la botella, -en buena fuente, -hasta reventar.
beneficiarse a una mujer, -con el horario de verano, -de las nuevas disposiciones, -en parte.
besar en la frente, -tras la oreja.

bienquistarse con el jefe.
blasfemar contra Dios, -de la virtud, -por todo.
blasonar de noble, -con aquel desconocido.
bordar a mano -(algo) al tambor, -con, de plata, -en cañamazo.
borrar con una goma, -(a alguien) de la lista.
bostezar de aburrimiento.
botar de alegría.
bramar de furor.
brear a golpes.
bregar con alguno, -contra los contrabandistas, -en las faenas caseras, -por los hijos.
brillar al sol, -con luz propia, -por su ingenio.
brincar de júbilo, -desde un lado a otro, -sobre los azulejos.
brindar a la salud de alguno, -con regalos, -por el amigo ausente.
brindarse a hacer un favor.
brotar de, en un peñasco.
bucear en el mar, -bajo el agua, -con aletas, -por las rocas.
bufar de ira.
bullir en, por los corrillos.
burilar en cobre.
burlar a la policía.
burlarse de alguien, -con otro, -en la plaza.
buscar (fallo) al enemigo, -por donde salir.

C

cabalgar a mujeriegas, -en mula, -por aquellos montes, -sin montura, -sobre un asno.
caber de pies, -desde aquí hasta allí, -en la mano, -entre la cuba y las dos garrafas, -por el hueco.
cabrearse con un amigo.
cachondearse de alguien.
caer(se) al agua, -con otro, -de viejo,

-desde la ventana, -en tierra, -hacia tal parte, -hasta la calle, -por el balcón, -cobro los enemigos.

cagarse de miedo, -en los calzones.

calar(se) a fondo, -de agua, -hasta los huesos.

calentar(se) al fuego, -con la lumbre, -en el juego, -junto al hogar, -hasta el rojo vivo.

calificar con sobresaliente, -de sabio.

callar (la verdad) a otro, -de, por miedo.

calzarse con la prebenda, -en tal sitio.

cambiar (una cosa) con, por otra, -de camisa, -en calderilla.

cambiarse a otra cosa, -de chaqueta, -(la risa) en llanto.

caminar a, de concierto, -hacia Alcalá, -para Toledo, -por el atajo.

campar por sus respetos.

canjear (una cosa) por otra.

cansarse con el bullicio, -del trabajo, -en buscar.

cantar a libro abierto, -con gracia, -de plano, -en voz baja, -por bulerías.

capacitar (a alguien) para algo.

capitular con el enemigo, -(a alguno) de malversación.

caracterizarse de rey, -entre todos, -por su solidez.

carcajearse de la autoridad, -con gracia.

carecer de medios.

cargar a flete, -con el saco, -contra el adversario, -de trigo, -en los hombros, -sobre la espalda.

cargarse con la responsabilidad, -de razón.

casar a los novios, -(una cosa) con otra, -de nuevo, -en segundas nupcias, -por poderes.

casarse con su novia, -en la iglesia, -por el juzgado.

castigar a alguien, -con un día de haber, -de rodillas, -(a alguno) por su temeridad, -sin recreo.

catalogar (a alguien) de novato.

catequizar (a alguno) para fin particular.

cautivar (a alguno) -con sus encantos, -por su hermosura.

cavar en el campo.

cavilar para hallar la solución, -sobre el asunto.

cazar al vuelo, -con halcón, -en terreno vedado.

cebar desde octubre, -hasta diciembre, -con grano.

cebarse en la venganza.

ceder a la autoridad, -ante la fuerza, -de su derecho, -en honra de alguno.

cegarse de cólera, -con su amor, -por la celosía.

cejar ante las dificultades, -en el empeño.

censurar (algo) a, en alguno, -por su comportamiento.

centrarse en el tema.

ceñir a sus sienes, -con, de flores.

ceñirse a lo justo, -en la curva.

cerciorarse de un suceso.

cernerse sobre (algo) un peligro.

cerrar a piedra y lodo, -con llave, -contra uno, -hacia fuera, -en falso, -por dentro, -tras él.

cerrarse a toda concesión, -de todo, -en callar.

cesar de correr, -en su empleo.

chacotearse de algo.

chancearse con Luis, -de Pedro.

chapar con, de oro, -en madera.

chapear (la cocina) con, de azulejos.

chapotear en el agua.

chapuzar en el mar.

chapuzarse en la piscina, -por San Juan.

chiflarse por algo.

chivarse al maestro.

chocar a los telespectadores, -con el auto, -contra la barrera, -en un árbol.

chochear con los años, -de anciano, -por la vejez.

ciar con agilidad, -en sus pretensiones, -hacia la pared.

cifrar (su dicha) en la virtud.

cifrarse en varios millones.

cimentarse en la amistad.

circular por calle.

circunscribirse a algo.

ciscarse de miedo, -en algo.

citar a alguno, -ante la justicia, -en un café.

clamar a Dios de dolor, -contra la injusticia, -por lo justo.

clamorear a muerto (las campanas), -por alguna cosa.

clasificar (una cosa) de derecha a izquierda, -en orden, -(a los alumnos) por mérito, -según sus aptitudes.

clavar a, en la pared, -por debajo.

coadyuvar a, en la construcción.

cobijarse bajo el tejado, -con su madre, -de la lluvia, -en el portal.

cobrar con firmeza, -de los deudores, -en papel, -por San Martín.

cocer a la lumbre, -con el fuego, -en su salsa, -entre la carne.

codearse con los mejores.

coexistir con algo.

coger a mano, -bajo su manto, -con el robo, -de buen humor, -en Guadalajara, -entre puertas, -por la mano.

cohibirse ante, con alguien, -de hacer una cosa.

coincidir con alguien, -en gustos.

cojear del pie derecho, -por una molestia.

colaborar a una obra, -con Fernando, -en la revista.

colarse en un examen, -por un hueco.

colegir de, por los antecedentes.

colgar de un clavo, -en la percha, -por los pies.

coligarse con algunos.

colindar con su finca.

colmar de mercedes.

colocar al principio, -con arreglo, -en serie, -entre dos cosas, -por orden.

colocarse de empleado.

colorear de rojo.

combatir con los antagonistas, -contra el enemigo, -por una causa.

combinar (una cosa) -con otra.

comedirse en las palabras.

comenzar a decir, -por reñir.

comer a dos carrillos, -con un amigo, -de todo, -hasta hartarse, -por cuatro, -sin ganas.

comerciar con otra empresa, -en granos, -por mayor.

comerse (unos) a otros, -con salsa, -de envidia.

compadecerse (una cosa) con otra, -del infeliz, -por el caso.

compaginar (el estudio) con el descanso.

comparar (un objeto) a, con otro.

compartir (las penas) con otro, -(la fruta) en dos cestas, -entre varios.

compeler (a alguien) a pagar sus deudas.

compensar (una cosa) con otra, -(a alguien) de las molestias, -por las pérdidas.

competir al juez, -con alguno, -en precio, -para una colocación, -por el primer puesto.

complacer a un amigo, -(a alguien) con sus atenciones, -en la realización de un proyecto.

complacerse con la noticia, -de una noticia, -en un suceso.

completar con referencias.

complicar (el trato) con exceso de cortesía.

componer (un himno) al sol, -(un ramo) con rosas, -(un todo) de varias partes, -(un poema) en honor de la amada.

componerse con los acreedores, -de bueno y malo.

comprar (algo) al contado, -con pérdida, -del comerciante, -en la tienda, -para la novia, -por kilos.

comprender con dificultad, -de qué se trata.

comprimirse en los gastos.

comprobar con el testigo, -en origen.

comprometer a otro, -en un negocio.

comprometerse a pagar, -con alguien, -en una empresa, -para un objetivo.

computar (la distancia) en años luz, -(cada punto) por cien pesetas.

comulgar bajo las dos especies, -(otro) con ruedas de molino, -en los mismos ideales, -por Pascua.

comunicar (la noticia) **al** público, - (uno) **con** otro, **-de** uno **a** otro, **-por** una ventana.

comunicarse (el fuego) **a** las casas, **con** alguien, **-de** lejos, **-entre** sí, **-por** teléfono.

concebir (odio) **contra** el tirano, **-hacia** el opresor, **-por** el déspota.

concentrar (la luz) **con** una lente, - (el poder) **en** una sola persona.

concentrarse **en** el estudio.

conceptuar (al testigo) **de** , **por** falso.

concernir (una cosa) **a** alguien.

concertar (uno) **con** otro, **-en** , **por** precio **-entre** dos contrarios.

conciliar (una cosa) **con** otra.

conciliarse (el respeto) **del** público.

concluir **con** cantos, - (a uno) **de** ignorante, **-en** consonante, **-por** vender la casa.

concordar (la copia) **con** el original, **-en** género y número.

concretarse **al** sueldo, **-con** lo que se tiene, - (una teoría) **en** una obra.

concurrir **a** algún fin, **-con** otros, **-en** un dictamen.

conchabarse **con** malhechores.

condenar (a uno) **a** galeras, **-con** una multa, **-en** costas, **-por** ladrón.

condensar **en** pocas páginas.

condescender **a** los ruegos, **-con** la instancia, **-en** reiterarse.

condicionar (el beneficio) **al** trabajo.

condolerse **de** los trabajos.

conducir (una cosa) **al** cielo, **-hacia** el Norte, **-en** coche, **-por** mar.

conectar **con** Radio Madrid.

confabular(se) **con** los contrarios, **-contra** el enemigo, **-para** un golpe.

confederarse **con** los del Sur.

conferir (un negocio) **con** amigos, **-entre** socios.

confesar (un delito) **al** juez, **-en** secreto, **-entre** amigos.

confesarse **a** Dios, **-con** alguno, **-de** sus culpas.

confiar (la presidencia) **a** Felipe, **-de** alguien, **-en** alguno, **-por** necesidad.

confinar (a alguno) **a** residencia, **-en** Menorca, - (España) **con** Francia. campo

confirmar (al orador) **de** sabio, **-en** la fe, **-por** idiota.

confirmarse **en** opinión.

confluir **a** la plaza, **-con** otro, **-en** un sitio.

conformar (su opinión) **a** , **con** la ajena, **-por** fuerza.

conformarse **al** momento, **-con** su suerte, **-por** obligación.

confrontar (un jugador) **con** otro, - (dos ediciones) **entre** sí.

confundir (al amigo) **con** atenciones.

confundirse **de** lo que se ve, - (una cosa) **con** otra, **-en** sus opiniones.

congeniar **con** la esposa.

congraciarse **con** otro.

congratularse **con** los suyos, **-del** triunfo, **-por** la victoria.

conjeturar (algo) **de** , **por** lo visto.

conjugar (los verbos) **con** Arte, **-en** español.

conjurarse **con** otros, **-contra** el tirano.

conminar (al enemigo) **a** rendirse, - (a alguien) **con** una multa.

conmutar (una cosa) **con** , **por** otra, - (una pena) **con** otra.

conocer **a** otro, **-de** vista, **-en** tal asunto, **-por** su fama.

consagrarse **al** estudio.

conseguir **del** padre (la mano de la hija).

consentir **con** los caprichos, **-en** algo.

conservarse **con** , **en** salud, **-hasta** el verano.

considerar **a** la servidumbre, - (una cuestión) **bajo** , **de** , **en** todos sus aspectos, **-desde** todos los puntos de vista, **-por** todos lados.

consignar (el paquete) **a** nombre de Antonio, - (diez mil pesetas) **para** gastos de casa.

consistir **en** una friolera.

consolar (a uno) **de** un trabajo, **-en** su aflicción, **-sobre** su pecho. ·

consolarse **con** sus parientes, **-de** la pérdida sufrida, **-en** Dios.

conspirar **a** un fin, **-con** otros, **-contra**

alguno, -**en** su intento, -**para** el triunfo de la rebelión.

constar (el todo) **de** partes, -**en** los autos, -**por** escrito.

consternarse con la muerte de un amigo.

constituir (la nación) **en** república, -(una hipoteca) **sobre** la finca.

constituirse en sociedad, -**por** garante.

constreñir (a alguien) **a** hacer algo.

construir (una palabra) **con** otra, -(el verbo) **en** subjuntivo, -**entre** pocos.

consultar a alguien, -**con** letrados, -**en** primer lugar, -(a alguno) **para** un empleo, -**por** Navidad, -(un abogado) **sobre** un asunto, -**respecto a** un tema.

consumirse a fuego lento, -**a causa del** amor, -**con** la fiebre, -**de** impaciencia, -**en** meditaciones, -**hacia** abajo, -**por** devoción.

contagiarse con, **del**, **por** el roce.

contaminarse con los vicios, -**de** la enfermedad, -**en** la epidemia.

contar (algo) **al** vecino, -**con** sus fuerzas, -**de** uno **a** tres, -**de** dos **en** dos, -**de** cinco **hasta** diez, -**desde** diez, **en** adelante, -(a alguien) **entre** sus amigos, -**por** verdadero.

contemplar a la buena moza, -**en** calma.

contemporizar con el adversario.

contender con alguno, -**contra** los moros, -**en** nobleza, -**por** las armas, -**sobre** filosofía.

contenerse de beber, -**en** sus deseos, -**por** educación.

contentarse con su suerte, -**del** parecer.

contestar a la pregunta, -**con** el declarante, -**de** malos modos.

continuar con salud, -**desde** aquí, -**en** su puesto, -**hacia** el Norte, -**hasta** el desenlace, -**por** buen camino.

contradecirse con sus actos.

contraer (algo) **a** un asunto, -(la amistad) **con** un amigo.

contrapesar (una cosa) **con** otra.

contraponer (una cosa) **a**, **con** otra.

contrastar (una cosa) **a**, **con** otra, -(dos cosas) **entre** sí.

contratar de ensayo, -(a alguien) **en** cien mil pesetas, -**para** un proyecto, -**por** tres meses.

contratarse para actuar en Londres.

contravenir a la ley.

contribuir a tal cosa, -**con** dinero, -**en** el éxito, -**para** la construcción.

convalecer de la enfermedad.

convencer a la policía, -**de** algo.

convencerse con la razones, -**de** la razón.

convenir (una cosa) **al** enfermo, -**con** otro, -**en** alguna cosa.

convenirse a una cita, -**con** lo planteado, -**en** lo propuesto.

converger (los esfuerzos) **al** bien común, -(los caminos) **en** un punto, -**entre** los dos ríos.

conversar con el vecino, -**en**, **sobre** literatura.

convertir (la cuestión) **a** otro objeto, -**al** cristianismo, -**en** dinero, -**entre** los dos.

convertirse a una religión, -(el mal) **en** bien.

convidar (a alguno) **a** comer, -**con** un billete, -**para** el baile.

convidarse a, **con** jerez, -**para** la fiesta.

convivir con otros, -**en** buena armonía.

convocar a junta, -**en** junio, -**por** aviso.

cooperar a alguna cosa, -**con** otro, -**en** el esfuerzo.

copiar a mano, -**del** original, -**en** la manera de vestir.

coquetear con alguien.

coronar con, **de**, **en** flores, -**por** Rey de España.

corregir (una obra) **con**, **de**, **por** su propia mano, -**en** rojo.

corregirse de sus defectos.

correr a caballo, -**con** los gastos, -**de** Norte **a** Sur, -**de** un sitio **para** otro, -**en** busca de socorro, -**entre** los árboles, -**por** mal camino, -(un velo) **sobre** lo pasado, -**sin** botas, -**tras** el evadido.

correrse de vergüenza, -**en** la propina, -**por** una culpa.

corresponder a los favores, -**con** el amigo, -**del** mismo modo, -**en** la misma forma.

cortar con las tijeras, -de la rama, -(la cordillera) de Norte a Sur, -(un discurso) en lo más interesante, -por lo sano.
coser a cuchilladas, -con máquina, -para el comercio, -por pedido.
coserse (a unos) a, con, contra otros.
cotejar (la copia) con el original, -por arriba.
crecer a los ojos de todos, -de tamaño, -en sabiduría.
creer a Pablo, -(tal cosa) de otro, -bajo palabra, -en Dios, -(uno) por, sobre su testimonio.
creerse de opiniones ajenas.
criar a sus pechos, -con solicitud, -en la honestidad.
criarse con disciplina, -en buenos pañales, -para el arte.
cristalizar(se) en prismas.
cruzar (un macho) con una hembra, -(una cuerda) de un borde a otro, -(la gente) en todas direcciones, -por detrás.
cruzarse con alguien, -(el auto) en la carretera.
cuadrar (algo) a una persona, -(lo uno) con otro, -por el camino.
cubrir(se) con, de joyas.
cucharetear en todo.
cuidar a los hijos, -con esmero, -de su casa.
cuidarse de los amigos.
culminar (la fiesta) con un banquete, -en una zambra.
culpar a alguien, -(a uno) de omiso, -en uno lo que se disculpa en otro, -(a otro) por lo que se hace.
cumplir con su deber, -en representación, -por todos.
cundir (la noticia) por la ciudad.
curar al aire, -con medicamentos, -de la dolencia.
curarse con buenas recetas, -de la gripe, -en salud.
curiosear con los ojos, -en la despensa, -por las calles.
curtirse al, -con el frío, -del fresco, -en la sierra.

dañar a alguien, -con la actitud, -de palabra, -en la honra.
dañarse del estómago.
dar (algo) a cualquiera, -con la carga al suelo, -contra un árbol, -de palos, -en manías, -(ocasión) a, de, para conocer, -por visto, -sobre el más flaco.
darse al alcohol, -con una piedra en la espinilla, -de listo, -por vencido.
datar (un monumento) de tiempos antiguos.
deambular por las calles.
deber (dinero) a Enrique, -de ciudadano.
deberse a su conducta.
decaer de su fortuna, -en vigor.
decantarse hacia algo, -por la mejor oferta.
decidir a favor de, en favor de alguien, -de nuestras vidas, -en un juicio, -por su padre, -sobre el asunto.
decidirse a volver, -a favor del declarante, -en favor del testigo, -por costumbre.
decir a Francisco, -de alguno, -en conciencia, -para sí, -por teléfono.
declarar al, ante juez, -en el tribunal, -(a alguien) por enemigo, -sobre el asunto.
declararse (un hombre) a una mujer, -a favor de un programa, -con alguien, -en contra de una idea, -por un concepto.
declinar a, hacia un lado, -de allí, -en bajeza.
decrecer con el tiempo, -en las últimas horas.
dedicar(se) (tiempo) al estudio.
dedicarse a la empresa.
deducir de la remuneración, -por lo expuesto.
defender al contrario, -con la espada, -contra el viento, -de alguien, -(al reo) por pobre.
defraudar al fisco, -(trigo) del almacén, -con engaño, -en lo prometido.

degenerar de su estirpe, -(una cosa) de
otra, -en sus tradiciones.

dejar a María, -antes del mediodía,
-(a alguien) con la palabra en la boca,
-de llamar, -(a alguien) en paz, -para el
lunes, -por aburrimiento, -sin acabar.

dejarse de enredos.

delatar a la policía.

delatarse a, ante los asistentes, -con sus
actos.

delegar al consejero, -en un apoderado.

deleitarse con el oído, -de escuchar, -en la
lectura.

deliberar en Consejo, -entre socios, -sobre
la venta.

delirar en pesadillas, -por la fiebre.

demandar a alguien, -ante el juzgado, -de,
por calumnia, -en juicio.

demorarse en el pago.

demostrar con pruebas.

departir con el amigo, -de la coyuntura,
-sobre la actualidad.

depender de una subvención.

deponer ante el juez, -contra el criminal,
-(a alguno) de su puesto, -en juicio.

deportar a Guinea, -de su tierra.

depositar bajo custodia, -(al reo) en manos
del magistrado, -en poder del juez, -sobre
la mesa.

derivar (una palabra) de otra, -hacia temas
íntimos.

derramar (agua) al, en el suelo, riscos,
-encima del vestido, -por la alfombra,
-sobre el sofá.

derretirse de calor.

derribar al suelo, -de la cumbre, -en, por
tierra.

derrocar al suelo, -del acantilado, -por
sentencia.

desabrirse con alguno.

desacertar en la elección del tema.

desacostumbrarse al frío, -de la siesta.

desacreditar a la empresa, -ante la
competencia, -con los clientes, -en su
fama, -entre la profesión.

desafiar (a alguien) al ajedrez, -de palabra,
-en su apariencia, -por gusto.

desaguar en el río, -(un pantano) por las
esclusas.

desaguarse por un tubo.

desahogarse con su amigo, -de su aflicción,
-en gritos.

desairar con la repuesta, -en sus
pretensiones.

desalojar del piso.

desaparecer ante sus ojos, -de la vista,
-para siempre.

desapoderar (a alguien) de sus atribuciones.

desarraigar(se) de su tierra.

desasirse de las cuerdas.

desatarse de un árbol, -en insultos.

desavenirse con su novia, -entre sí.

desayunar(se) de alguna cosa, -con café,
-en casa, -por el camino.

desbancar a alguien, -de su puesto.

desbordarse (el río) de la rambla, -en la
vega, -por los huertos.

descabalarse con, en, por el caos.

descabalgar del mulo.

descabezarse con un disgusto, -en una
dificultad.

descalabrar(se) a pedradas, -con un guijarro.

descansar del esfuerzo, -en paz, -sobre el
lecho.

descararse a pedir, -con el superior.

descargar contra el débil, -(los sacos) del
camión, -(la tormenta) en la Sierra, -sobre
el arcén.

descargarse con el ausente, -contra el
malhechor, -del secreto, -en el suelo,
-sobre la era.

descarriarse del buen camino.

descartarse de un compromiso.

descender al sótano, -de buena familia,
-desde la cúspide, -en un diez por ciento,
-hacia el valle, -por grados.

desclavar (un cuadro) de la pared.

descolgarse al huerto, -con una petición,
-de, desde la ventana, -hasta la terraza,
-por la cañería.

descollar en física, -entre otros, -sobre todos, -por su ciencia.

descomponerse con alguno, -en tres partes, -por el bochorno.

desconfiar de algo o alguien, -hasta de su imagen.

descontar de un préstamo.

descubrir al ladrón.

descubrirse a, con su novia, -ante el valor, -por respeto.

descuidarse de las faenas, -en sus labores.

desdecir de su origen, -con el otro.

desdecirse de lo prometido.

desdeñarse de hablar con los demás.

desdoblarse (una imagen) en dos.

desechar (a una persona) del pensamiento.

desembarazarse de dificultades.

desembarcar del barco, -en el muelle.

desembocar en el mar.

desempeñar de sus deudas.

desenfrenarse en los vicios.

desengañarse de ilusiones, -con un fracaso.

desenredarse del nudo, -con rapidez.

desentenderse de su responsabilidad.

desenterrar de la arena.

desentonar (un color) con otro.

desertar al campo enemigo, -de su deber, -en pleno combate.

desesperar de obtener un premio.

desfallecer de hambre.

desfogar (la cólera) con, en su amigo.

desgajar(se) del tronco.

deshacerse a trabajar, -del reloj, -en excusas, -por las mujeres.

designar (a alguien) con su nombre, -para el puesto, -(una cosa) por méritos.

desimpresionarse de una idea.

desinteresarse de la conversación, -por lo ocurrido.

desistir del proyecto.

desleír en zumo.

desligarse de un conjunto.

deslizarse al pecado, -en los vicios, -entre las piernas, -por la montaña, -sobre el hierro.

deslucirse al sol, -por la luz.

desmentir a uno, -bajo juramento, -(una cosa) de otra.

desmerecer (una cosa) de otra.

desmontarse de la moto.

desnudarse de los pies a la cabeza, -desde hasta la cintura, -por completo.

desorientarse en sus investigaciones.

despacharse con los empleados, -contra su jefe.

desparramarse en el suelo, -entre los árboles, -por la mesa.

despedirse de la familia.

despegar para Lima.

despegarse de los vicios, -por arriba.

despeñarse al vacío, -en el abismo, -de la cúspide, -por la pendiente.

despepitarse por ir al cine.

desperdigarse entre los trigales, -por el valle.

desperecerse por algo.

despertar al niño, -de repente, -entre las olas, -sobre el agua.

despertarse de miedo, -desde las tres, -con sed.

despoblarse de gente.

despojar(se) de la falda.

desposarse ante el juez, -con una viuda, -por poderes.

desposeer de su fortuna.

despotricar contra el jefe.

desprenderse de un peso.

despreocuparse del negocio.

desproveer (a alguien) de recursos.

despuntar de inteligente, -en los estudios, -entre sus amigos, -por su saber.

desquitarse de la pérdida.

destacar (un color) de los otros, -en matemáticas, -entre los amigos, -por su simpatía.

destaparse con un amigo, -en la cama.

desternillarse de risa.

desterrar a una isla, -de su patria, -por traidor.

destinar a, en París, -para el uso.

destituir de un cargo, **-por** incompetente.
desunir (a un amigo) **de** otro.
desvelarse por su trabajo.
desvergonzarse a pedir una recomendación,
　-con su amigo.
desvestirse de los hábitos, **-para** dormir.
desviarse con la niebla, **-del** camino, **-hacia**
　el norte.
desvivirse con ella, **-por** el bienestar.
detenerse a comer, **-con, en** los obstáculos.
determinarse a partir, **-a favor de, en favor**
　de uno, **-por** el más joven.
detestar del pecado.
detraer del salario.
devolver a su propietario, **-(mal) por** bien.
dictaminar sobre un proyecto de ley.
diferenciarse (un hombre) **de** otro, **-en** el
　acento, **-por** el modo de moverse.
diferenciarse de su familia.
diferir (algo) **a, hasta, para** septiembre,
　-de hoy **a** mañana, **-en** sus ideas, **-entre** sí,
　-por una semana.
difundirse (la leche) **en** el café, **-(la noticia)**
　entre la gente, **-(la nube) hasta**
　desaparecer, **-por** la calle.
dignarse a contestar, **-de** saludarle.
dilatar (una cosa) **a, para** otra vez, **-de** día
　en día, **-hasta** el lunes.
dilatarse en razones, **-hacia** la montaña,
　-hasta el mar, **-para** salir.
diluir en un líquido.
dimanar (una cosa) **de** otra.
dimitir del cargo.
diptongar (la o) **en** ue.
diputar a senador, **-para** un cargo.
dirigir a, hacia la ciudad, **-(a alguien) en** sus
　estudios, **-para** un fin, **-por** una senda.
dirigirse a, hacia los asistentes.
discernir (una cosa) **de** otra, **-con** claridad
　-entre todos.
discordar del profesor, **-en** opiniones,
　-sobre la solución.
discrepar de Carlos, **-con** su amiga, **-en**
　parecer.
disculpar al alumno, **-con** el maestro.

disculparse ante el grupo, **-con** el director,
　-del retraso, **-por** no asistir, **-sin** motivos.
discurrir de un punto **a** otro, **-con** razón,
　-en varios asuntos, **-(el río) entre** praderas,
　-por lugares montañosos, **-según** el buen
　juicio, **-sobre** matemáticas.
discutir (una orden) **al** jefe, **-con** (alguien)
　de, sobre política, **-por** sus intereses.
diseminar en todas direcciones, **-entre** los
　árboles, **-por** el bosque.
disentir del adversario.
disertar con el público, **-sobre** arte.
disfrazar con promesas.
disfrazarse bajo un hábito de monje, **-de**
　gitana, **-con, en** traje de labriego.
disfrutar con un amigo, **-de** buena salud,
　-en el cine.
disgregarse en fragmentos.
disgustarse con, de su respuesta, **-por** su
　comportamiento.
disimular ante los demás, **-con** malicia.
disipar (el dinero) **en** juergas.
disolver con aceite, **-en** aguardiente.
disonar (un color) **de** los otros, **-(alguien) en**
　una reunión.
disparar contra el enemigo, **-hacia** el
　prójimo.
dispensar bajo contribución, **-de** asistir,
　-por el retraso, **-tras** la caída.
dispersarse en fragmentos, **-entre** los
　árboles, **-por** América.
disponer a bien morir, **-de** los bienes,
　-en hileras, **-por** secciones.
disponerse a, para caminar.
disputar con su padre, **-de, por, sobre**
　alguna materia.
distanciarse de sus amistades.
distar (una idea) **de** otra.
distinguir con un premio, **-entre** los demás,
　-por leal.
distinguirse de sus asociados, **-en** el estudio,
　-entre sus compañeros, **-por** su talla.
distraerse con la música, **-de** sus
　ocupaciones, **-en** el trabajo, **-por** la
　conversación.

distribuir a domicilio, -en trozos, -entre sobrinos, -por la calle.

disuadir a alguien, -de un proyecto.

divagar del tema, -sobre el asunto.

divertirse a costa de alguien, -con su amigo -en dibujar.

dividir con los amigos, -(una cosa) de otra, -en dos partes, -entre asociados, -por la mitad.

dividirse en regiones.

divorciarse de su mujer.

divulgar entre sus relaciones.

doblar (el salario) al trabajador, -a muerto, -de un golpe, -en dos, -hacia la izquierda, -hasta la cintura, -por un difunto.

doblarse del esfuerzo, -hacia atrás, -hasta el suelo, -por el trabajo.

dolerse con un íntimo, -de las injusticias.

domiciliarse en Caracas.

dominar en absoluto, -por completo.

dormir a pierna suelta, -bajo el árbol, -con el niño, -en paz, -hasta el anochecer, -sobre el tema.

dotar con dinero, -de ropa, -en diez millones.

dudar acerca de su integridad, -de su amor, -en salir, -entre esto y aquello, -hasta estar seguro, -sobre su honestidad.

durar en el mismo puesto, -para todo, -por mucho tiempo.

e

echar a perder, -de casa, -en falta -(las ramas) entre los árboles, -hacia el valle, -sobre sí, -para adelante, -por la vereda, -tras el fugitivo.

echarse al campo, -bajo un árbol, -de comer, -en la cama, -entre los árboles, -hacia la izquierda, -para la pared, -por el suelo, -sobre el contrario.

edificar entre los árboles, -(la fortuna) en las ganancias.

editar por su cuenta.

educar con, en buenos principios, -para reina.

ejercer de profesor.

ejercitarse en el deporte.

elegir (el mejor) de los concursantes, -contra otro, -entre muchos, -por marido.

elevarse al, hasta el cielo, -de la tierra, -en éxtasis, -por las nubes, -sobre los demás.

eliminar (a un jugador) de la partida, -(toxinas) por el sudor.

emanar (simpatía) de su persona.

emanciparse de la tutela.

embadurnar con pintura, -de rojo.

embarazarse de un crío, -con el bulto, -por tanto paquete.

embarcarse con un socio, -de pasajero, -en un vapor, -hacia América, -para Cuba.

embaucar (a uno) con palabras.

embebecerse en mirar.

embeberse con la música, -de su expresión, -en la lectura.

embelesarse con el espectáculo, -en ver la película.

embestir al torero, -con la espada, -contra el enemigo, -por la espalda.

embobarse ante el paisaje, -con el niño, de, por algo.

embocarse por un pasillo.

emborracharse con vino, -de cerveza.

emboscarse en la sierra, -entre los árboles.

embozarse con la capa, -en el abrigo, -hasta las cejas.

embravecerse con los criados, -contra los débiles.

embriagarse con aguardiente, -de alegría.

embutir de carne, -(una cosa) en otra.

embutirse de pasteles.

emerger del agua.

emigrar a Francia, -de España, -desde su tierra.

emitir en frecuencia modulada.

emocionarse con el canto, -de alegría, -en la boda de la hija, -por la desgracia.

empacharse con el hornazo, -de comer, -por poco.

empalagarse con dulces, -de chocolate.
empalmar (un remolque) con, en el camión.
empapar con una esponja, -de agua, -en leche.
empaparse bajo la lluvia, -de ciencia, -en malas doctrinas.
empapuzarse de comida.
emparejar(se) (una cosa) con otra.
emparentar con buena familia.
empatar a dos goles, -con el Real Madrid.
empedrar con, de adoquines.
empeñarse con, por alguno, -en trabajar, -para la boda, -por la enfermedad.
emperrarse con el juego, -en comprarse un coche.
empezar a brotar, -con bien, -desde la primera pagina, -en malos términos, -por el principio.
emplear (a alguien) para trabajar.
emplearse de camarero, -en hacer el bien.
emponzoñar por la corrupción.
empotrar en el muro.
emprender a golpes, -con su socio, -(un trabajo) por sí solo.
empujar al precipicio -con el pie, -contra el muro, -hacia el barranco, -hasta el abismo.
emular a, con alguien.
emulsionar con, en gasolina.
enajenarse de alegría, -por el miedo.
enamorarse de Carmen.
enamoricarse de alguien.
enamoriscarse de María.
encajar (la puerta) con, en el cerco, -entre piedras.
encalabrinarse con la secretaria.
encalarse en la reunión.
encallar (el barco) en arena.
encaminarse al casino, -con su padre, -hacia el río.
encanecer de miedo, -en el oficio, -por la emoción.
encapricharse de un vestido, -con un chico, -en un tema, -por cualquiera.
encaramarse al tejado, -en un árbol, -sobre el muro.

encararse a, con su jefe.
encargar (a alguien) a, de un asunto.
encargarse de la tienda.
encariñarse con una chica.
encarnizarse con, en los vencidos.
encartar con los previsiones.
encasillarse en un partido.
encastillarse en su idea.
encauzar(se) en la vida, -por la vía conductora.
encender a, en la lumbre.
encenderse de cólera, -en ira.
encenegarse en el barro.
encerrar (algo) en una caja, -(la cita) entre paréntesis.
encerrarse con llave, -en su casa, -entre cuatro paredes.
encharcarse de agua, -en los vicios.
encogerse de hombros, -con el frío.
encomendar (el niño) a su abuela.
encomendarse a Dios, -en manos del médico.
enconarse con el vecino, -en insultos.
encontrar con un obstáculo, -bajo la cama, -en América, -entre Pinto y Valdemoro, -sobre la mesa, -tras la puerta.
encontrarse con un amigo, -en ideas contrarias, -entre amigos.
encuadernar a mano, -en rústica.
encuadrar en un marco, -(los reclutas) por unidades.
encuadrarse en un partido.
encumbrarse a, en la cúspide, -hasta las nubes, -sobre sus paisanos.
endurecerse al trabajo, -con, en, por el esfuerzo.
enemistar a una persona con otra.
enemistarse con un colega.
enfadarse con, contra alguno, -de la respuesta, -por tan poco.
enfermar con el trabajo, -del hígado, -por el esfuerzo.
enfilar hacia el castillo.
enfocar con los faros, -(una cuestión) desde otro punto.

E/E

enfrascarse en la lectura.
enfrentarse al, con el enemigo.
enfurecerse al acordarse, con, contra el
  criado, -de ver injusticias, -por todo.
engalanar (los balcones) con banderas,
  -de colgaduras.
engalanarse con méritos ajenos, -de oro.
enganchar(se) (la camisa) con, en un clavo.
engañar a alguien, -con promesas.
engañarse a sí mismo, -con, por las
  apariencias, -en el precio.
engarzar con perlas, -en oro.
engastar con diamantes, -en platino.
engendrar(se) (un hijo) con, por amor,
  -de alguien, -(un ser) en otro.
englobar en un proyecto.
engolfarse con prostitutas, -en los vicios.
engolosinarse con el premio.
engreírse con, de, por su riqueza.
enjuagarse con agua.
enjugar (ropa) al fuego.
enlazar (una cuerda) a, con otra.
enloquecer de tristeza.
enmascararse de princesa.
enmendarse con, por el condena, -de un
  error, -por los reproches.
enojarse con, contra la familia, -de la mala
  noticia, -por la ligereza.
enorgullecerse de, con sus obras.
enraizar con fuerza, -de nuevo, -en un país.
enredarse (una cosa) a, con, en otra, -de
  palabras, -entre las zarzas, -por los
  cabellos.
enriquecer(se) con dádivas, -de virtudes,
  -en ciencia.
enrolarse en la marina.
ensangrentarse con, contra uno.
ensañarse con, en los vencidos.
ensayar(se) a cantar, -en la declamación,
  -para hablar en público.
enseñar a leer, -con el dedo, -por buen autor.
enseñorearse de una propiedad.
ensimismarse en sus pensamientos.
ensoberbecerse con su hermosura, -de su
  fortuna.

ensuciarse con lodo, -de grasa, -en el
  trabajo.
entapizar con, de ricos tejidos.
entender de mecánica, -en electrónica.
entenderse con la vecina, -en inglés, -(con
  alguien) para un trabajo, -por señas.
enterarse del contenido, -de boca del
  informador, -en la calle, -por boca del
  testigo. -por la televisión.
enternecerse con un crío.
enterrar en el cementerio.
enterrarse en vida.
entibiarse con un amigo.
entonar (un canto) a la libertad, -(un color)
  con otro.
entrar a, en la iglesia, -con buen pie, -de
  soldado, -dentro de sí, -hacia las nueve,
  -hasta el coro, -por la puerta principal.
entregar (algo) a alguien.
entregarse al estudio, -del negocio, -en
  manos de la suerte, -sin condiciones.
entremeterse con los mejores, -en asuntos
  ajenos, -entre los buenos
entremezclar(se) con cemento, -en arena.
entrenarse con el equipo, -en el estadio.
entresacar (las plantas) de un campo.
entretenerse con una novela, -en oír
  música.
entrevistarse con el ministro, -en el
  gabinete.
entristecerse con, de, por las malas
  noticias.
entrometerse en los asuntos ajenos, -entre
  marido y mujer.
entroncar (una cosa) con otra.
entronizar (a la amada) en su corazón.
entusiasmarse con algo, -por una mujer.
envalentonarse con éxitos.
envanecerse con, de, en, por el triunfo.
envasar al vacío.
envejecer con ansiedad, -de repente, -en el
  oficio, -por el duro trabajo.
envenenar al doliente, -con cianuro.
envenenarse de, por comer setas.
enviar (a alguno) al pueblo, -con un regalo,

-**de** embajador, -**por** correo.
enviciarse con, **en** el juego, -**por** las malas
amistades.
envolver(se) con papel, -**en** el gabán, -**entre**
mantas.
enzarzarse en una disputa.
equidistar de Sevilla y Córdoba.
equipar(se) con prendas, **de** atuendos.
equiparar (una cosa) **a**, **con** otra.
equivaler (veinte duros) **a** cien pesetas.
equivocar (una cosa) **con** otra.
equivocarse al hablar, -**con** otro,
-**de** número, -**en** algo.
erigir(se) en juez.
errar en la vida, -**por** el mundo.
escabullirse de la obligación, -**entre** la
muchedumbre, -**por** la entrada.
escamarse de, **por** algo.
escandalizarse por la mala conducta.
escapar(se) a la calle, -**con** vida, -**de** la
cárcel, -**en** un coche, -**sobre** un caballo.
escarbar en los secretos.
escarmentar con, **de**, **por** la desgracia,
-**en** cabeza ajena.
escindirse en dos partes.
escoger del, **en** el montón, -**entre** todas,
-**para**, **por** mujer.
esconderse a la persecución, -**bajo**, **debajo**
de las escaleras, -**de** la policía, -**en** el
desván, -**entre** las matas.
escribir a máquina, -**de**, **sobre** filosofía,
-**desde** Madrid, -**en** español, -**para** el cine,
-**por** correo.
escrupulizar en pequeñeces.
escuchar con atención, -**en** silencio,
escudarse con fuerza, -**contra** el muro,
-**de** la religión, -**en** la autoridad.
escudriñar (el mar) **en** busca de los barcos,
-**entre** los libros.
esculpir a cincel, -**en** mármol.
escupir a la cara, -**en** el suelo, -**por** el colmillo.
escurrirse al suelo, -**de** las manos -**entre** las
piernas, -**en** la propina.
esforzarse a, **en** trabajar, -**para** no dormirse,
-**por** ganar dinero.

esfumarse ante los ojos, -**de** la vista, -**en** la
lejanía, -**por** las nubes.
esmaltar al fuego, -**con**, **de** adornos.
esmerarse en el trabajo, -**por** ser amable.
espantarse al crujido, -**ante** la realidad,
-**con**, **de**, **por** el ruido.
esparcir (las flores) **por** el camino.
especializarse en medicina.
especular con terrenos, -**en** bolsa, -**sobre**
un hecho.
esperar a que llegue, -**de** los amigos,
-**en** Dios -**para** cenar.
espolvorear con azúcar.
establecerse de médico, -**en** Buenos Aires.
estafar con falsa moneda, -**en** un asunto.
estallar de risa, -**en** sollozos.
estampar a mano, -**con** un sello, -**contra** el
muro, -**en** madera, -**sobre** seda.
estancarse en un asunto.
estar a, bajo la orden **de** otro, -**con**
calentura, -**contra** todo, -**de** regreso,
-**en** casa, -**entre** amigos, -**para** salir, -**por**
el monarca, -**sin** calma, -**sobre** un asunto,
-**tras** una doncella.
estimar a un amigo, -**en** dinero.
estimular al trabajo, -**con** dádivas.
estirar de la cuerda.
estragarse con el alcohol, -**de** beber, -**por** la
mala comida.
estraperlear con las mercancías.
estrechar entre los brazos, -(una amistad)
con alguien.
estrecharse con alguno, -**en** las propinas.
estregar con el estropajo.
estregarse contra la pared.
estrellarse con un camión, -**contra** un árbol,
-**en** avión, -**sobre** la calzada.
estremecerse de miedo
estrenarse con una obra maestra, -**en** un
negocio, -**por** primera vez.
estribar (el pie) **en** el travesaño.
estudiar con los jesuitas, -**de** memoria, -**en**
los clásicos, -**para** médico, -**sin** profesor.
evadirse de la prisión
evaluar (la herencia) **en** cinco millones

exagerar con la bebida, -en la dosis.
examinar(se) a fin de curso, -de gramática,
   -en Salamanca, -para nota, -por Navidad.
exceder (la realidad) a la ficción, -del
   proyecto, -en autoridad.
excederse a sí mismo, -de sus facultades,
   -en regalos.
exceptuar (a alguien) de la regla.
excitar a la violencia.
excluir (a alguien) de algún sitio
exculpar (a alguien) de una falta.
excusarse con su amigo, -de hacer algo,
   -por llegar tarde.
exhortar a cambiar de vida, -con razones.
exhumar (algo) del olvido.
eximir(se) del servicio militar.
exonerar del impuesto.
expansionarse con el amigo
expeler del reino, -por la boca.
explayarse con los amigos, -en discursos.
exponerse a un desastre, -ante el enemigo.
expresarse con mímicas, -de palabra, -en
   alemán, -por escrito.
expulsar (a alguien) del colegio.
expurgar de lo malo.
extender sobre la hierba.
extenderse a, hasta mil duros, -de norte a
   sur, -desde, hacia el Norte, -en
   digresiones, -por el suelo.
extraer con maquinaria, -de la mina.
extralimitarse en sus facultades.
extrañar de la patria.
extrañarse de su amigo.
extraviarse a otra cuestión, -del camino,
   -en sus opiniones, -para la sierra, -por el
   bosque.
extremarse en precauciones.

f

facultar (alguien) para hacer algo.
fajar a un niño.
fajarse con alguien, -en el debate.
fallar a favor del reo, -contra el delincuente,
   -en contra del condenado, -en favor del
   acusado, -con, en tono magistral.
fallecer a manos del enemigo, -de muerte
   violenta, -en un accidente.
faltar a la cita, -de casa, -en algo, -(un peso)
   para mil, -por saber.
familiarizarse con las costumbres de otro
   país, -en el manejo del nuevo coche.
fastidiarse al andar, -con, de la charla de
   alguno.
fatigarse de subir, -en disculpas, -por atraer
   la atención.
favorecer a un familiar, -con dinero, -por las
   circunstancias.
favorecerse de las relaciones.
felicitarse del éxito de un amigo.
fiar (algo) a, de alguien, -en el contable.
fiarse a, de, en un amigo.
fichar por el Real Madrid.
figurar de director, -en la Corte.
fijar a, en la pared, -con cola, -de arriba
   abajo.
fijarse en un detalle.
filtrar (el agua) a través de la tierra, -con
   filtrador.
firmar con puño y letra, -de propia mano,
   -en blanco, -por mandato.
fisgar en la maleta de otro, -detrás de la
   ventana.
flamear al viento, -en el aire.
flaquear en la virtud, -por los cimientos.
flojear de las piernas, -en el esfuerzo.
florecer de, en sabiduría.
fluctuar en, entre dudas.

fluir (el agua) **de** la fuente, **-por** el caño.
forjar con, **de**, **en** hierro.
formar (al alumno) **con** el buen ejemplo,
   -(quejas) **de** un amigo, **-en** fila, **-entre** los
   reclutas, **-por** secciones.
forrar de, **con**, **en** pieles.
forrarse de millones.
fortificarse con barricadas, **-contra** el
   enemigo, **-en** la muralla.
forzar a salir, **-con** algo.
fracasar en las oposiciones.
franquearse a un amigo, **-con** un compañero.
freír a preguntas, **-con**, **en** aceite.
frisar (una moldura) **con** otra, **-en**, **en torno
   a** los cuarenta años.
frotar (una cosa) **con**, **contra** otra.
fugarse con su socio, **-de** la cárcel,
   -en helicóptero.
fulminar con la mirada, **-por** la enfermedad.
fumar con, **sin** boquilla, **-en** pipa.
fundamentar en principios.
fundarse en razón.
fundirse al sol, **-con** el calor, **-por** los
   plomos.

golpear con un bastón.
gotear (el agua) **del** tejado.
gozar(se) con, **en** el bien publico, **-del**
   bienestar.
grabar al aguafuerte, **-con** cincel, **-en** cobre,
   -sobre madera.
graduar(se) de licenciado, **-en** ciencias.
granjear (la voluntad) **a**, **de** alguien, **-para** sí.
gravar con impuestos, **-en** excesivo.
gravitar sobre la tierra.
guardar bajo, **con** llave, **-**(la casa) **contra** los
   ladrones, **-del** frío, **-en** la memoria, **-entre**
   las mantas, **-para** el invierno.
guardarse de los enemigos.
guarecerse (una cosa) **con**, **de** otra.
guarecerse bajo techo, **-del** frío, **-en** una
   cabaña.
guarnecer con lechuga, **-de** patatas.
guasearse de alguien.
guerrear con, **contra** el enemigo.
guiar (a alguien) **a** través del bosque, **-con** la
   mano, **-en** las dificultades, **-hacia** el
   acantilado, **-hasta** la puerta, **-por** la selva.
guiarse con un compás, **-por** el ejemplo.
gustar de chanzas.

galardonar con un Premio.
ganar al ajedrez, **-con** el cambio, **-de**
   oposición, **-en** nivel, **-para** vivir, **-por** la
   mano
gastar con gracia, **-de** su fortuna,
   -en banquetes.
girar a, **hacia** la izquierda, **-**(una letra) **a
   cargo de** alguien, **-alrededor del** centro,
   -contra otro, **-de** una parte a otra, **-**(una
   cosa) **en torno a** otra, **-por** tal parte,
   -sobre el eje.
gloriarse de alguna cosa, **-en** el Señor.
gobernarse por consejos.

haber de morir, **-**(dinero) **en** caja, **-**(siete)
   para una, **-por** plaza.
habilitar (a uno) **con** dineros, **-de** ropa,
   -(la nave) **para** el hospital.
habitar bajo techo, **-con** su tía, **-en** Ávila,
   -entre parientes.
habituarse al calor.
hablar acerca de algo, **-al** jefe, **-con** alguno,
   -de, **sobre** alguna cosa, **-en** broma, **-entre**
   dientes, **-para** sí, **-por** hablar, **-sin**
   discernimiento.
hacendar (un hijo) **con** tierras.
hacendarse en California.

hacer **a** ambas manos, -(mucho) **con** poco
trabajo, -**de** héroe, -(algo) **en** regla, -**para**
sí, -**por** alguno, -**sin** afán.
hacerse **a** las armas, -**con**, **de** buenos
amigos, -(algo) **en** debida forma.
hallar (la solución) **al** problema, -(una cartera)
en la calle, -**por** el camino.
hallarse **a**, **en** la fiesta, -**con** una pared,
-**de** vacaciones.
hartar(se) **a** insultos, -**con** jamón, -**de** comer.
hastiar(se) **con** los estudios, -**de** todo.
helarse **de** frío.
henchir **con** lana, -**de** satisfacción.
heredar **al** padre, -**de** su abuelo, -**en**, **por**
línea directa.
herir **de** muerte, -**en** la estimación, -**por** la
espalda.
hermanar(se) dos **a** dos, -(una cosa) **con**
otra, -**entre** sí.
herrar **a** fuego, -**en** frío.
hervir **a** fuego lento, -**con** agua, -**de** gente,
-**en** ira, -**sobre** el fuego.
hilar **con** lana.
hincar (el pie) **en** lodo.
hincarse **a** los pies, -**de** rodillas.
hincharse **a** comer, -**con** las alabanzas,
-**de** beber.
hipar **por** ir al cine.
hocicar **con**, **contra**, **en**, alguna cosa.
holgarse **con**, **de** alguna cosa.
hombrearse **con** los mayores.
honrar(se) **con** la amistad, -**de**, **en** complacer.
horrorizarse **con**, **de** todo, -**por** cualquier
cosa.
huir **al** extranjero, -**ante** los peligros, -**de** la
ciudad.
humanarse **con** los vencidos.
humedecer **con** la lengua, -**de**, **en** agua.
humillarse **a** un superior, -**ante** el jefe, -**con**
los fuertes.
hundirse **en** el agua.
hurgar **con** un palo, -**en** la herida.
hurtar (algo) **a** un comerciante, -**de** la tienda,
-**en** el precio.
hurtarse **a** los ojos, -**de** otro.

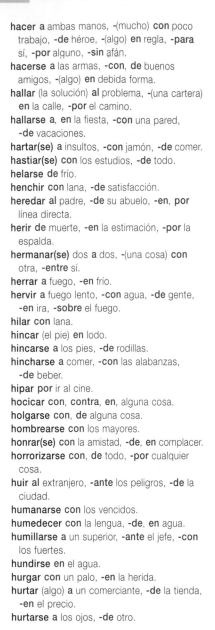

identificar **a** un malhechor.
identificarse -(una cosa) **con** otra.
idolatrar **a** sus padres.
igualar(se) **a** los mejores, -**con** cultura,
-**de** saberes.
ilustrar **con** citas.
imbuir (a uno) **de**, **en** ideas falsas.
imitar **a** alguien, -**con** mímicas, -**en** la voz.
impacientarse **con** alguien, -**de** esperar,
-**por** no recibir noticias.
impeler (a uno) **a** una acción, -**por** la fe.
impermeabilizar **con** plástico, -**contra** la
humedad.
impetrar (algo) **del** Gobernador.
implicar **a** los amigos, -**en** un asunto.
implicarse **con** alguno, -**en** un delito.
imponer (una pena) **al** reo, -(dinero) **en** el
banco, -(un impuesto) **sobre** el tabaco.
importar (mucho) **a** alguno, -(mercancías) **de**
América, -**a**, **en** España.
importunar **con** cuestiones.
imposibilitar **para** un cargo.
impregnar(se) **con**, **de**, **en** gasolina.
imprimir **con**, **de** letra nueva, -**en** el ánimo,
-**sobre** papel.
impulsar **a** hacer algo.
imputar **al** adversario.
incapacitar **para** el empleo.
incautarse **de** algo.
incidir **en** culpa.
incitar **a** la sublevación, -**contra** otro, -**para**
guerrear.
inclinar (a alguno) **a** la virtud, -**en favor de**
los indigentes, -**hacia** la izquierda.
inclinarse **a** la amistad, -**ante** la amenaza,
-**hacia** la orilla, -**hasta** el suelo, -**por** el
estudio, -**sobre** el mostrador.
incluir **en** la lista, -**entre** los mejores.
incorporar **a**, **en** un registro, -(un asunto)
con otro.

incorporarse a filas.
incrementar(se) en millones de pesetas.
incrustrarse en la piel.
inculcar a la gente, -en el pensamiento.
inculpar de un crimen.
incumbir (una acción) a otra persona.
incurrir en infracción.
indemnizar (a una persona) con dinero,
-del accidente, -por el perjuicio.
independizarse de los padres, -en el aspecto
económico.
indigestarse con fruta, -de comer pasteles,
-por la bebida.
indignarse con algo, -contra alguien,
-de una canallada, -por una mala acción.
canallada
indisponer (a uno) con, contra el jefe.
inducir (a uno) a pecar, -en error.
indultar (a alguno) de la pena, -por buena
conducta.
infatuarse con el éxito.
inferir (una cosa) de, por otra.
infestar (un pueblo) con, de una
enfermedad.
inficionar con malos ejemplos.
infiltrarse en el campo adverso, -entre los
enemigos.
inflamar(se) de cólera, -en ira.
inflar(se) de aire, -con vanidades.
influir ante el tribunal, -con el superior,
-en la sentencia, -para el indulto, -sobre el
resultado.
informar (a alguno) de, en, sobre alguna
cosa.
infundir (fuerzas) a, en alguno.
ingeniarse a vivir, -con poco, -en construir,
-para ir viviendo.
ingerir -con una paja, -de golpe, -por la
boca.
ingerirse en cosas ajenas.
ingresar en la Universidad.
inhabilitar (a alguno) de un cargo, -para
funciones.
inhibirse de razón -(el juez) en el
conocimiento de una causa.

iniciar(se) a, en la ciencia.
injertar en una rama.
injerir a púa, -de escudete, -(una rama) en
un árbol.
inmiscuirse en un asunto.
inmolar (el honor) a la riqueza, -(la vida) en
aras de, por la patria.
inquietarse con, de, por la salud.
inscribir(se) en algún sitio.
insertar (un documento) en otro.
insinuarse a una mujer, -con los poderosos,
-en el ánimo del monarca.
insistir en la demanda, -sobre el testigo.
insolentarse con, contra el jefe.
inspirar (una idea) a, en alguno.
inspirarse de Picasso, -en pintura.
instalar en casa.
instalarse en la Costa del Sol.
instar (a alguien) a obrar, -para el éxito,
-por un apoyo, -sobre el negocio.
instigar (a uno) a cometer un delito.
instruir del peligro, -en la virtud, -sobre
matemáticas.
insubordinarse contra el jefe.
insurreccionarse contra la República.
integrar(se) en un conjunto.
intentar (una acusación) a, contra Juan.
intercalar (una frase) en la conversación.
interceder ante el jefe, -con alguno, -acerca
de alguien, -en favor de un colega, -por
un compañero.
interesarse con algo, -en la empresa, -por
Ana.
interferir(se) en un negocio.
internar en un penitenciario.
internarse en el bosque, -por la selva.
interpolar (unas cosas) con, entre otras.
interponer (su autoridad) con alguno, -por
otro.
interponerse entre adversarios.
interpretar del español al francés, -en inglés.
interrogar acerca de algo.
intervenir cerca del Presidente, -con el juez,
-en el reparto, -para el ajuste, -por el reo.
intimar con Isabel.

introducir(se) con los que mandan, -en, por
alguna parte, -entre los soldados.
inundar de agua, -(el suelo) en sangre
invernar en Málaga.
invertir en tierras.
investir (a alguien) con una dignidad,
-de doctor.
invitar a cenar, -con un gesto.
involucrar a un desconocido, -en el tema.
inyectar en vena.
ir a, hacia Buenos Aires, -bajo custodia,
-con su novio, -contra corriente, -de
compras, -de un sitio a otro, -de mal en
peor, -de acá para allá, -de por sí, -desde
un sitio a otro, -desde un sitio hasta otro,
-detrás de alguien, -en coche, -entre
fusiles, -hasta, para Barcelona, -por mal
camino, -sobre ruedas, -tras el fugitivo.
irritarse con, contra el juez -por todo.
irrumpir en la reunión.
irse a pique, -de la cabeza, -por alto.

j

jactarse de rico.
jaspear (una pared) de colores.
jubilar(se) del trabajo.
jugar a las cartas, -(unos) con otros, -contra
los demás, -de manos, -en la lotería,
-hasta la camisa, -(alguna cosa) por otra.
juntar (una cosa) a, con otra, -(ovejas y
cabras) en el rebaño, -(varias cosas) por
los extremos.
juntar(se) con la familia, -en casa, -para una
fiesta.
jurar en vano, -por Dios, -sobre los
evangelios.
justificar(se) ante el director, -con el jefe,
-de algún cargo, -(la medida) por sí mismo.
juzgar a alguien, -de alguna cosa, -en

derecho, -entre las partes, -por, sobre las
apariencias, -según la costumbre, -sin
apelación.

l

laborar a mano, -en favor de la humanidad,
-por el bien del país.
labrar a cincel, -de mañana, -en madera.
ladear(se) a, hacia la derecha, -con un
amigo, -por un partido.
ladrar a la Luna.
lamentar(se) de, por la desdicha.
languidecer de pena.
lanzar (piedras) al, contra el adversario,
-con la mano, -de, desde la torre.
lanzarse al agua, -contra el toro, -con un
salvavidas, -en el mar, -hacia la izquierda,
-sobre la liebre.
largarse con otro, -de casa.
lastimarse con una espina, -contra la pared,
-de la noticia, -en un pie.
lavar con jabón, -en el baño.
leer a Cervantes, -con calma, -de corrido,
-en voz alta, -entre líneas, -sobre
electrónica, -por encima.
legar (una obra) a la posteridad.
levantar al niño, -del suelo, -en brazos,
-por las nubes, -sobre la cabeza.
levantarse con el pie izquierdo, -contra la
autoridad, -de la silla, -en armas, -hasta
arriba, -sobre la punta de los pies.
liar con cuerdas.
liarse a palos, -con una mujer, -en una manta.
liberar al prisionero, -con dinero, -de sus
cadenas.
liberarse de un fardo.
librar a cargo de, contra un banco, -de
riesgos, -(su esperanza) en Dios, -sobre
una plaza.
librarse del peligro, -por los pelos.

licenciarse **del** ejército, **-en** Filosofía y Letras.
lidiar **con** la muleta, **-contra** los animales,
 -por la fe.
ligar **a** Isabel, **-con** Fernando.
ligarse **con**, **por** su promesa.
limitar **con** Andalucía, **-por** el Sur.
limitarse **a** copiar.
limpiar **con** el pañuelo, **-de** sangre, **-en** seco.
limpiarse **con** la toalla, **-de** tizne, **-en** el paño.
lindar (una finca) **con** otra, **-por** el río.
lisonjear(se) **con** adulaciones, **-de**
 esperanzas.
litigar **con**, **contra** su hermano, **-de**, **por**
 pobre, **-sobre** una herencia.
llamar **a** la puerta, **-con** la mano, **-de** tú,
 -por teléfono.
llamarse **a** engaño.
llegar **a** casa, **-de**, **desde** Florida, **-en** avión,
 -hasta el aeropuerto, **-por** la rodilla.
llenar **con**, **de** trigo, **-hasta** el borde.
llevar **a** casa, **-con** paciencia, **-en** coche,
 -por tema, **-sobre** el lomo.
llevarse (bien) **con** el vecino, **-como** perro y
 gato, **-de** la ira, **-por** delante.
llorar **a** lágrima viva, **-de** alegría, **-con**
 emoción, **-por** la desgracia.
llover **a** cántaros, **-sobre** mojado.
loar (a alguien) **de** sabio, **-por** sabiduría,
 -(una cosa) **en** su persona.
localizar **a** un amigo, **-en** algún sitio.
lograr (algo) **de** alguien.
lucir **ante** las gentes, **-bajo** el sol, **-sobre** el
 corpiño, **-tras** la montaña.
lucirse **con** el capote, **-en** una prueba.
lucrarse **a** costa ajena, **-a base de** estafar,
 -con las ganancias.
luchar **a** brazo partido, **-con**, **contra** el
 enemigo, **-como** leones, **-por** la victoria.
ludir (una cosa) **con**, **por** otra.

machacar **en** hierro frío.
maldecir **al** enemigo, **-con** insultos, **-de**,
 por todo.
malearse **con**, **por** los amigotes.
malgastar (el dinero) **en** tonterías.
maliciar **de** cualquiera, **-en** cualquier cosa.
malmeter (a uno) **a** hacer cosas malas,
 -con, **contra** un amigo.
malquistarse **con** un compañero.
maltratar **al** animal, **-de** palabra, **-hasta**
 herirlo, **-sin** compasión.
mamar **con** ansia, **-**(un vicio) **en** la leche,
 -de la madre.
manar (agua) **de** una fuente, **-en** la riqueza.
mancomunarse **con** otros.
manchar (la ropa) **con** sangre, **-de** grasa.
mandar (una carta) **al** correo, **-de** emisario,
 -(a uno) **con** la música a otra parte, **-en** su
 casa, **-entre** los amigos, **-por** dulces.
mangonear **en** todo.
manifestarse **a favor de** una idea, **-en**
 política, **-por** la ciudad.
manipular **a** la gente, **-con** cuidado, **-en** la
 maquina.
mantener **a** su familia, **-**(correspondencia)
 con alguno, **-en** buen estado.
mantenerse **con**, **de** fruta, **-en** forma.
maquinar **con** un cómplice, **-contra** la
 autoridad.
maravillarse **con**, **de**, **por** la noticia.
marcar **a** fuego, **-con** hierro, **-por** suyo.
marchar(se) **a** Burgos, **-de** Madrid, **-de**
 Cádiz **a** Huelva, **-desde** Córdoba **hasta**
 Málaga, **-hacia** Sevilla, **-para** Granada,
 -por carretera, **-sin** despedirse, **-sobre**
 rieles.
matar (a alguien) **a** golpes, **-con** un palo,
 -contra la pared, **-de** un disgusto, **-en** el
 patíbulo, **-entre** los dos, **-por** accidente.
matarse **a** trabajar, **-con** otro, **-contra** un
 muro, **-por** ganar dinero.

matizar **con**, **de** rojo y amarillo.

matricularse **de** oyente, **-en** la Universidad, **-por** libre.

mecer **al** niño, **-con** fuerza, **-en** la cuna, **-sin** ritmo.

mediar **con** alguno, **-en** una querella, **-en** favor **de** uno **-entre** los parientes, **-por** un hermano.

medir **a** palmos, **-**(una cosa) **con** otra, **-por** varas.

medirse **con** un metro, **-en** la pared.

meditar **en** solitario, **-entre** sí, **-sobre** el asunto.

medrar **en** riqueza.

mejorar **de**, **en** condición.

merecer **con** creces, **-de** alguno, **-para** su profesión.

mermar **en** capacidad.

merodear **por** los alrededores.

mesurarse **en** las acusaciones.

meter (al hijo) **a** trabajar, **-de** camarero, **-en** cintura, **-entre** bultos, **-por** vereda.

meterse **a** gobernar, **-bajo** un árbol, **-con** los que mandan, **-de** chófer, **-de** cabeza **en** el agua, **-en** un lío, **-en** la cama **con** fiebre, **-entre** gente ruin, **-por** medio.

mezclar (sal) **a** la harina, **-**(una cosa) **con** otra, **-en** vino.

mezclarse **a** la gente, **-con** mala gente, **-en** varios negocios, **-entre** el público.

militar **en** una asociación.

mirar **a** la cara, **-con** buenos ojos, **-de** reojo, **-hacia** el Sur, **-por** alguno, **-sobre** el hombro.

mirarse **al** espejo, **-**(bien) **antes de** hacer algo, **-en** el agua.

moderarse **en** la expresión.

mofarse **del** público.

mojar(se) **con**, **en** agua.

moler(se) **a** trabajar, **-con** impertinencias.

molestar **con** cuestiones.

molestarse **en** hacer algo, **-por** alguien.

mondarse **de** risa.

montar **a** horcajadas, **-en** bicicleta, **-sobre** un caballo.

morar **en** un castillo.

morir **al** pie del cañón, **-a causa de** una enfermedad, **-con** las botas puestas, **-de** pena, **-en** la cama, **-entre** sus familiares, **-para** los amigos, **-por** nada.

morirse **de** frío, **-por** llegar pronto.

mortificarse **con** penitencias, **-en** algo.

motejar (a uno) **de** ignorante.

motivar **con** un galardón, **-en** buenas razones.

mover(se) **a** piedad, **-con** lo que dice, **-de** un sitio **a** otro, **-por** egoísmo.

mudar(se) **a** otro sitio, **-de** ropa, **-**(el favor) **en** desvío.

multiplicar **por** cien.

murmurar **de** la gente.

n

nacer **al** mundo del teatro, **-con** fortuna, **-de** buena familia, **-en** Granada, **-para** músico.

nacionalizarse **en** Francia.

nadar **a** braza, **-contra** corriente, **-de** espaldas, **-en** la piscina, **-entre** dos aguas, **-hacia** la costa.

naturalizarse **en** otro país.

navegar **a**, **para** Canarias, **-con** buen viento, **-contra** el viento, **-de** bolina, **-en** un yate, **-entre** dos aguas, **-hacia** Vigo.

necesitar **de** auxilios, **-para** comer.

negarse **al** trato.

negociar **al** por mayor, **-con** una empresa, **-en** un traslado.

nivelarse **a** su vecino, **-con** los ricos.

nombrar **para** un cargo.

notar **al** margen, **-con** esmero, **-**(a alguien) **de** hablador, **-**(faltas) **en** obras ajenas.

notificar **de** algo.

nutrir(se) **con** manjares, **-de** leche fresca, **-en** sabiduría

O

obcecarse con, en, por una quimera.
obedecer al director, -con rapidez,
-sin dudarlo.
obligar a devolver, -con su actitud,
-por fuerza.
obrar a la ligera, -como conocedor, -con
maldad, -en poder de alguien, -por amor.
obsequiar a un amigo, -con flores.
obsesionarse con, por alguien.
obstar (una cosa) a, para otra.
obstinarse contra alguno, -en su opinión.
obtener (un producto) con otro, -(algún
favor) de otro.
ocultar a alguien, -con una cortina, -de la
vista, -detrás de la casa, -entre los
árboles, -tras la montaña.
ocuparse con un negocio, -de sus padres,
-en trabajar.
ocurrir con rapidez.
odiar a, de muerte.
ofenderse con los insultos, -de los agravios,
-por todo.
oficiar de sacerdote.
ofrecerse a servir, -de acompañante, -en
ofrenda, -en calidad de suplente, -para
ayudar, -por servidor.
ofrendar (la vida) a, por la patria.
oír bajo confesión, -con atención, -del juez,
-de boca de alguien, -en secreto, -por sí
mismo.
oler a rosas.
olvidarse de sí mismo.
operarse del estomago, -en París.
opinar acerca de Luís, -con el socio, -(bien)
de alguien, -en política, -sobre el gobierno.
oponer (una barrera) a, contra la nieve.
oponerse a la justicia, -con razón.
opositar a cátedra.
oprimir al pueblo, -bajo su poder, -con tiranía.
optar a, por un empleo, -entre varios
candidatos.

orar en favor de los vivos, -por los difuntos.
ordenar(se) de sacerdote, -en columnas,
-por asignaturas.
organizar en, por porciones.
orientar(se) a, hacia Levante, -por las
estrellas.
orzar a popa, -de avante.
oscilar entre ambiciones.

P

pactar con el diablo, -entre sí, -por bueno.
padecer con, de, en, por la injusticia.
pagar al contado, -con la misma moneda,
-de su fortuna, -en metálico, -para
Navidad, -por meses.
pagarse de sí mismo, -con razones.
paladearse con un dulce.
paliar (un problema) con ayuda.
palidecer ante la dificultad, -bajo la
amenaza, -con los peligros, -de cólera.
palpar con la mano, -entre las ropas,
-por sus manos.
parapetarse con sacos terrenos, -de los
tiros, -en su habitación, -tras el secreto
profesional.
parar(se) a descansar, -ante la catedral,
-con su mujer, -de golpe, -en tonterías,
-entre dos estaciones, -para comer,
-por algún sitio.
parecer(se) a su padre, -ante el juez,
-de cara, -en los ojos.
participar del beneficio, -en el negocio.
particularizarse con el amigo, -en el trato.
partir a, para América, -(la capa) con el
pobre, -como hermanos, -de Portugal,
-en busca de fortuna, -entre amigos,
-hacia Roma, -para Lisboa, -por la mitad.
partirse de risa, -(el pecho) por uno.

pasar a casa, **-ante** el juez, **-bajo** el tiroteo,
-con el semáforo cerrado, **-de** moda, **-de**
Zaragoza **a** Madrid, **-en** silencio, **-entre**
montañas, **-por** la calle, **-sobre** el dibujo.
pasarse de gracioso, **-sin** dar golpe.
pasear(se) a orilla del río, **-con** Marisa, **-en**
barco, **-por** el parque, **-sobre** el césped.
pasmarse con la nevada, **-de** frío.
pavonearse con la victoria, **-de** su triunfo.
pecar con la mirada, **-contra** la ley,
-de ignorante, **-en** el pensamiento,
-por ignorancia.
pechar con un trabajo.
pedir al Ministro, **-contra** la ley, **-de** derecho,
-desde joven, **-en** justicia, **-para** otro,
-por Dios.
pegar a la puerta, **-con** cola, **-contra** el
tabique, **-en** la pared, **-(golpes) sobre** la
mesa.
pegarse al suelo, **-con** alguien, **-como** una
lapa.
pelear(se) a puñetazos, **-con** espada,
-contra la adversidad, **-en** defensa de algo,
-por la familia.
peligrar de muerte, **-en** el agua.
pellizcar hasta hacer sangre.
penar de amores, **-en** la cárcel, **-por** sus hijos.
pender ante el tribunal, **-de** un hilo, **-en** la
cruz, **-(una amenaza) sobre** nuestras vidas.
penetrar en casa, **-entre** las columnas,
-hacia el corazón, **-hasta** las entrañas,
-por lo más espeso.
penetrarse de razón.
pensar (algo) de alguien, **-con** los pies, **-en**
lo peor, **-entre** sí, **-para** consigo, **-sobre**
filosofía.
percatarse del peligro.
percibir al día, **-como** obsequio, **-de** regalo,
-por el trabajo.
perder al ajedrez, **-de** vista, **-en** el juego.
perderse de vista, **-en** el bosque, **-entre** la
maleza, **-por** atrevido.
perecer a manos del enemigo, **-de** sed, **-en**
el accidente.
perecerse por una mujer.

peregrinar a Roma, **-por** los templos.
perfumar con incienso.
permanecer con su madre, **-en** silencio,
-hasta Junio, **-por** Navidad, **-sin** falta,
-tras la montaña.
permutar (un objeto) **con, por** otro.
perpetuar(se) (el recuerdo) **de** los caídos,
-(su fama) en la posteridad.
perseguir a caballo, **-(el bienestar) del**
pueblo, **-en** coche, **-entre** los árboles,
-por el campo.
perseverar en su error.
persistir en una idea.
personarse ante la policía, **-en** la comisaría.
persuadir a Isabel, **-con** razones, **-de** los
hechos, **-por** su bondad.
pertenecer a un partido.
pertrecharse con, de lo necesario, **-para** el
asedio.
pesar en la conciencia.
pescar a río revuelto, **-en** aguas turbias,
-con caña, **-en** historia, **-para** comer.
piar por la comida.
picar de, en todo.
picarse con alguno, **-de** puntual, **-en** el
deporte, **-por** una broma.
pillar a un ladrón, **-de** camino.
pinchar con el palillo, **-en** hueso.
pincharse con una púa, **-en** el pie.
pintar al óleo, **-con** brocha, **-de** rojo, **-en** el
muro.
pirrarse por la música.
pisar con las botas, **-en** el cuello, **-por** la
calle, **-sobre** el barro.
pitorrearse de alguien.
plagarse de mosquitos.
planear sobre los montes.
plantar de árboles, **-en** la huerta.
plantarse en Almería.
plañir de dolor
plasmar (un proyecto) **en** la mente.
pleitear con su socio, **-contra** el vecino,
-por pobre.
poblar con chopos, **-de** pinos, **-en** buena
tierra.

poblarse de gente.
poder a todos, -con el peso, -de atracción, -para, con alguno.
ponderar (algo)de grande.
poner a trabajar, -ante los hechos, -bajo tutela -(bien) con otro, -como nuevo, -contra la pared, -de alcalde, -(dos horas) de París a Madrid, -en duda, -entre la espada y la pared, -por las nubes, -sobre la mesa.
ponerse a escribir, -ante la puerta, -bajo un árbol, -contra la ley, -como el quico, -(a bien) con Dios, -de muestra, -en guardia, -entre los contendientes, -por medio, -sobre el tejado.
porfiar acerca de, sobre algo, -con su amigo, -contra el enemigo, -en negar, -hasta vencer, -sobre lo mismo.
portarse como un hombre, -con dignidad.
portear en hombros, -con el camión, -por tren.
posar ante la cámara, -en una rama, -para el pintor, -sobre la mesa.
posarse en, sobre algo.
posesionarse de la herencia.
posponer (el interés) a la honra, -hasta mañana.
postrarse a los pies, -ante el altar, -de dolor, -en cama, -por suelo.
practicar en una escuela.
precaverse contra la enfermedad, -del calor.
preceder en antigüedad.
preciarse de valiente.
precipitarse al vacío, -contra el adversario, -del balcón, -desde el tejado, -en sus brazos, -por la borda.
predestinar (un hijo) a, para el sacerdocio.
predisponer (a alguien) a hacer, a favor de, en contra de alguien, -en favor de algo, -para sentenciar.
predominar en casa, -sobre todos.
preferir a Pedro, -entre todos, -para médico.
preguntar a alguien, -con insistencia, -para saber, -por un amigo.
prendarse de una mujer.

prender (una cosa) a otra, -con alfileres, -de un gancho, -en la tierra.
prenderse en un clavo.
preocuparse con, de, por algo.
prepararse a, para la lucha, -con armas, -contra el frío.
preponderar (una cosa) sobre otra.
prescindir de asistencia.
presentar para un cargo.
presentarse al general, -bajo mal aspecto, -con retraso -de improviso, -en la estación, -por candidato.
preservar(se) contra el peligro, -de la enfermedad.
presidir en un tribunal, -por antigüedad.
prestar a un amigo, -con interés, -para un mes, -sobre garantía.
prestarse a ayudar.
presumir de rico, -con todos.
presupuestar (los gastos) en diez mil pesetas.
prevalecer entre todos, -sobre la injusticia.
prevenir a alguien, -contra el mal, -de un peligro, -en contra de alguien, -en favor de otro, -sobre algo.
prevenirse al, contra el peligro, -de, con lo necesario, -en la ocasión, -para un viaje.
principiar con, en, por tales palabras.
pringarse con, de aceite, -en una miseria.
privar(se) con el monarca, -de algo.
probar a saltar, -de todo.
proceder a una elección, -con, sin acuerdo, -contra los morosos, -de oficio, -en justicia -sin orden.
procesar por estafador.
procurar para, por sus hijos.
producir(se) ante el juez, -de, por todo, -en juicio.
progresar en el trabajo.
prohibir bajo pena, -de nuevo.
prolongar(se) (un plazo) al deudor, -en tiempo.
prometer a la niña, -en casamiento, -por esposa.
promover (a Juan) a Director, -para gobernador.

pronunciarse en favor de Andrés, -por
  Antonio.
propagar en, entre el pueblo, -por la
  ciudad.
propagarse (el incendio) al piso superior.
propasarse a murmurar, -a costa de, con
  alguien, -en la amistad.
propender a la confianza.
proponer (la paz) al enemigo, -(a uno) en
  primer lugar, -para secretaria, -(a uno) por
  arbitro.
proporcionar(se) a las fuerzas, -con, para
  alguna cosa.
prorratear entre varios.
prorrogar por dos años.
prorrumpir en lágrimas, -por todos lados.
proseguir con, en el trabajo.
prosternarse a, para pedir, -ante el altar,
  -en tierra.
prostituir (el ingenio) al oro, -en Barcelona,
  -por dinero.
proteger(se) con ropa de invierno, -contra el
  frío, -del sol, -(a alguien) en sus designios.
protestar contra la calumnia, -de su
  inocencia, -por esas palabras.
proveer a la necesidad pública, -(la plaza)
  con, de víveres, -en justicia, -entre partes.
provenir de otra familia.
provocar a ira, -con insultos.
proyectar en el telón, -sobre la pantalla.
prudenciarse en los gastos.
pudrirse de aburrimiento.
pugnar con, contra el enemigo, -en defensa
  de otro, -para, por librarse.
pujar con, contra las dificultades, -en,
  sobre el precio, -por alguna cosa.
purgar(se) (un libro) de errores, -con aceite
  de ricino, -(una pena) por un crimen.
purificarse con agua, -de sus pecados.

q

quebrantar con, por el trabajo, -de miedo.
quebrar(se) (el corazón) a su amada, -con
  un amigo, -en mil millones, -por las
  dificultades.
quedar(se) a oscuras, -como pintado, -con
  la mejor parte, -de acuerdo, -en el paseo,
  -entre bastidores, -para mañana, -por
  valiente, -sin dinero.
quejarse a, de los vecinos, -por todo.
quemarse con el fuego, -de la respuesta,
  -por la pasión.
querellarse al alcalde, -ante el juez, -contra,
  de su socio, -por los tributos.
querer(se) con locura, -como tórtolos.
quitar(se) a alguien, -del medio.

r

rabiar con, contra el jefe, -de hambre,
  -por quedar bien.
radiar en, por esta longitud.
radicar en el Escorial.
raer con fuerza, -(la mancha) del escrito.
ramificarse en varios itinerarios.
ratificarse en lo dicho.
rayar a gran altura, -con la frontera, -en lo
  grandioso.
razonar con el profesor, -en clase, -sobre
  metafísica.
rebajar a cinco pesos, -con agua, -(un precio)
  de otro.
rebajarse a disculparse, -ante el público,
  -de rancho.
rebasar del limite.
rebatir a un competidor, -con razón, -(una
  cantidad) de otra.

rebelarse **contra** el gobierno.
rebosar **de** alegría, **-en** agua, **-hasta** el borde.
rebozar **en** harina y huevo.
rebotar **en** el suelo.
recabar **con** esfuerzo, **-**(una cosa) **de** alguien.
recaer (el premio) **en, sobre** el más digno.
recapacitar **sobre** un asunto.
recargar **con** ornamentos, **-**(el café) **de** azúcar.
recatarse **de** las gentes.
recelar(se) **del** adversario.
recetar **al** enfermo, **-con** acierto, **-contra** el mal.
recibir **a, en** cuenta, **-**(a uno) **de, como** criado, **-con** los brazos abiertos, **-por** esposa.
recitar **como** un loro.
reclamar **a, de** Ramón, **-ante** el juez, **-contra** un pariente, **en** juicio, **-para** él, **-por** su bien.
reclinar (la cabeza) **contra, en** la pared, **-sobre** la mano.
reclinarse **en, sobre** el respaldo.
recobrarse **de** la enfermedad.
recoger **a, de** mano real, **-con** el cinturón, **-en** su casa.
recogerse **a** casa, **-en** sí mismo.
recomendar **a** un amigo, **-para** un empleo.
recompensar **al** laborioso, **-con** el sueldo, **-del** esfuerzo, **-en** metálico, **-por** su fidelidad, **-tras** la batalla.
reconcentrarse (el odio) **en** el corazón.
reconciliar(se) **con** su adversario.
reconocer **a** Pilar, **-ante** el público, **-**(mérito) **en** una obra, **-entre** ambos, **-**(a uno) **por** hijo.
reconquistar (Granada) **de** los moros.
reconvenir **con** reproches, **-**(a alguno) **de, sobre** algo, **-por** sus groserías.
reconvertir **en** dólares.
recorrer (España) **de** un extremo **al** otro, **-desde** un extremo **hasta** el otro.
recostarse **en, sobre** la cama.
recrearse **con** la pintura, **-en** oír música.
recubrir (la mesa) **con** un mantel, **-de** flores.
recurrir **a** un amigo, **-contra, de** la sentencia.

redimir **del** pecado.
redondear **en** números.
reducir **a** la mitad, **-de** precio, **-en** una parte.
reducirse **a** lo más preciso, **-en** los gastos.
redundar **en** beneficio.
reemplazar (a una persona) **con, por** otra, **-**(a Antonio) **en** su trabajo.
reencarnarse **en** animal.
reengendrar (a alguien) **en** Cristo.
referirse **a** su negocio.
reflejar **de** bondad, **-en** el espejo, **-sobre** el agua.
reflexionar **en** solitario, **-sobre** el problema.
refocilarse **con** la noticia, **-en** los vicios.
reformarse **en** el vestir.
refregarse **con** el estropajo, **-contra** la esquina.
refrescarse **con** agua, **-en** el río.
refugiarse **a, bajo, en** sagrado, **-contra** los tiros, **-entre** las ruinas.
refundir **en** latón, **-con** cobre.
refutar (una teoría) **con** hechos.
regalar (el oído) **a** alguien.
regalarse **con** buenas comidas, **-en** dulces recuerdos.
regar **a, ante** la puerta, **-con, de** lágrimas, **-por** la tarde.
reglar **a, por** los criterios.
regir **de** vientre, **-por** el buen sentido.
registrar **a** fondo, **-en** el cajón, **-por** todas partes.
regocijarse **con, de** la noticia, **-por** Luisa.
regodearse **con, en** la lectura.
regresar **a** Madrid, **-de** París, **-desde** La Habana, **-en** avión, **-por** Navidad.
rehabilitar (a uno) **a** su antiguo cargo, **-en** su puesto.
rehogar (la carne) **a** fuego lento, **-con** aceite, **-en** manteca.
reinar **en** España, **-**(el terror) **entre** las gentes, **-sobre** el pueblo.
reincidir **en** el crimen.
reincorporar (a uno) **a** su destino.
reintegrar(se) **a** su puesto, **-de** lo suyo, **-en** sus bienes.

reír(se) a solas, **-con** Enrique, **-como** un descosido, **-de** dientes afuera, **-en** las barbas de uno, **-entre** dientes, **-para** sus adentros, **-por** lo bajo, **-sin** parar.

relacionarse con otros, **-entre** sí.

relajar(se) al brazo seglar, **-con** masajes, **-de** sus deberes, **-en** la conducta.

relamerse con gusto, **-de** placer.

relevar (a uno) **del** cargo.

rellenar de chocolate, **-**(un cojín) **con** lana, **-entre** las capas, **-por** dentro.

rematar al toro, **-con** una copla, **-en** cruz.

remirarse al, en el espejo.

remitirse a la Providencia.

remojar en el agua, **-por** fuera.

remontar(se) al, hasta el pasado, **-en** alas de la fantasía, **-por** los aires, **-sobre** los demás.

remover de su puesto, **-con** un cuchillo.

renacer a la vida, **-con, por** la gracia, **-en** Jesucristo.

rendirse a la razón, **-con** el peso, **-de** fatiga.

renegar de su fe.

renunciar a un proyecto, **-**(algo) **en** otro, **-en favor de** alguien.

reñir(se) a, con la novia, **-entre** amigos, **-por** la herencia.

reparar (perjuicios) **con** favores, **-en** los pormenores.

repararse del daño.

repartir (alguna cosa) **a entre** algunos, **-entre** amigos, **-en** porciones iguales.

repasar por un camino.

repeler a intrusos.

repercutir (la subida del dólar) **en** los precios.

repoblar de árboles, **-con** peces.

reponerse de una enfermedad.

reposar de la fatiga.

reprender de la conducta.

representar al rey, **-**(su dolor) **con** ademanes, **-en** el contrato, **-para** los jóvenes, **-sobre** un asunto.

representarse (una cosa) **a, en** la imaginación.

reprimirse de hablar.

reputar (a alguno) **de** inteligente, **-**(la honra) **en** mucho, **-por** honrado.

requerir de amores.

requerirse (tacto) **en, para** un negocio.

resaltar (un color) **de** otro, **-sobre** el mantel.

resarcirse con subsidios, **-de** una pérdida.

resbalar con la grasa, **-en, sobre** el hielo.

resbalarse de, entre las manos, **-por** la pendiente.

rescatar al olvido, **-**(la plaza) **del** enemigo, **-por** el mar.

resentirse con, contra alguno, **-de, por** lo dicho, **-en** el costado.

reservar a alguien, **-para** sí.

reservarse al comienzo, **-**(el juicio) **acerca de** algo, **-en** el combate, **-para** el final.

resfriarse con alguno, **-en** la amistad.

resguardarse con, contra la pared, **-de** los tiros.

residir en la ciudad, **-entre** salvajes.

resignarse a los sufrimientos, **-con** su suerte, **-en** la desgracia.

resistir(se) a la violencia.

resolverse a salir, **-**(el agua) **en** vapor, **-por** unanimidad.

resonar (la ciudad) **con, en** cánticos de gozo, **-entre** montañas, **-hacia** el Sur.

resoplar como un caballo.

respaldarse con, contra la tapia, **-en** la silla.

resplandecer al, con el sol, **-contra** el fondo, **-de** alegría, **-en** sabiduría, **-entre** los demás, **-por** la luz.

responder a la pregunta, **-con** la fianza, **-del** préstamo, **-por** otro.

responsabilizarse de un nieto.

restablecerse de una dolencia.

restar (fuerzas) **al** enemigo, **-**(una cantidad) **de** otra.

restituir a Juan, **-bajo** confesión, **-con** dinero, **-en** tierras, **-**(una cosa) **por** entero.

restregar (una cosa) **con, contra** otra.

restringirse al presupuesto.

resucitar de entre los difuntos.

resultar (un kilo) **a** mil pesetas, **-contra** su opinión, **-**(una cosa) **de** otra, **-en** beneficio de todos.

resumir(se) en dos palabras.

resurgir de la derrota.

retar a muerte, **-con** espada, **-de** traidor.

retener en la memoria.

retirarse a la sombra, **-con** éxito, **-de** la circulación.

retorcerse de, por un dolor.

retornar a casa, **-con** sus hijos, **-de** lejos, **-(uno) en** sí.

retractarse de la acusación.

retraerse a su pena, **-de** la vista.

retrasar en los estudios.

retratarse con su mujer, **-en** traje de baño.

retreparse en una silla.

retroceder a, de, hacia tal parte, **-de** un sitio a otro, **-en** el camino.

retumbar con el eco.

reunir a todos.

reunirse con amigos.

reventar de risa, **-por** hablar.

revertir a largo plazo, **-en** su provecho.

revestir(se) con, de facultades.

revolcarse en el barro, **-por** el suelo, **-sobre** el polvo.

revolver con un tenedor, **-en** el armario, **-entre** las sábanas.

revolverse al, contra, sobre el enemigo, **-en** la hierba.

rezar a Dios, **-con** su madre, **-en** la ermita, **-por** los difuntos.

rezumar (el agua) a través de las lozas, **-de** humedad, **-(el sudor) por** la frente.

rimar (un verso) con otro.

rivalizar con los contrarios, **-en** hermosura, **-por** el numero uno.

rodar al suelo, **-de** lo alto, **-bajo** los caballos, **-por** tierra.

rodear(se) con, de murallas, **-por** el bosque.

roer con los dientes, **-para** agujerear.

rogar a Dios, **-por** los pecadores.

romper a cantar, **-con** la novia, **-en** lágrimas, **-por** medio.

rozarse (una cosa) con otra, **-contra** el árbol, **-en** las palabras.

ruborizarse por nada.

saber a miel, **-(algo) como** el Padre Nuestro, **-de** dificultades, **-para** sí, **-por** cierto.

saborearse con el chocolate.

sabresaltarse con, de, por la información.

sacar a la luz, **-con** bien, **-de** alguna parte, **-en** limpio, **-por** consecuencia.

saciar(se) con poco, **-de** bebida.

sacrificarse a no gastar, **-para** mejorar, **-por** alguno.

sacudir(se) del polvo.

salir a la calle, **-con** dirección a Cartagena, **-con** sus amigos, **-contra** alguno, **-de** apuros, **-en** los periódicos, **-para** Nueva York, **-por** fiador.

salirse con la suya, **-de** la norma, **-por** la tangente.

salpicar con, de aceite.

saltar a tierra, **-con** una simpleza, **-de** gozo, **-de** un tema a otro, **-de** mata en mata, **-desde** el balcón, **-en** el aire, **-por** la pared.

saludar a alguien, **-con** la mano, **-de** nuestra parte.

salvar al enfermo, **-con** cuidados, **-de** la muerte.

salvarse a nado, **-con** una balsa, **-en** el barco, **-por** los pelos.

sanar al doliente, **-con** hierbas, **-de** la enfermedad, **-por** ensalmo.

sangrar a un enfermo, **-como** un toro, **-por** la boca.

satisfacer a su esposa, **-con** la condena, **-por** las culpas.

satisfacerse con razones, **-de** la deuda.

saturarse de ciencia.

secar(se) al aire, **-bajo** el sol, **-con** un paño, **-de** sed, **-en** el prado, **-sobre** la hierba.

secundar al superior, **-(alguien) en** sus proyectos.

segar a destajo, **-con** la hoz, **-de** sol a sol, **-desde** la carretera, **-hacia** el río, **-hasta** la tarde.

segregar (una cosa) **a**, **de** otra.
seguir con la empresa, **-de** cerca, **-en** el intento, **-para** Castilla.
seguirse (una cosa) **a**, **de** otra.
sembrar (el camino) **con**, **de** flores, **-en** el huerto, **-entre** piedras, **-por** abril.
semejar(se) (una cosa) **a** otra, **-en** algo.
sentar **como** un dulce, **-por** escrito.
sentarse a la mesa, **-bajo** el parral, **-de** cabecera de mesa, **-en** un sillón, **-entre** rosas, **-junto al** huésped, **-sobre** un cojín, **-tras** el matorral.
sentenciar a destierro, **-en** justicia, **-por** robo, **-según** la ley.
sentir con otro, **-en** el alma, **-por** un hombre.
sentirse con ánimos, **-como** un pez en el agua, **-de** la cabeza, **-sin** la pierna.
señalar con el dedo, **-(a alguien) para** hacer algo.
señalarse en la guerra, **-por** discreto.
señorearse de la ciudad.
separar(se) **de** su mujer.
sepultar (a alguien) **bajo** tierra, **-en** el olvido, **-entre** los árboles.
ser (una cosa) **a** gusto de todos, **-con** usted, **-de** Andalucía, **-(el mejor) entre** los mejores, **-para** mí, **-por** su beneficio.
servir al Rey, **-con** fidelidad, **-de** colaborador, **-en** palacio, **-para** nada, **-por** la comida, **-sin** sueldo.
servirse de la amistad, **-en**, **para** un lance, **-por** la escalera falsa.
significar (algo) **a**, **para** alguien.
significarse **por** su integridad.
simpatizar con sus conceptos.
simultanear (una cosa) **con** otra.
sincerarse ante el juez, **-con** el amigo, **-del** error, **-desde** el comienzo, **-hasta** el final.
sincronizarse con las imágenes.
singularizarse con alguno, **-en** todo, **-entre** los suyos, **-por** su traje.
sintonizar con Radio Madrid.
sisar al alma, **-de** la tela, **-en** la compra.
sitiar por tierra, mar y aire.

situar(se) **en** alguna parte, **-entre** dos ríos.
sobrenadar (el petróleo) **en** el mar.
sobrepasar (el gasto) **al** presupuesto, **-en** estatura.
sobreponerse a sus sentimientos.
sobrepujar en precio.
sobresalir (una piedra) **del** suelo, **-en** mérito, **-entre** todos, **-por** su ciencia.
sobreseer en la causa.
sobresaltarse con, **por** un zumbido.
sobrevivir a alguien.
socorrer al pobre, **-con** comida, **-de** víveres.
solazarse con fiestas, **-en** el prado, **-entre** mujeres.
solicitar al Presidente, **-con** el Ministro, **-del** Gobernador, **-para**, **por** sus padres.
solidarizarse con los huelguistas.
soltar de la mano, **-desde** arriba abajo.
soltarse (un niño) **a** andar, **-con** una tontería, **-en** un trabajo.
someterse a, **bajo** la autoridad.
sonar a hueco, **-en**, **hacia** tal parte, **-para** el Norte.
sonreír con sonrisa feliz, **-de** la idea, **-por** dentro.
soñar con las vacaciones, **-en** un mundo mejor.
sopesar con atención.
soplar (una lección) **a** un alumno, **-de** aire, **-con** la boca.
sorprender al ladrón, **-con** la vista, **-en** la cama.
sospechar de, **en** alguien.
sostener al candidato, **-con** razones, **-en** el debate.
subdividir con justicia, **-en** partes.
subir a la torre, **-del** sótano, **-desde** el primer piso, **-en** ascensor, **-hacia** la cumbre, **-hasta** Sierra Nevada, **-por** la escalera, **-sobre** la mesa.
subordinar al mando.
subrogar (una cosa) **con**, en lugar **de**, **para**, **por** otra.
subscribirse a un periódico.
subsistir con, **del** dinero ajeno.

substituir a, por alguno, -(una cosa) con
otra, -(un poder) en alguno.
substraerse a, de la obediencia.
subvenir a las necesidades.
suceder a José, -con Diego lo que con
Manuel, -(a alguno) en el empleo.
sucumbir a un nuevo ataque, -ante, bajo el
enemigo.
sufragar (los gastos) -de la casa, -por uno.
sufrir a, de Enrique lo que no se sufre a, de
Pedro, -bajo el cautiverio, -con paciencia,
-como un condenado, -por amor de Dios.
sujetar(se) al niño, -con habilidad, -por los
pies.
sumarse a la manifestación.
sumergir(se) bajo, en el agua, -entre la
muchedumbre.
sumirse a la incertidumbre.
supeditar (los gastos) a los ingresos.
superponer(se) a la amargura.
suplicar a la Reina, -ante el Consejo,
-(al tribunal) de la sentencia, -en recurso,
-por el condenado.
suplir (una cosa) a, con otra, -en el puesto,
-por otro.
surgir de la niebla, -en el horizonte, -entre
los árboles.
surtir a la población, -de víveres.
suspender de una cuerda, -en las
asignaturas, -hasta Navidad, -por la
cintura.
suspirar de amor, -por el poder.
sustentarse con frutas, -de ilusiones.
sustituir a, por alguno, -(una cosa) con otra.
-(un poder) en alguno.
sustraerse a, de la obediencia.

t

tachar (a alguien) de frívolo, -por su
comportamiento.
tachonar de estrellas, -con florones de oro.

tallar (una piedra) a bisel, -en rombos.
tañer a muerto, -con fuerza.
tantear al adversario.
tapar con una manta.
tardar en venir.
tarifar con el director.
tejer con lana, -de seda.
televisar en directo.
temblar con el susto, -como un azogado,
-de frío, -por su vida.
temer a, de otro, -por su familia.
templarse con dos copas, -en beber.
tender a mejorar.
tenderse en, por el suelo.
tener a mano, -ante los ojos, -con cuidado,
-de, por criada, -en menos, -entre manos,
-para sí, -(algo) que hacer, -sin sosiego,
-sobre la conciencia.
tenerse a lo escrito, -de, en pie, -por válido,
-sobre el borde.
tentar (a uno) a fumar, -con una copa.
teñir con, de, en verde.
terciar con el jefe, -en la lucha, -entre ellos.
terminar de, en punta, -por llegar.
testimoniar con alguien, -de oídas, -sobre
el robo.
tildar de avaro.
timarse con una mujer.
tirar a la derecha, -con fuerza, -contra el
enemigo, -de la capa, -hacia la izquierda,
-para Soria, -por medio, -sobre la liebre.
tirarse al, por el suelo, -entre las ortigas.
tiritar de frío.
tirotear desde el tejado, -por la policía.
titubear ante, en la decisión.
tocar a misa, -con el dedo, -de oído, -en la
ventana, -por encima de algo.
tomar a broma, -bajo su protección, -con,
entre sus manos, -como ejemplo, -de la
bandeja, -en el suelo, -hacia el Sur, -para
sí, -por la ventana, -sobre el hombro.
topar con un amigo, -contra, en el muro.
torcer a, hacia la izquierda.
tornar a las andadas, -de Asturias,
-(la defensa) en acusación, -por el Oeste.

tornarse contra el jefe, -en admiración,
-hacia su padre, -tras sus pasos.
tostarse al, bajo el sol, -con crema.
trabajar a destajo, -como un negro,
-de obrero, -de sol a sol, -en tal materia,
-para vivir, -por distinguirse.
trabar (una cosa) con, de, en otra.
trabarse al hablar, -con, de, en palabras.
trabucarse en la disputa.
traducir al, en francés, -del inglés.
traer a casa, -ante el juez, -con uno mismo,
-de España, -en, entre manos, -hacia,
sobre sí, -sin cuidado, -por divisa.
traficar con armas, -en drogas.
tragar con dificultad.
tramitar a través de la embajada.
transbordar a otro vagón, -de un barco a otro.
transferir (alguna cosa) a, en otra persona,
-de una parte a otra.
transfigurarse con el disfraz, -en otro,
-por la noticia.
transformar(se) (una cosa) en otra.
transitar por la Plaza Mayor.
transmutar (una cosa) en otra.
transpirar con el calor, -por todos los poros.
transportar a lomo, -de alegría, -de una
parte a otra, -en camión, -sobre una silla.
transportarse de júbilo.
trasbordar al camión, -de un tren a otro.
trasegar (el vino) de una cuba a otra.
trasladar a alguien, -al, en castellano,
-de Santander a Bilbao, -del alemán.
traspasar (la herencia) a los huérfanos.
traspasarse en el trato.
trasplantar de un lado a otro, -de una parte
en otra.
tratar a los vecinos, -acerca de un problema,
-con Antonio, -de valiente, -en lanas, -(el
óxido) por una pintura, -sobre una cuestión.
travesear con su amigo, -por el parque.
trepar a un árbol, -por la cuerda.
triunfar con sus aliados, -de, sobre los
enemigos, -en el encuentro.
trocar (una cosa) con, en, -por otra.
tronar con José, -contra el vicio.

troncharse de risa.
tropezar con, contra, en el umbral.
tumbar al suelo, -por tierra.
turbar(se) en el examen, -por la pasión.

U

ufanarse con la victoria, -del triunfo, -por el
éxito.
ultrajar con insultos, -de palabra, -en su
honor.
uncir (la yunta) al carro, -(vaca) con buey.
ungir(se) con bálsamo, -por sacerdote.
uniformar a los voluntarios, -con los
veteranos, -del mismo color.
unir (una cosa) a, con otra, -por matrimonio.
unirse a, con los compañeros, -en el grupo,
-entre todos.
untar al funcionario, -con, de grasa.
usar de malas artes.
utilizar a Juan, -con Alonso, -de prueba,
-en la pelea.

V

vacar a sus quehaceres.
vaciar del contenido, -en yeso.
vaciarse de agua, -por la compuerta.
vacilar en la elección, -entre una solución y
otra.
vagabundear de un lado a, para otro.
vagar por la ciudad, -como alma en pena.
valer (una cosa) a millón, -ante el juez, -con
creces, -(tanto) como su hermano, -para
soldado, -por dos.
valerse de alguien o algo.
vanagloriarse de, por su familia.
varar en la arena.
variar de opinión, -en tamaño.

vejar a alguien, **-por** una ofensa.

velar a los muertos, **-en** defensa de los intereses del país, **-por** el bien público, **-sobre** la salud.

vencer a, con, por traición, **-en** la batalla.

vender al, por mayor, **-con** pérdida, **-de** contrabando, **-en** firme.

venderse a alguno, **-en** tanto, **-por** dinero.

venerar a alguien, **-por** santo.

vengarse con vehemencia, **-de** una ofensa, **-en** el mismo lugar, **-por** el crimen.

venir(se) a casa, **-con** automóvil, -(el enemigo) **contra** nosotros, **-de** perilla, **-desde** Valencia, **-en** decretar, **-hacia**, **hasta** aquí, **-para** las vacaciones, **-por** buen camino, -(una desgracia) **sobre** alguien.

ver al enfermo, **-con** sus propios ojos, **-de** hacer algo, **-por** un agujero.

veranear en la Costa del Sol.

versar sobre libros.

verse a la legua, **-de** lejos, **-con** Andrés, **-en** un apuro, **-entre** los suyos, **-sin** dinero.

verter al suelo, **-del** cántaro, **-en** español, **-hacia** el río.

vestir a la, de moda.

vestirse con plumas ajenas, **-de** verano.

viajar a caballo, **-de** noche, **-en** segunda, **-hacia**, **hasta** Argentina, **-por** avión.

viciarse con una persona, **-de, por** el trato de alguien.

vigilar al preso, **-del** castillo, **-en** defensa de la ciudad, **-por** el bien común, **-sobre** el río.

vincular (la gloria) a, en la virtud, **-entre** sí, **-por** la gratitud, **-sobre** una hacienda.

vindicar(se) del insulto.

violentarse a contestar, **-en** responder.

virar a, hacia la costa, **-de** bordo, **-con** viento en popa, **-en** redondo, **-hasta** inclinar la barca, **-por** avante, **-sobre** el ancla.

vivir a gusto, **-con** poco, **-de** rentas, **-desde** años, **-en** paz, **-entre** salvajes, **-hacia** los años veinte, **-hasta** cien años, **-para** ver, **-por** milagro, **-sin** pena ni gloria, **-sobre** la faz de la tierra.

volar al cielo, **-con** sus propias alas, **-de** rama **en** rama, **-en** avión, **-por** encima del mar, **-sobre** España.

volcarse en un asunto.

volver a casa, **-de** la aldea, **-en** sí, **-hacia** tal parte, **-por** el camino, **-para** el pueblo, **-sobre** sus pasos, **-sin** retorno.

volverse como era, **-contra, en** contra de alguien, **-hacia** tal parte, **-por** el camino, **-para** el pueblo, **-sobre** sus pasos, **-sin** retorno.

votar al candidato, **-con** la mayoría, **-en** las elecciones, **-por** el concejal.

yacer ante, contra, sobre las flores, **-con** la amante, **-en** la sepultura, **-sin** vida, **-tras** el seto.

zafarse de la pregunta, **-con** su cómplice, **-por** la ventana.

zaherir con injurias.

zambullir(se) bajo, en el agua.

zamparse en la sala.

zampuzar(se) en el agua.

zarpar del puerto.

zozobrar con, en, por la tormenta.

zurcir con hilo, **-de** seda, **-entre** mallas.

Index
des Verbes

Abrévations utilisées dans la liste générale des verbes

vivir : verbe modèle

7 : renvoi aux verbes modèles des tableaux

21 : renvoi aux tableaux modèles

t. : verbe transitif

i. : verbe intransitif

p. : verbe pronominal

irr. ◆ : verbe irrégulier

déf. : verbe défectif

imp. : verbe impersonnel

amer. : américanisme

p.p. ◆ : verbe à participe passé irrégulier

2 p.p. : verbe à double participe passé

balsear, t.	5	bastar, i. p.	5	bieldar, t.	5

balsear, t. 5
bambalear, i. p. 5
bambanear, i. p. 5
bambolear, i. p. 5
bambonear, i. p. 5
bancar, t. amer. 72
bandear, t. p. 5
banderillear, t. 5
banderizar, t. p. 21
banquear, t. amer. 5
banquetear, t. i. p. 5
bañar, t. p. 5
baquear, i. 5
baquetear, t. p. 5
baquiar, t. amer. 43
barajar, t. i. p. 5
baratear, t. 5
barbar, i. 5
barbarear, i. amer. 5
barbarizar, i. t. 21
barbear, t. i. 5
barbechar, t. 5
barbotar, t. i. 5
barbotear, i. 5
barbullar, i. 5
bardar, t. 5
barloar, t. i. p. 5
barloventear, i. 5
barnizar, t. 21
barquear, t. i. 5
barrar, t. 5
barrear, t. i. p. 5
barrenar, t. 5
barrer, t. 6
barretear, t. 5
barritar, i. 5
barruntar, t. 5
bartolear, i. 5
bartular, i. amer. 5
bartulear, i. amer. 5
barzonear, i. 5
basar, t. p. 5
bascular, i. 5
basquear, i. t. 5
bastantear, i. t. 5

bastar, i. p. 5
bastardar, i. 5
bastardear, i. t. p. 5
bastear, t. 5
bastimentar, t. 5
bastionar, t. 5
bastonear, t. 5
basurear, t. amer. 5
batallar, i. 5
batanar, t. 5
batanear, t. 5
batear, t. i. amer. 5
batiportar, t. 5
batir, t. i. p. 7
batojar, t. 5
batucar, t. 72
batuquear, t. 5
bautizar, t. 21
bazucar, t. 72
bazuquear, t. 5
beatificar, t. 72
beber, i. t. p. 6
beborrotear, i. 5
becar, t. 72
becerrear, i. 5
befar, i. t. 5
bejuquear, t. amer. 5
beldar, t. irr. ◆ 56
bellaquear, i. 5
bellotear, i. 5
bendecir, t. irr. ◆
  2 p.p. 61
beneficiar, t. p. 5
berlingar, t. 53
bermejear, i. 5
berrar, i. 5
berrear, i. p. 5
besar, t. p. 5
besotear, t. 5
bestializar, t. p. 21
besucar, t. 72
besuquear, t. 5
betunear, t. amer. 5
bichar, t. amer. 5
bichear, t. i. amer. 5

bieldar, t. 5
bienquerer, t. irr. ◆
  2 p.p. 64
bienquistar, t. p. 5
bienvivir, i. 7
bifurcarse, p. 72
bigardear, i. 5
bilmar, t. amer. 5
bilocarse, p. 72
binar, t. i. 5
biografiar, t. 43
birlar, t. 5
bisar, t. 5
bisbisar, t. 5
bisbisear, t. 5
bisecar, t. 72
biselar, t. 5
bitar, t. 5
bizarrear, i. 5
bizcar, i. t. 72
bizcochar, t. 5
bizmar, t. p. 5
bizquear, i. 5
blandear, i. t. p. 5
blandir, t. déf. irr. ◆ 8
blanquear, t. i. p. 5
blanquecer, t. irr. ◆ 54
blasfemar, i. 5
blasonar, t. i. 5
blincar, i. 72
blindar, t. 5
bloquear, t. 5
bobear, i. 5
bobinar, t. 5
bocadear, t. 5
bocear, i. 5
bocelar, t. 5
bocezar, i. 21
bochar, t. amer. 5
bochinchear, i. amer. 5
bocinar, i. 5
bodegonear, i. 5
bofarse, p. 5
bogar, i. 53
boicotear, t. 5

h

j

k

l

q

Y

yacer, i. irr. ♦ 85
yapar, t. amer. 5
yerbear, i. amer. 5
yermar, t. 5
yodar, t. 5
yodurar, t. 5
yugar, i. amer. 53
yugular, t. 5
yuxtaponer, t. p. irr. ♦ . . 60

Z

zabordar, i. 5
zaboyar, t. 5
zabullir, t. p. irr. ♦ 18
zabuquear, t. 5
zacear, i. 5
zafar, t. p. 5
zaherir, t. irr. ♦ 76
zahondar, t. i. 5
zahoriar, t. 5
zalear, t. 5
zallar, t. 5
zamarrear, t. 5
zambucar, t. 72
zambullir, t. p. irr. ♦ 18
zaminar, t. 5
zampar, t. p. 5
zampear, t. 5
zampuzar, t. 21
zancadillear, t. 5
zancajear, i. 5
zanganear, i. 5
zangarrear, i. 5
zangolotear, t. i. p. 5
zangotear, t. 5

zanjar, t. 5
zanjear, t. amer. 5
zanquear, i. 5
zapar, i. t. 5
zaparrastrar, i. 5
zapatear, t. i. p. 5
zapear, t. 5
zapuzar, t. 21
zaquear, t. 5
zarabutear, t. 5
zaracear, i. imp. 5
zaragatear, i. 5
zaragutear, t. 5
zarambutear, t. amer. . . . 5
zarandar, t. p. 5
zarandear, t. p. 5
zarcear, t. i. 5
zarpar, t. i. 5
zarpear, t. i. amer. 5
zarrir, i. 7
zascandilear, i. 5
zigzaguear, i. 5
zocatearse, p. 5
zollipar, i. 5
zoncear, i. amer. 5
zonificar, t. amer. 72
zoquetear, t. i. amer. . . . 5
zorrear, i. 5
zozobrar, i. t. p. 5
zulacar, t. 72
zulaquear, t. 5
zullarse, p. 5
zumacar, t. 72
zumbar, i. t. p. 5
zunchar, t. 5
zuñir, t. i. 7
zurcir, t. 86
zurdear, i. amer. 5
zurear, i. 5
zurrar, t. p. 5
zurriagar, t. 53
zurriar, i. 43
zurrir, i. 7
zurruscarse, p. 72

Dépôt légal 18098 - Mai 2000 - Imprimé en Italie par «La Tipografica Varese S.p.A.»